①ラリオーノフ　グラス
1909　カンバスに油彩　104×97 cm
ニューヨーク、グッケンハイム美術館

❷マレーヴィチ　モスクワのイギリス人
1914　カンバスに油彩　88×57 cm
アムステルダム、市立美術館

③リシツキイ　赤い楔で白を打て
1919-20 リトグラフ
53×70 cm
モスクワ、レーニン図書館

④タトリン　水兵
1911-12 カンバスに油彩
71.5×71.5 cm
レニングラード、ロシア美術館

❺ポポーワ　食料品店
1916　カンバスに油彩　54×43 cm
レニングラード、国立ロシア美術館

ちくま学芸文庫

ロシア・アヴァンギャルド

未完の芸術革命

水野忠夫

筑摩書房

【目次】ロシア・アヴァンギャルド

❶

❷

❸

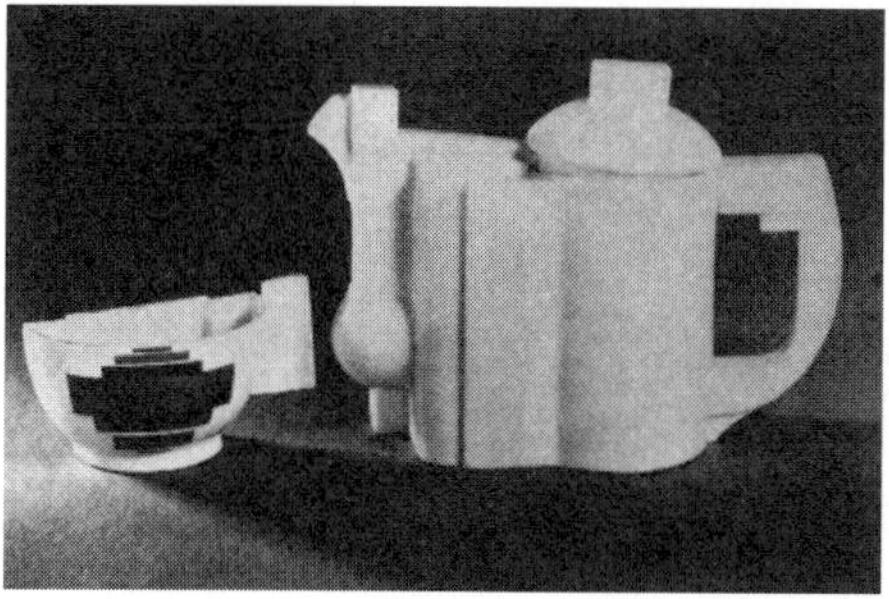

❹

目次図版

❶＝ヴェルトフ　カメラを持った男　1924

❷＝タトリン　コントラレリーフ　1914

❸＝ロドチェンコ　円の中の円　1920

❹＝マレーヴィチ　湯わかしとカップ　1923

ロシア・アヴァンギャルド——未完の芸術革命

序

「一九一七年の社会的な事件は、素材、ヴォリューム、構成が芸術の基礎に置かれた一九一四年のわれわれの芸術において、すでに惹き起こされていた」（「これからのわれわれの仕事」）とウラジーミル・タトリンは書き、カジミール・マレーヴィチも、「立体主義と未来主義は一九一七年の政治的、経済的生活における革命を予告する芸術の革命的な様式であった」（「芸術における新しいシステムについて」）と書いている。

二十世紀のロシア美術史において、絵画の可能性の限界をきわめ、それぞれ、構成主義とシュプレマティズムの開拓者として果敢な芸術革命を行なった二人の画家が期せずして書いている一九一七年の「社会的事件」、「政治的、経済的生活における革命」とは、現代史に決定的な意味をもつと思われるロシアの十月革命を指していた。ロシア革命の希望と理想が、その否定面をも含めて、いまや風化したイメージしか与えてくれないことも、その後のにがい歴史の経験によって知らされてしまっている。そのことを否認しようとは思わない。しかし、政治の歴史と文化の歴史とが必ずしも同じ道程をたどったわけではなく、むしろ政治と文化が拮抗する場合だってあり、政治の歴史に切り捨てられ、忘却の淵に置かれた文化の可能性を汲みつくすことなしには、ロシアの革命の歴史を語ることも許されないのではないだろうか。タトリンとマレーヴィチの文章のなかで見過ごせないのは、ロシアでは芸術革命が政治革命に先行していたという事実である。そして政治革命に先行し、政治革命の推移の過程で異議申し立てを行なう権利を保有しつつ芸術革命を展開したのが、ロシア・アヴァンギャルドの芸術運動にほかならなかった。

二十世紀に入って以来、ヨーロッパを中心とするさまざまな芸術運動との関連のなかで、ロシアにおいても新しい芸術を目ざす運動が起こり、一九一〇年ごろから既成の芸術に反逆する詩と絵画の運動がはじまったが、なかでも、モスクワを中心として生まれ、一九一二年のロシア未来派宣言「社会の趣味への平手打」に署名したヴェリミール・フレーブニコフ、ダヴィド・ブルリューク、ウラジーミル・マヤコフスキイ、アレクサンドル・クルチョーヌイフといった文学の素材としての言語にもとづく詩の革命を主張した詩人たちと、〈ダイヤのジャック〉から〈ろばの尻尾〉グループを経てシュプレマティズムや構成主義へと飛翔したマレーヴィチやタトリンをはじめ、ミハイル・ラリオーノフ、ナターリヤ・ゴンチャローワなどの画家たちと共同で展開された立体未来派の運動が注目される。詩学と言語学の問題を検討しながら文学作品の主題構成や文体や構造を分析し、言語革命の課題を明確にしたヴィクトル・シクロフスキイとロマン・ヤコブソンによって開始されたフォルマリズムの批評運動も、ロシア未来派と関連をもつものであった。

立体未来主義の詩も絵画も、あるいはフォルマリズムの詩学も批評も、革命前には、いずれも自己の領域を限定し、その固有の原理を探求し、社会的な有効性を拒否しつつ詩と絵画の革命、詩学と批評の変革を目ざしていた。しかし、十月革命に際して、「『受け入れるか、受け入れないか』――こんな問題はわたしには（ほかのモスクワ未来派の人々にも）存在しなかった。わたしの革命なのだ」（『わたし自身』）と書いたのはマヤコフスキイであったが、マヤコフスキイだけではなく、革命前の多くのアヴァンギャルドもまた、「わたしの革命」として十月革命を熱狂的に受け入れたのであった。

立体未来派を中心とする人々は十月革命を自己の芸術革命に呼応するものとして受けとめ、革命になだれこみ、そのほかにも、ニコライ・アセーエフ、セルゲイ・トレチヤコフ、ボリス・パステルナークといった詩人たち、第一次大戦の開始とともにヨーロッパから帰国したワシーリイ・カンディンスキイ、マルク・シャガール、ナタン・アリトマン、ダヴィド・シュテレンベルグ、それにアレクサンドル・ロドチェンコ、ラーザリ・リシツキイなどの構成主義につらなる画家たち、「演劇の十月」を提唱し、純粋な見世物の演劇を労働過程としてとらえ、俳優の肉体を素材とする「ビオメハニカ」を主張し、果敢な実験精神をもって舞台言語の開発を試みたフセヴォロド・メイエルホリドをはじめ、アレクサンドル・タイーロフ、ニコライ・エヴレイノフといった演出家、演劇から映画への道を歩んだセルゲイ・エイゼンシュテインなどがこれに合流した。また、アナトーリイ・ルナチャルスキイを教育人民委員会議長とする革命政府のほうでも、この運動を積極的に評価し、芸術の実験と冒険を物質的にも支援していた。

革命後のアヴァンギャルドは、「コミューンの芸術」や「レフ（芸術左翼戦線）」などの新聞や雑誌を発行し、一九二〇年代前半までは、躍動する民衆のエネルギーの昂揚に支えられて、文学、美術、演劇、映画といったジャンルの枠を越えて、すべての芸術の最前線に立っていたのである。

ここには、ロシアのアヴァンギャルドが出発のとき以来もちつづけてきた反伝統的な前衛精神に支えられ、現実にたいする憎悪と反撥を基礎に置く形式革命への熱中と同質の根拠があったと考えられる。ロシア革命を実現した民衆の自発的なエネルギーに支えられた時代精神の昂揚が、いっさいの過去を否定し、無限の飛躍を一人一人の芸術家に要請していた時期、ロシア革命と未来主義とが密接に結びついていた時期には、政治の革命と芸術の革命は、同じ希望と同じ理想を表現していたのである。そして、あらゆる価値が転換し、既成の秩序がことごとく崩壊してゆく時期にあっては、近代意識に根ざした「芸術」そのものに疑いを抱き、近代芸術を根底から否定しようとするロシア・アヴァンギャルドの過激なまでの主張には、芸術における絶対的なものを追求した未来派の出発以来の情熱が継承されているとみなければならない。

「社会の趣味への平手打」と題する未来派宣言と、その宣言を収めた文集の題名が象徴するように、既成の権威を否定し、近代芸術の境界線を踏み越えて、新しい世界感覚と、その言語空間の創造を目ざしたこの運動が革命へと向かい、革命と切り結ぶ芸術運動になった点に、ロシア・アヴァンギャルドの特質がある。そして、ロシア・アヴァンギャルドの未来への限りない跳躍を与えていたのは、革命という価値の転換期における民衆の意識の昂揚と軌を一にする革命の想像力であった。

それにしても、いわば革命の想像力を無限に解き放つかのように、革命直後のロシアで開花したアヴァンギャルド芸術はどのようにして生まれ、どのような運命をたどらねばならなかったのであろうか。

今日、ロシア・アヴァンギャルドについて語ることはどういう意味をもつのであろうか。ロシアという固有の場所において一九一〇年代に発生し、ロシア革命をはさむ数年間に全盛をきわめ、そして一九三〇年ごろには終りを告げたひとつの芸術運動。それは言ってみれば、短期間に寿命を終えた過去の芸術運動にすぎないのかもしれない。だがしかし、ロシア・アヴァンギャルドの運動が自己の運動の論理的帰結として終息したのではなくて、革命の停滞期が訪れ、スターリン体制から激しい非難を浴び、やがては「形式主義」として批判され、運動の展開の途上で抑圧され、窒息させられ、それ以後、それのもった意味も内容も闇のなかに長いこと埋葬されていたものであるかぎり、過去に完了したひとつの芸術運動として語るわけにはゆかない。ロシア・アヴァンギャルドの運動がロシア革命と切り結び、現実の革命の枠内に収まることを望まなかったために、レーニン死後のロシア革命の変質の過程で、芸術の論理によってではなく抑圧されてしまい、一九三〇年のマヤコフスキイの自殺、三九年のメイエルホリドの逮捕と粛清による死はこの運動の悲劇性を象徴しているが、「形式の革命をともなわぬ内容の革命はありえない」（マヤコフスキイ）、「万人の世界感覚を変革する仕事」（トレチヤコフ）とする観点から芸術の革命を志向し、民衆の意識の変革を不断に要求したこの運動は、未完の芸術革命として、二十世紀芸術の可能性を今日もなお明確に呈示しているのである。

われわれは単なる過去の追憶としてではなく、未来につらなる歴史の遺産として、ロシア・アヴァンギャルドについて語らねばなるまい。

i 〈革命〉まで

ロシア未来主義とフォルマリズムの成立

1 ロシア未来主義の出発

事物の叛乱

ヴェリミール・フレーブニコフ[★1]はかずかずの伝説につつまれ、深い謎にみちたロシアの詩人である。ぼろをまとい、一文なしで、ロシアの大地を放浪しながら生涯の大半を過ごし、死ぬときには、百姓外套一枚しか身につけていなかったといわれている詩人。「ロシアの托鉢僧」あるいは「ロシアに魅せられた巡礼」とも呼ばれているこの詩人は、詩以外のことにはおよそ無関心で、ただひたすら言葉の表現のみに心を砕いて生き、そして死んでいった詩人といってもけっして過言ではない。

一八八五年十月二十八日（旧暦）、フレーブニコフはアストラハン県のマル・デルベトゥイ村に生まれた。父はダーウィンとトルストイを信奉する鳥類学者、母は歴史学を専攻し、文学や芸術の愛好者で、若いころにはナロードニキ運動にもかかわりをもっていた。革命前のロシアの典型的な知識階級の家庭に生まれたフレーブニコフは、幸福な幼年時代を送り、一九〇三年、カザン大学数学学部に入学したが、一九〇五年の第一次革命を前にした当時の青年のつねとして学生運動に参加し、逮捕、投獄される。しかし一九〇八年、首都ペテルブルグに出ると、ペテルブルグ大学の数理学部に籍は置いたものの、大学の講義にはほとんど出席せず、ヴャチェスラフ・イワーノフ[2]を中心とする象徴派のグループと知り合って、フレーブニコフは詩を書きはじめる。

「ヴャチェスラフ・イワーノフはフレーブニコフの創作を高く評価し、人づき合いのよくないフレーブニコフも、タヴリーダ通りにあった〈塔〉をしばしば訪れていたものだ」とは詩人ベネディクト・リフシツ[3]の証言であるが、〈塔〉というのはペテルブルグのタヴリーダ通りにあったイワーノフの住居のことで、当時、アレクサンドル・ブローク[4]、フョードル・ソログープ[5]、ミハイル・クズミン[6]、アレクセイ・レーミゾフ[7]、セルゲイ・ゴロデツキイ[8]といった象徴派の詩人たちの集まる文学サロンであった。そのころ、象徴派の運動は全盛をきわめ、ロシアの文学・芸術界でもっとも注目

❶フレーブニコフ（マヤコフスキイ画） 1916

❷「裁判官の飼育場Ｉ」の表紙 1910

❸マヤコフスキイ　1909

すべき潮流であった。しかし、フレーブニコフの最初に活字となった作品『破戒者の誘惑』が発表されたのは象徴派の雑誌ではなく、「春」という雑誌の一九〇八年九月号で、フレーブニコフを世に送り出したのは、「春」誌の編集長でもあった詩人のワシーリイ・カメンスキイ★9であった。そのカメンスキイを通して、フレーブニコフはダヴィド・ブルリューク★10、エレーナ・グロー★11、ミハイル・マチューシン★12など、象徴主義を越える新しい芸術の創造を夢みていた若い芸術家たちと知り合い、やがて生まれるロシア未来派の中心人物となってゆくのである。

　フレーブニコフが叙事詩『鶴』を書いたのは一九〇八年から九年にかけてと推測されるが、その前半はロシア未来派の最初の文集「裁判官の飼育場」（一九一〇）に発表され、結末の部分は一九一四年に刊行された作品集にはじめて発表された。叙事詩の結末の部分が発表されたときには、それは『事物の叛乱』と題されていたが、この『事物の叛乱』という題名からまず連想されるのは、マヤコフスキイ★13の悲劇『ウラジーミル・マヤコフスキイ』のことである。

　一八九三年七月七日、グルジアの寒村に生まれ、十五歳のときにロシア社会民主労働党に入党して革命運動に参加し、三度の逮捕と半年におよぶ独房生活を体験したのち、一九一〇年一月、釈放と同時に政治活動をやめて「芸術の革命家」たらんと決意したマヤコフスキイの二十歳のときの作品で、一九一三年、ペテルブルグのルナ・パルク劇場で、詩人が主役を演じ、みずからの演出で上演された悲劇『ウラジーミル・マヤコフスキイ』にも、当初、『鉄道』あるいは『事物の叛乱』という題名が用意されていたのである。

二十世紀のロシア詩にもっとも深刻な刺激を与えた二人の詩人が、いずれも詩人として出発したばかりの時期の注目すべき作品に、期せずして『事物の叛乱』という題名を自覚的に用意していたのは、きわめて興味深い暗合と考えなければならない。

フレーブニコフの『鶴』

フレーブニコフの『鶴』はこのようにはじまっている。

黄金色に輝く尖塔が
皇帝たちの廟の上にそびえたつ
河岸に接するじめじめした広場の一角で、
一人の少年が恐怖のあまり低く声をもらす、
「本当なんだ！　ほら、見てごらん、

煙突どもが酔っぱらって、揺れはじめている！」
どもる唇は恐怖に蒼ざめ、
そして目は高い所に釘づけにされる。
何だろう？　あの子は白昼夢でも見ているのだろうか？
わたしは少年に声をかける。
しかし彼は黙ったまま、いきなり駆けだす、
その逃げ足ときたら、おそろしく早いこと！
わたしはおもむろに眼鏡を取り出す。
すると、まさしく、煙突どもは首をもたげかけていた、
壁に映る占い女の指の影のように。

ネワ河のほとりにそびえたつペトロ・パヴロフスク要塞を彷彿させる光景からはじまるこの叙事詩『鶴』には、ペテルブルグの都市の風景の正確な描写からはじまっているが、このあと、現実の都市は幻想化され、きわめて独創的な比喩とイメージによって「事物の叛乱」が描かれ、黙示録のような悲劇的な世界が表現されている。「煙突」はみみずのように身をよじりながら空を飛びはじめ、「橋」や「鉄道線路」といった都会のほかの事物も行動を開始し、巨大な鉄の鳥＝鶴が形成される。自然までがこの反乱に参加し、墓のな

かから蘇生した死者たちの助けも借りて、鶴は野蛮きわまりない都市の破壊と殺戮を試みる。そして最後に、巨大な鶴はグロテスクで儀式のような勝利の舞踏を屍体の上で踊って、空高く消え去るのである。

一八九行におよぶこの叙事詩の内容をこのように要約してしまっては、じつは、この作品の特性についてなにも言わないのにひとしいだろう。このような「事物の叛乱」がどのような技法で表現されているかが問題となる。まず目につくのは、「事物の叛乱」の出発が「事物」の変容の瞬間と重なっていることを示す技法である。ロマン・ヤコブソン[★14]は『もっとも新しいロシア詩』のなかで、『鶴』が「メタフォアを現実化したものである」と述べているが、この作品の主題の展開は、都会の「事物」が「鶴」に変容する基本的なメタフォアの展開と一致している。

たとえば、「煙突」の場合はこうである。

何世紀にもわたって立ちつづけてきた煙突どもは
みみずの動作を真似ながら身をくねらせ、
いたずら猫よりもふざけちらして
空を飛ぶ。

（中略）

曲りくねった煙突どもの蛭は飛び、
こうして、無数の煙突どもから首ができあがった。

つぎに、「橋」の例を引こう。

橋は聖書の詩句のように
喧騒の町の上にかけわたされ、
広がりを鋼鉄のなかに抱き締め、
水に濡れた両袖をかかえこんでいたが、
いま、黄金を胸に飾り立てたお偉がたの
ゆっくりとした足どりのように、
流れてゆく氷塊を真似ながら、
ゆっくり動きだす、そして、この橋で鳥の胸骨がつくられた。

「鉄道線路」の例。

鉄道線路はとてつもなく長く伸び、

管状の軽い骨を怪鳥の脚に与える。

このように、都会にあるさまざまな「事物」が「鶴」の部分を形成する瞬間をイメージ化することでこの叙事詩は構成されているが、もうひとつ、特徴的なことは、この作品の中心的イメージが同音異義語による語呂合わせの技法によって形成されていることである。この作品の題名ともなっている「鶴＝ジュラーヴリ」は英語の「鶴＝クレーン」の場合と同じく、「起重機＝ジュラーヴリ」の意味をもち、巨大な鶴＝起重機による都会の破壊とそこに生きる人々の悲劇を象徴する。また、「煙突＝トゥルバ」は「屍体＝トゥルプ」と音響上の類似を示しつつ、黙示録の「ラッパ＝トゥルバ」に変わる。

身をくねらせてひたすら飛びつづける
煙突＝ラッパが人類に死滅を宣告する。
目に見えぬ精霊のラッパ！

悲劇『ウラジーミル・マヤコフスキイ』

フレーブニコフのこの[★15]作品がマヤコフスキイの初期の作品に強い影響を与えていたことはニコライ・ハルジエフやニコライ・ステパーノフをはじめ、多くの研究者がつとに指摘していることではあるが、都会の事物の叛乱による人間の悲劇は、マヤコフスキイの悲劇『ウラジーミル・マヤコフスキイ』の場合も同様である。

きみらにわかるか、
どうしてぼくが
嘲笑の嵐のなかを、
落ちつきはらって
進みゆく時代の正餐に
ぼくの魂を大きな皿にのせて運ぶかを。
広場の鬚もじゃの頬から
無用の涙となって流れ落ちるぼくは、
あるいは
最後の詩人かもしれない。

プロローグと二幕、それにエピローグから成り立っている悲劇『ウラジーミル・マヤコフスキイ』は、悲劇の主人公マヤコフスキイのこのようなモノローグからはじまる。「最後の詩人」の見る現実とは何か。

きみらは見たことがあるか、
石畳の並木路で、
倦怠に絞め殺され、縄目のついた顔が
揺れ動き、
激流となって走りゆく河、
石鹼の泡だらけの首の上にかかる
橋が鉄の腕をねじあげるさまを。
空は思いのまま、
甲高い声をはりあげて泣き叫び、
雲の
口もとに小皺をつくったしかめ面は、
まるで、子供をあてにしていた女が
片眼の白痴を神から授けられたときのようだ。
赤毛の生えたむくんだ指で
太陽は、虻のように執拗にきみらを撫でまわす。
すると、きみらの魂のなかには接吻の奴隷が生まれるのだ。

「目と足のない男」、「耳のない男」、「頭のない男」といったこの作品に出てくる登場人物が示しているように、二十世紀の文明社会における不具にされた人間の状況と、物質に支配されてしまった都会の悲劇を凝視することがこの作品の主題である。

悲劇『ウラジーミル・マヤコフスキイ』においても、やはり「煙突」が踊りだすことから異常な事件ははじまる。悲劇の登場人物の一人である「耳のない男」のモノローグには、つぎのような一節がある。

それで、
今日は
朝から、
昏の陽気なダンスが
心のなかに忍びこんだのだ。
わたしは身を引きつらせ、
手をひろげながら歩きまわっていたが、
屋根のいたるところで煙突が踊り、
一本一本の煙突が膝を曲げ、44のかたちをつくっていた。

しかし、この悲劇のなかで「事物の叛乱」をもっとも端的に語っていたのは、「目と足のない男」の言葉である。

誰もが同じような、
重荷のような
顔をもった
街路では、
たったいま、時間の老婆が
巨大な
口の曲がった叛乱を生んだのだ!

「目と足のない男」の見た「叛乱」とは、「すると突然、/すべての事物は、/使い古した名前のぼろを投げ捨てよ、/と声をかぎりに叫びながら、/飛びかかってきた」ことである。酒屋のショーウィンドーは悪魔の指令を受けたかのように、ひとりでに酒瓶の底をぶつけ合い、仕立屋のところからはズボンが逃げ出し、人間の太腿なしに、ズボンだけで立ち去る。酔っぱらった簞笥は黒い口を大きく開けて寝室から転げ出、吊るされたコルセットは落ちるのを恐れて、「洋服とモード」の看板から這いおりる。これが「目と足のない男」の見る都会の「叛乱」であった。

この悲劇のなかでは、「事物」にたいするさまざまな視点も提示されている。

たとえば、「顔の長い男」はこう語る。

でも、もしかしたら、事物を愛さねばならないのじゃないだろうか？
もしかしたら、事物は別の魂をもっているのじゃないだろうか？

そして、

多くの事物はあべこべに縫い合わされている。
心は怒ることを知らず、
悪にたいして無関心なのだ。

と語る「耳のない男」に相槌を打ち、嬉しそうに言う。

人間の口が切り取られたところに、

多くの事物の耳が縫いつけられているのだ！

しかし、

都会の大地じゃ、魂をもたぬ事物が
主人と呼ばれ、わしらを擦り減らしにやってくる。

（中略）

そら見たまえ、
事物を断ち切らねばならぬのじゃ！
事物の愛撫にわしが敵を見たのも理由のないことではない。

という「猫を連れた老人」の言葉は、フレーブニコフの『鶴』のつぎの一節と完全に対応する。

あのコシチェイだって
事物の反乱にくらべれば悪くはあるまい。
いったいなぜ、われわれは事物を甘やかすのか？

❹マヤコフスキイ
カザンにて　1913

このように、フレーブニコフもマヤコフスキイも、ほぼ同じ時期に「事物の叛乱」を注視し、それを独創的な技法で表現したのであるが、ここには、二人の詩人の出発における共通の課題のみならず、二十世紀芸術の基本的な世界認識と表現の構図をも見てとることができる。

本来、事物は人間みずからの手によって、みずからの利益のために創造されていたにもかかわらず、事物と人間との関係が逆転し、事物そのものによって人間の存在がおびやかされる状況にいたり、いわば文明の発達にともなって文明による人間の非人間化が進行する過程で、追いこめられた主体が言語表現に賭けようとするところに二十世紀の詩意識は発生したのである。フレーブニコフが主体を事物に埋没させるかのようにして叙事的世界を構築し、マヤコフスキイが事物に対置すべく主体を肥大化させつつ抒情的世界に突入していったように見えるとしても、二人とも、主体の崩壊の危機を鋭く自覚していたことに変わりはなかった。

事物と人間との調和的な関係を信頼し、事物を表現する手段としての言語を確信できる時代は過ぎていたのである。しかも、それは都市において集約的に表現されていた。それだから、マヤコフスキイはつぎのように語るのである。一九一四年の一月から三月にかけて、ミンスク、カザン、ペンザ、ロストフ・ナ・ドヌー、サラトフ、チフリス、バクーなどの地方都市を巡業中の講演の一節である。

　われわれは未来主義の理論的原理を提起したい。スキャンダルに加わり、手を動かすべきだと考えている人々は失望しなければならない。なぜなら、頭脳を働かす必要があるからだ。未来主義の詩とは都市の詩、現代の都市の詩である。都市は、過去の詩人たちが知らなかった新しい都市の要素によって、われわれの体験と印象を豊かにしてくれた。現代の文化の世界は、すべて厖大な、巨大な都市に変貌している。都市は自然や自然現象を変える。都市そのものが自然現象となり、その内部で新しい都市の人間が生まれる。電話、飛行機、急行列車、エレベーター、輪転機、舗装道路、工場の煙突、ビルディング、煤煙と煙、これが新しい都市にある美の要素である。われわれは古いロマンチックな月よりも街燈のほうが好きだ。われわれ都市の住民は、森や川や林を知らない。われわれの知っているものは、動きと騒音、どよめきと閃きをもった永遠に循環する街路のトンネルである。だが、なによりも肝心なことは、生活のリズムが変わったということだ。すべては映画のフィルムで見るように、稲妻のように、束の間に過ぎてゆくものとなった。流れるような、ゆったりとした古い詩のリズムは、現代の都市の住民の心理には対応しない。熱狂こそ現代のテンポを象徴するものである。都市にあるのは流れるようなリズミカルな曲線ではなくて、角、屈曲、ジグザグであり、それこそ都市の風景を特徴づけるものである。詩は現代の都市の心理の新しい要素に対応しなければならない。言葉は記述すべきものではなくて、それ自身で表現すべきものなのである。言葉は自己の芳香、色彩、魂をもっており、言葉はある概念を指示するための単なる記号ではなくて、生きた組織体なのである。言葉は音階のように無限の終止符に向かうことができる。

「事物の叛乱」とは、事物がこれまで使用していた名前を投げ捨て、固有の意味を変更していく状況、いわば意味するものと意味されるものとのあいだに落差ないし裂け目の生ずる状況を示しており、それだからこそ、固定した意味を伝達する手段としての言語と絶縁しつつ、フレーブニコフやマヤコフスキイは新たな詩的言語の創造に向かったのである。詩における意味を超えた言語はここから出てくる。言葉を分解し、それを伝統的な意味から解放し、言葉の形、音、響きを重視した超意味言語は、言葉の自立性を探求しつつ、解体された意味を根源的に問い直すところから創造されたものといえる。★16

これは、フレーブニコフやマヤコフスキイのみならず、クルチョーヌイフ、ブルリュークといった詩人たちに共通する課題となり、認識する対象と表現の過程に横たわる底なしの深淵を自覚し、形態とその形態自身が要求する空間的構成のみによって外界から独立した絵画自体の世界を創造しようとしたミハイル・ラリオーノフ[★17]、ナターリヤ・ゴンチャローワ[★18]、カジミール・マレーヴィチ[★19]らの画家たちの試みとも一致する。一九一〇年ごろにはじまった詩と絵画を中心とするロシア未来主義の芸術運動は、ほかのジャンルにも波及する芸術革命の主体となりつつ、ロシアにおける二十世紀芸術の開始を告げるものであったが、その出発点は、フレーブニコフとマヤコフスキイの「事物の叛乱」の意識のなかにすでに準備されていたと考えられる。

2 立体未来派グループの登場

「記念すべき夜」と「裁判官の飼育場」

ところで、いったい、ロシア未来派はいつはじまったのだろうか。

コンサート。ラフマニノフ。『死の島』。退屈なメロディに我慢できなくなって逃げ出した。一分後にはブルリュークも出てきた。二人して大笑いした。一緒にぶらつくことにした。

会話。話はラフマニノフの退屈さから学校の退屈さへ、学校の退屈さからあらゆる古典の退屈さへと移った。ブルリュークには現代人を追い越した巨匠の怒りがあり、わたしには、古いものは必ず崩壊する運命にあるという必然性を知る社会主義者のパトスがある。ロシア未来主義が生まれた。

（『わたし自身』）

ロシア未来主義の誕生について、マヤコフスキイは「記念すべき夜」と題してこのように書いている。ラフマニノフの『死の島』のコンサートが催されたのは一九一二年二月四日のことである。このとき、マヤコフスキイは十八歳、モスクワ絵画・彫刻・建築学校の学生であった。このモスクワ絵画・彫刻・建築学校というのは、ペテルブルグの美術アカデミーと並んで、当時のロシアでもっとも権威のある美術学校で、「芸術の革命家」たらんとしてマヤコフスキイが同校に入学したのは、前年、一九一一年八月のことで、美術学校の同窓のダヴィド・ブルリュークの影響下にやがて詩を書きはじめるわけだが、これはマヤコフスキイにとっての未来主義の誕生であって、ロシア未来派の運動の出発の日付としては、フレーブニコフ、グロー、ブルリュークなど前衛的な詩人や画家がペテルブルグのカメンスキイのアパートに集まり、文集「裁判官の飼育場」の刊行を準備した一九〇九年から一〇年にかけての冬を挙げるのがもっとも妥当かと思われる。

❶マヤコフスキイ　1912

❷ブルリューク（マヤコフスキイ画）　1915

もともと未来主義という言葉は一九〇九年二月二十日、イタリア未来派の創始者フィリッポ・マリネッティがフランスの新聞「フィガロ」に発表した「未来派宣言」からとられ、この宣言は詩人ワジム・シェルシェネーヴィチ★1によってただちにロシア語に翻訳されているが、一九一〇年四月、ペテルブルグで刊行された「裁判官の飼育場」こそはロシア未来派の歴史の第一ページを飾るものであり、「未来派」という言葉がはじめてロシアで用いられたのは、この文集においてであった。もっとも、この文集では、未来主義＝「フトゥリズム」という外来語ではなしに、ロシア語のbe動詞の三人称単数未来の「ブージェット」に人間の意味をあらわす語尾をつけて、「ブージェットリャーニン」という造語が用いられていた。「未来人」という意味になるこの言葉を作ったのはフレーブニコフであると言われている。ただし、この文集にはグループの共同宣言も掲載されておらず、これよりも二カ月前、つまり一九一〇年二月にフレーブニコフやブルリューク兄弟などの詩を集めてミハイル・クリビンによって刊行された文集「印象主義者のスタジオ」を踏襲したものとみられないこともない。

それでも、この日付をある程度容認しながらも、異論を唱える人々もいないわけではない。たとえば、フレーブニコフの研究者ニコライ・ステパーノフは、一九〇八年十月、「春」編集部でフレーブニコフとカメンスキイがはじめて会ったときのことを、「ロシア未来主義の事実上のはじまり」とみなしているし、この運動の創始者にして指導者の一人でもあったダヴィド・ブルリュークは、イタリア未来派にたいするロシア未来派の優先権を主張するためか、可能なかぎり日付を過去にさかのぼらせようと試みていたし、コルネイ・チュコフスキイ[★2]も、フレーブニコフの短い詩、未来主義の詩の原理を表現したものとして知られることになる『笑いの呪文』が文集「印象主義者のスタジオ」に発表された一九一〇年二月を未来派の出発点としている。また、一九一一年を、ロシアにおける未来派誕生の年とする者もいるが、確かに、この年は、イーゴリ・セヴェリャーニン[★3]を首唱者とし、コンスタンチン・オリムポフ[★4]、イワン・イグナーチエフ[★5]なども参加した〈自我未来派連合〉の成立した年でもあり、ヘルソン県のチェルニャンカにあるブルリューク兄弟の故郷で、ラリオーノフ、ゴンチャローワ、フレーブニコフ、それにブルリューク兄弟が集まり、立体未来派の中核をなす〈ギレヤ〉グループが形成された年でもあった。この年の十二月、〈ダイヤのジャック〉の第一回グループ展がモスクワで開かれ、それには、ラリオーノフ、ゴンチャローワ、ブルリューク兄弟、カンディンスキイ[★6]、ピョートル・コンチャロフスキイ[★7]、タトリン[★8]などが参加しているが、ブルリュークを中軸として、「裁判官の飼育場」の詩人たちと〈ダイヤのジャック〉の画家たちによってロシア未来派の一潮流が形成されたとみることができる。しかし、〈ギレヤ〉グループの理念が明確に表現されるのは、一九一二年十二月に刊行された文集「社会の趣味への平手打」においてであって、このために、マヤコフスキイやクルチョーヌイフは一九一二年をロシア未来派の出発点とみなしているのである。

〈ギレヤ〉グループの宣言

モスクワにはフレーブニコフがいる。彼の物静かな才能は、荒れ狂うようなブルリュークの陰に隠れてしまい、当時のわたしにはかすんで見えたものだ。モスクワには、未来派の言葉のジェスイット教徒ともいうべきクルチョーヌイフもいた。抒情的な幾晩かを過ごしたあと、共同宣言が生まれた。ブルリュークが原稿を集め、書き直し、わたしと二人で題名をつけて、「社会の趣味への平手打」を発行した。（『わたし自身』）

このようにマヤコフスキイは書いているが、文集「社会の趣味への平手打」の巻頭には、〈ギレヤ〉グループのプログラムを示す文集と同名の宣言が掲載されている。その全文はつぎのとおりである。

われわれの予期せぬ最初の新しい言葉を読む人々に。

われわれだけがわれわれの時代を代表する者である。言葉の技術でもって時代の角笛を鳴らすのはわれわれである。過去は狭苦しい。アカデミーやプーシキン★9は象形文字よりもわかりにくい。

プーシキン、ドストエフスキイ[10]、トルストイ[11]等々を現代の汽船からほうり出せ。

初恋を忘れられぬ者は最後の恋を知らぬ者だ。

最後の恋を香料ふんぷんたるバリモント[12]の情事と引きかえようとするお人好しがどこにいるだろうか。今日の勇敢な魂の反映がそんな恋のなかに見いだせるというのか。


いったい、武人ブリューソフ[13]の黒燕尾服から紙の鎧を剥ぎ取ることを恐れる臆病者などいるだろうか。それとも、その鎧には未知の美の曙光でもあるというのか。無数のレオニード・アンドレーエフ[14]どもが書いた本の不潔な粘液に触れた諸君の手を洗うがよい。

あのマクシム・ゴーリキイ[15]ども、クプリーン[16]ども、ブロークども、ソログープども、レーミゾフども、アヴェルチェンコ[17]ども、チョールヌイ[18]ども、クズミンども、ブーニン[19]ど

❸「社会の趣味への平手打」の表紙　1912

❹マヤコフスキイ処女詩集『ぼく』の表紙　1913

もに必要なのは、川のほとりにある別荘だけだ。こんな報酬は仕立屋どもにくれてやれ。

われわれは摩天楼の上から、彼ら無能なやからを眺めているとしよう。

つぎのような詩人の権利を尊ぶことをわれわれは命令する。

1 自由に派生した言葉で辞書の語彙を増大させること（言葉の新方法）。

2 既成の言語を徹底的に憎悪すること。

3 諸君が風呂屋の箒で作った安物の栄冠を、恐怖をもってわれわれの誇り高い額から払いのけること。

4 口笛と憤慨の海のただなかで、「われわれ」という言葉の塊の上に踏みとどまること。

そうして、たとえわれわれの詩行に、諸君のいう「良識」や「よい趣味」などの不潔な刻印がいまだ残っているとしても、そこには、すでにそれ自体に目的のある（自由な）言葉の新しい未来の美の最初の稲妻が閃いているのだ。

ダヴィド・ブルリューク
アレクサンドル・クルチョーヌイフ
ウラジーミル・マヤコフスキイ
ヴィクトル・フレーブニコフ

モスクワ、一九一二年十二月

これ以降、〈ギレヤ〉グループは「裁判官の飼育場」第二号、「三人の儀礼書」、「夭死した月」の文集を一九一三年に相次いで刊行し、シェルシェネーヴィチを中心に、レフ・フリサンフ[★20]、リューリク・イブネフ[★21]などの参加した〈詩の中二階〉、セルゲイ・ボブロフ[★22]を指導者に、パステルナーク[★23]、アセーエフ[★24]なども加わった〈遠心分離器〉といった未来派グループが、それぞれ一九一三年の九月と十一月に結成され、いずれのグループに加わった人々も、みずからを未来主義者と称するようになって、二十世紀初頭のロシアの芸術界に、嘲笑と反撥を受けつつも未来派は着実に進出していくことになる。このなかで、もっともラディカルなアヴァンギャルド芸術運動を展開したのは〈ギレヤ〉＝立体未来派のグループであった。フレーブニコフ、マヤコフスキイ、ブルリューク、クルチョーヌイフらの詩人が、〈ダイヤのジャック〉グループに端を発するラリオーノフ、ゴンチャローワ、マレーヴィチ、タトリンなどの画家と共同することで、既成のあらゆる芸術の破壊者として登場し、反抗精神にみちた若い詩人や画家たちを集め、ロシア各地でスキャンダルをまき

❺〈ギレヤ〉グループ
左からクルチョーヌイフ、ダヴィド・ブルリューク、マヤコフスキイ、ニコライ・ブルリューク、リフシツ

起こしながら、停滞した時代の雰囲気に激しい嘲笑を浴びせかけた立体未来主義こそ、ロシア未来派を代表する運動であった。これには、やがてヤコブソン、シクロフスキイ[★25]、オシップ・ブリーク[★26]などのフォルマリズムの言語学者、批評家も合流することになるが、この運動のなかでもっとも注目されるのは、詩と絵画が共通の課題を追求し、同じ過程をたどったことである。

先行する絵画の実験

「言葉が絵画のあとを追って大胆に歩みはじめることをわれわれは望んでいる」とフレーブニコフは一九一二年に書き、当時の絵画が切りひらきつつあった過程に未来主義の詩を対応させようとしていた。芸術学者ボリス・デニケ[★27]は、一九一二年にフレーブニコフとマヤコフスキイに出会ったときのことを、こう回想している。

当時、日曜日ごとに開かれていたセルゲイ・シチューキンの画廊に行った。そこで、わたしはマヤコフスキイとフレーブニコフに会った。……わたしたちは長いこと画廊のなかを歩きまわったが、フレーブニコフは、詩的言語の領域における自分の形式の探求と最近のフランス絵画とのあいだにある類似性を認めていた。

シチューキンというのは、イワン・モロゾフと並ぶロシアの富豪で、ヨーロッパの新しい美術のパトロン、蒐集家で、セザンヌ、ゴーギャン、ゴッホなどの印象派からフォーブ時代のマチス、「青の時代」からキュビズムにいたる無名時代のピカソの作品を購入し、モスクワの若い画家たちに新鮮な衝撃を与えていた。シチューキンとモロゾフのコレクションにはじめて接したダヴィド・ブルリュークは、一九一〇年春、マチューシン宛ての手

❻シチューキンのサロン　1912

❼モロゾフの家

紙にこう書いている。

モスクワでシチューキンとモロゾフの二つのフランス絵画のコレクションを観た。これはもう、それがなかったなら、わたしなど仕事をはじめる気にもならないくらいのものだ。家に閉じこもって三日になるが、これまで書いたものはすべてご破算にした。ああ、いっさいを最初からやり直すということは、なんとつらいことであるか、そしてまた、なんと楽しいものであることか。

このような刺激は、ロシアの若い画家たち全体に共通するものであった。この当時、ロシアにあって、未来派の詩の運動よりも先行していたのは絵画の実験だったのである。

一九一八年九月、カンディンスキイは『芸術家のテキスト』をモスクワの〈イゾ〈造形芸術部会〉〉出版部から刊行した。これは一九一三年にミュンヘンでドイツ語で発表された『回想』のロシア語版で、一九〇二年から一七年にかけての作品二十五点が複製されている。これと一三年に刊行された『芸術における精神的なもの』を合わせ読むことで、世紀末から二十世紀初頭にかけての時代精神との対応のなかで、自然の模写、対象の再現を拒否して抽象芸術の可能性を探求したカンディンスキイのたどった道をわれわれは確認で

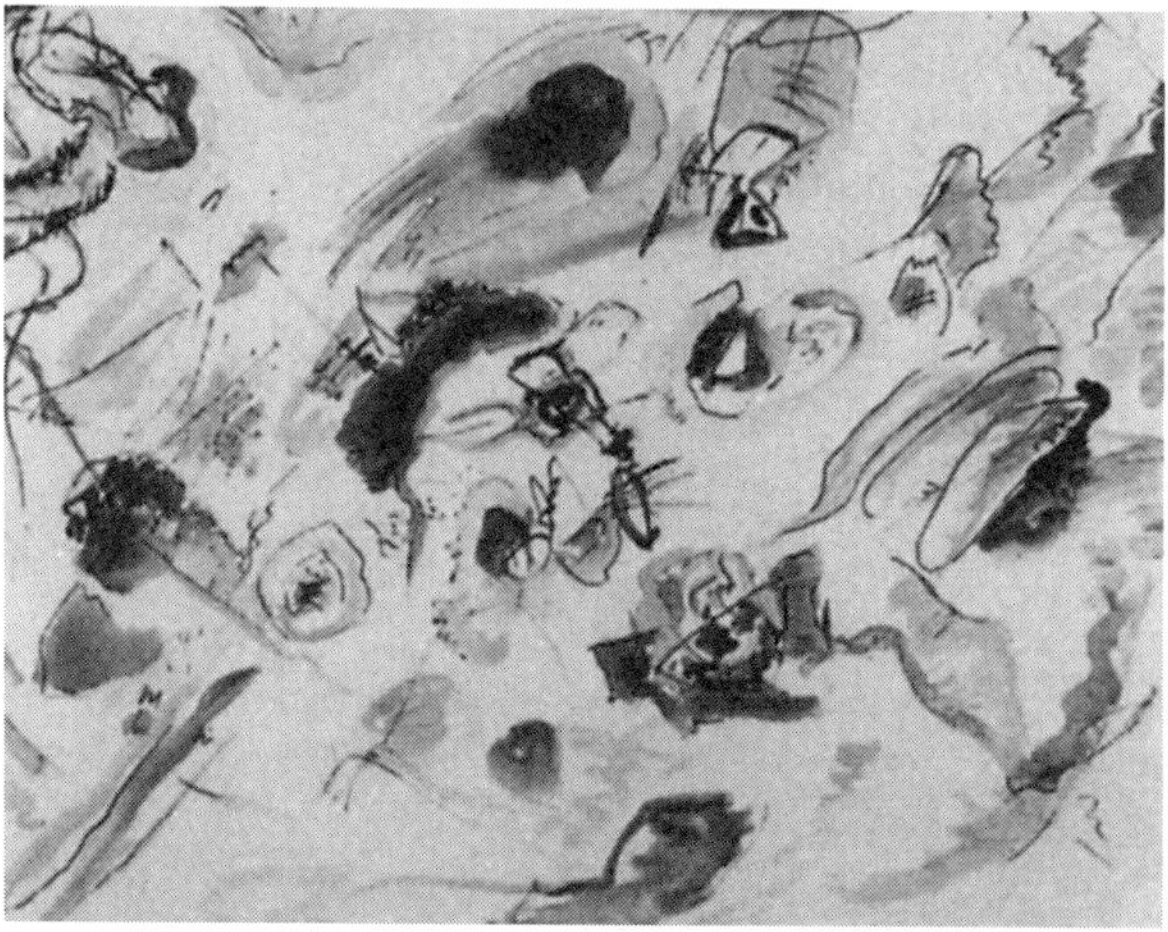

❽カンディンスキイ『最初の抽象画』 1910？

きる。

カンディンスキイが抽象芸術の道を開拓した先駆者の一人であることは、今日、あらためて説明するまでもない。そして、とりわけ〈青騎士〉グループを結成して以来の活動がロシアの美術界に強烈な刺激を与えていたことも否定できない事実ではある。しかし二十世紀のロシアの美術史の文脈に位置づけて考えてみるとき、カンディンスキイの功績すら色褪せて見えるほどロシアの前衛美術の実験は根源的なものであったとみなければならない。カンディンスキイの『芸術家のテキスト』のなかで回想されている芸術的発想の根拠と、『芸術における精神的なもの』のなかで構想されている理論的考察は、

「内的必然性」に支えられる「精神的なもの」を絶対化することによって、音楽的思考を支柱とする象徴主義の領域内での対象の拒否にとどまっていたし、それは革命後においても変わりはなかった。

カンディンスキイが水彩による「最初の抽象画」を制作したといわれる一九一〇年までのロシアにおける芸術の主流を占めていたのは、一八九〇年代に発生し、一九〇五年の革命の挫折を背景として開花した象徴派の運動であった。

ロシア象徴派の運動

ロシア象徴派は十九世紀のロシア社会を支配したツァーリズム体制を変革しようとするナロードニキ運動の敗退後の社会状況から生まれた不安と危機意識から発生したが、それは、当時の低下したリアリズムにたいする反抗としての意味ももっている。十九世紀の四〇年代に成立したロシア・リアリズムは、世紀末にいたって、それまでひたすら確信してやまなかった歴史と人間にたいするルネサンス以来の観点、ならびに価値基準が激動する現実そのものの要請によってあらためて問い直されていたにもかかわらず、現実のすべてを描ききることが可能であるとする観点から言語を使用しつつ、世界を平面的に模写することで行きづまりを見せていたのである。

ロシア象徴派の出発は、なによりもまず、十九世紀のロシアの依拠してきた歴史の理念と人間観、世界の秩序の問題にたいする深刻な懐疑と不信を生み出さずにはおかなかった世紀末の危機をはらんだロシアの精神風土を直接的契機として出発し、現実世界にはないものを永遠の存在として位置づけることで自己の存在を確認しようとしたものであった。これはフランスを中心とする象徴主義運動と密接に結びつき、唯美主義と個人主義の確立を目ざしたのである。

一八九二年、ドミートリイ・メレジコフスキイ[★28]は詩集『シンボル』を発行し、翌年、「現代ロシア文学の頽廃の原因と新しい潮流について」と題する論文を発表したが、「ロシア象徴主義宣言」とみなされているこの論文では、社会的な有効性を文学の目的としたことに「ロシア文学の頽廃の原因」が求められ、実証主義、功利主義を批判しつつ、リアリズムにたいする反リアリズム、唯物論にたいする観念論の優位性をロシア文学の伝統のなかに探り、「神秘的内容」「象徴」「芸術的印象の拡大」こそ、「新しい芸術の三つの主要な要素」であることが指摘されている。ゴーゴリ[★29]、ドストエフスキイ、トルストイなどの文学の意味が正確に理解されるようになったのはこのときからだった。

一八九四年には、当時二十一歳のモスクワ大学の学生であったワレーリイ・ブリューソフがほとんど独力で、文集「ロシア象徴派」を相次いで三冊発行し、それ以来、ペテルブルグとモスクワを中心に象徴主義の運動は昂揚し、二十世紀の最初の十年間は、この運動がロシアの文学・芸術のヘゲモニーを握っていたといっても過言ではない。この時期に相

❾「天秤座」創刊号の表紙

次いで刊行された「北方通報」、「芸術の世界」、「北方の花」、「新しい道」、「天秤座」、「金羊毛」などの雑誌、文集は象徴主義運動を中心とするロシア文化のルネサンスの内容を鮮明に表現している。

ロシア象徴派は、「現象の世界」と「神の世界」、「現実」と「神秘の世界」、「この世」と「来世」、「低い真実性」と「高い真実性」といった二つの世界の存在を信じ、「二つの世界」としてある「詩的現実」を認識する方法、ないし、それを結合する方法を象徴主義の根底に置き、現実世界にないものを存在として位置づけることで自己の存在を確認しようとしたが、ここにもきわめてロシア的な特性が見られた。

これからは詩と哲学は分けられない。詩人は単なる人生の唄い手であるだけではなく、人生の指導者とならなければならない。そのような詩人がウラジーミル・ソロヴィヨフ★30であった。彼は詩と哲学を結びつけた。

（『ロシア詩におけるアポカリプス』）

アンドレイ・ベールイ★31もこのように書いているように、二十世紀に入って以来の象徴主義の中心課題となったのは、世界観を探求しつつ、詩と哲学を結合することであった。神人の創出を夢み、キリスト教的神政主義のユートピアを構想したあと、自由な社会の可能性に絶望し、歴史の終末の意識にとらわれ、反キリストの出現を予言したウラジーミル・ソロヴィヨフの思想は、ブロークやベールイなどの詩人に色濃く投影されている。世紀末の危機意識は、世界の終り、歴史の終末、反キリストの王国の到来の予感に彩られ、それでもなお、新しい世界の実現をも希望していた。世界の救世主、ユートピア社会を待ち受ける希望と終末論の振幅はラディカルにロシアの現実を拒否し、無意識のうちに現実の革命を予告していたが、現実世界の否定の上に自覚的に詩を創造しようと試み、ブロークのようなすぐれた詩人を生み、詩学の原理の構築に着手したブリューソフやベールイのような理論家を生んだことは、ロシア象徴主義の成果として見落とすことはできない。しかし、この運動はメレジコフスキイやソログープなどに濃厚に見られるように、実証主義にたいする反動としての非合理主義、神秘主義の絶対化を主調低音としていた。ニコライ・ベルジャーエフ[32]やレフ・シェストフ[33]のような哲学的・形而上学的な批評も象徴主義の精神風土と血縁関係にあった。

もちろん、ロシア文化のルネサンスは詩と哲学の領域に限定されるものではなかった。文学、演劇、音楽、美術、バレエの分野で展開された象徴主義の運動を契機として、ロシア芸術もまた二十世紀芸術の課題を追求するようになり、ニコライ・グミリョーフ[34]、アン

⓾バクスト『シェヘラザード』の舞台装置
1909

ナ・アフマートワ[★35]、オシップ・マンデリシュターム[★36]などの詩人を中心とするクラリズム、アクメイズムの運動は神秘主義にたいする明晰さの回復を主張したが、しかし象徴派によって開始された近代芸術の根底的な批判は、詩と絵画を中心とするロシア未来派の登場を待たねばならなかった。

十九世紀末に成立したロシア象徴派の芸術運動の理念を美術の世界で表現したのは、アレクサンドル・ベヌア[★37]を中心にしてペテルブルグで結成された〈芸術の世界〉のグループであった。西欧のアール・ヌーボーとの親近性をもつこのグループは、コンスタンチン・ソーモフ[★38]、ドミートリイ・フィロソーホフ[★39]、レオン・バクスト[★40]、セルゲイ・ディヤーギレフ[★41]などを集めて、一八九八年に「芸術の世界」誌を発刊し、十八世紀のロシア美術の復興を目ざし、芸術至上主義の観点から古いペテルブルグ礼讃の基礎を置き、それと同時に、民衆的な中世美術、とりわけ聖像画の発見に寄与したのであるが、このグループの特徴を、カミラ・グレイはつぎのように要約している。

〈芸術の世界〉のメンバーは、〈移動派〉の君臨するあいだに失われた文化をロシアに返還することを使命としていた。しかし、彼らはヨーロッパの支配的な文化をロシアに復元することを意図したわけではなかった。それどころか、彼らは西欧の辺境植民地の位置にロシアが戻ってはならないことを確信し、孤立したナショナルなもの、伝統的なものの砦であってもならないと信じていた。彼らの目ざしたものは、ロシアに、西欧文明の主流にはじめて寄与するような本質的に国際性に富む中心を作ることであった。

（『ロシア美術の実験』）

しかし、この〈芸術の世界〉グループもまた、激動する時代の変化に取り残される運命にあった。このグループの指導者であるベヌアは、一九一二年四月に、こう書いている。

後世の人々が嘲笑するか、あるいは不幸で、かつ真に悲劇的な半狂乱の時代とみなすようになるかもしれぬ時代にわれわれは生きている。社会の大部分が理論的帰結の迷路のようなところに陥り、生き生きとした喜びをすべて失ってしまったような時代が文明の歴史のなかにはかつて存在したことがある。しかし、そのような時期のひとつとわれわれの時代とを比較することはほとんど不可能である。芸術という社会の精神的健康を測定できるもっとも信頼するに足る体温計のなかで、悪夢にみちたようなものが強化されてから、すでに十年になる。

ところが、「悪夢」とベヌアがみなし、痛ましげに回想するこの時代に、〈芸術の世界〉の限界を乗り越えようとする動きがはじまっていたのである。

3　「絵画そのもの」の探求へ

〈青い薔薇〉グループ

二十世紀に入って以来、ロシアの美術はヨーロッパとの交流を深め、つぎからつぎと登場する新しい芸術運動は、ヨーロッパのアヴァンギャルド運動と共通する課題を追及するようになっていた。当時、ロシアの画家の多くはパリやミュンヘンに留学していたが、フランスやドイツの首都で学ぶ外国人の画家の半数はロシア人が占めていたといわれる。カンディンスキイやアレクセイ・ヤヴレンスキイ[★1]、マルク・シャガール[★2]やスーチン[★3]はすでにその地で活躍しはじめていた。そこから新しい情報も入ってきていたし、〈芸術の世界〉のメンバーでもあったディヤーギレフやバクストはロシアの美術、音楽、バレエをヨーロッパの各地に組織的に紹介していたが、一九〇七年には、ヨーロッパの新しい美術の影響を受けながら、伝統的なロシアのイコン（聖像画）やルボークと呼ばれる民衆に根ざした木版画などに注目し、プリミティヴなものへの傾斜を示しつつ抽象絵画への道をたどりはじめていた若いロシアの画家たちが〈青い薔薇〉グループを結成した。

❶ラリオーノフ『兵士たち（第一ヴァリアント）』1908

❷ラリオーノフ『馬に乗った兵士』 1908

これには、クズネツォフ★4、ニコライとワシーリイのミリューティ兄弟、マルチロス・サリヤン★5、ラリオーノフ、ゴンチャローワ、ヤクーロフ★6、それにブルリューク兄弟★7などが加わっている。このグループに属する多くの者は〈芸術の世界〉と深いかかわりをもっていたし、ミハイル・ヴルーベリ★8やボリーソフ＝ムサートフ★9の影響も濃厚に受けてはいたものの、それに飽きたりずに反旗をひるがえした〈芸術の世界〉左派の位置を占める若い画家たちであった。

〈青い薔薇〉グループは一九〇七年の春と秋、モスクワとペテルブルグで「花冠」展を開いた。ここでは、このグループの体質に残されていた象徴主義的なものからの脱却が見られ、プリミティヴなものへの関心も示されていた。この展覧会を評して、「彼らは色彩と線の音楽に恋している。……われわれの時代、現代の絵画が到来した新しいプリミティヴィズムの先駆者である」★10と、象徴派の詩人であり、のちに「アポロン」誌の編集長となるセルゲイ・マコフスキイは書いている。

一九〇八年には、〈青い薔薇〉グループの機関誌の観があった「金羊毛」主催で、第一回「フランス・ロシア美術展」がモスクワで開催された。ロシア側からは〈青い薔薇〉グループが出品したが、フランス側からは、ドガ、ピサロ、ルノアール、シスレー、ロートレック、セザンヌ、ゴーギャン、ゴッホ、ルオー、ボナール、ルドン、マチスなど印象派からナビ派、フォービズムにいたるまでの作品が展示された。一九〇九年一月の第二回展には、フォービズムの作品ばかりではなく、ブラックなどのキュビズムの萌芽期にいたる作品すら展示されたのである。

第二回「フランス・ロシア美術展」のカタログには、つぎのような文章がある。

フランスの画家をこの展覧会に招待するにあたって、〈金羊毛〉グループは二つの目的を追求したが、そのひとつは、ロシアとヨーロッパの数々の探求を対比することによって若いロシア絵画の発展の特性とその新しい課題をより鮮明に照らし出すことであり、もうひとつは、ロシアとヨーロッパの芸術に共通する発展の特徴を強調することである。なぜなら、両国の民族的心理のあらゆる相違（フランスの絵画はより肉感的であるのにたいし、ロシアの画家はより霊感的である）にもかかわらず、新しい探求は……いくつかの共通する心理的基盤をもっているからである。唯美主義と歴史主義の克服もあれば、印象主義を胚胎したネオ・アカデミズムにたいする反動もある。フランスにおけるこの運動の創始者がセザンヌ、ゴーギャン、ヴァン・ゴッホであったとするなら、ロシアで最初の刺激を与えたのは、ヴルーベリとボリーソフ＝ムサートフであった。

同じ一九〇九年には、カンディンスキイとヤヴレンスキイによってミュンヘンに設立された〈新芸術家同盟〉の第一回展に、ロシアからブルリュークやウラジーミル・イズデブスキイらが出品し、また同年十二月から翌年七月までのあいだに、〈新芸術家同盟〉の創設メンバーの一人でもあったイズデブスキイによって組織された「絵画、彫刻、版画、線画国際展（サロン）」がオデッサ、キエフ、ペテルブルグ、リガなどの都市で開催され、ミュンヘンからはカンディンスキイらが多数の作品を送ってきていた。

このような西欧との交流を通じて、ロシア芸術は、いっぽうではフォービズムからキュビズムにいたるフランスの新しい芸術運動、〈青騎士〉グループを結成することになるドイツの運動、あるいはイタリア未来派の運動に刺激を受けながら、そのいっぽうでは、プリミティヴなものへの関心、ロシアに固有なものへの注目を深めていった。こうして、ロシアにおけるアヴァンギャルド芸術の展開の基盤は確実に形成されていったのである。

抽象絵画への道

フランス、ドイツ、イタリアなどの西欧美術の新しい動向を注視する過程で、ロシア美術の自覚したことは、西欧美術における問題意識とロシアのそれとの共通性であった。西欧における美術の問題もまた、ルネサンス以降、連綿とつづいてきた表現空間のなかに自然の模写ないし現実の再現を試みようとする遠近法の文法を拒絶し、なんとかして美術の近代を乗り越えたいという欲求に根ざしていた。

まず最初に、光線と色彩に注目することでこの課題を実現しようとしたのは印象派であった。複数の視線による自然の分析を主張したセザンヌ以降、形態にたいする関心が高まり、表現としての絵画の歴史はひたすら純粋性を探求する歴史であったとも要約できるが、しかし真の純粋性とは、遠近法の文法を拒絶するだけで実現できるものではなく、色彩と形態にたいする注目とならんで、絵画のなかの意味が問い直されることで抽象絵画への道が開かれたのであった。

ロシアの絵画が西欧の印象主義を吸収消化し、さらにそれを乗り越えたのは、この複雑で、実り豊かな期間であった。そして、ヨーロッパ美術における後期印象派のさまざまな方向を基礎にしてロシア固有のものの貢献が形を成しはじめたのもこの時期であった。この形式にはほとんどつねに〈ダイヤのジャック〉の活動が関係していた。

（『ロシア未来主義』）

ウラジーミル・マルコフはこのように述べているが、〈ダイヤのジャック〉グループの中軸をになった芸術家の活動こそ、ロシアの前衛芸術の展開にとって画期的なものであった。〈ダイヤのジャック〉の形成についてはすでに簡単に触れておいたが、一九一〇年、このグループの第一回展覧会がモスクワで開催された。これには、ラリオーノフ、ゴンチャローワ、ダヴィド・ブルリュークを中心に、前年に、モスクワ絵画・彫刻・建築学校を除籍された四人の若い画家、つまりアリスタルフ・レントゥーロフ、[★11]ピョートル・コンチャロフスキイ、ロベルト・ファリク、[★12]イリヤ・マシコフ[★13]なども参加している。この四人が退学処分を受けたのは、美術学校のなかの「左派」であったという理由によるものだが、実質的には当初、「セザンヌ主義者」として知られ、セザンヌ、ヴァン・ゴッホ、マチスの信奉者であった。この展覧会には、ミュンヘンからカンディンスキイとヤヴレンスキイも出品し、やがて形成される〈青騎士〉グループとモスクワ・グループとの熱い交流の契機ともなった。このほか、フランスからは、グレーズ、ル・フォーコニエ、ロートらの作品も送られてき、ロシア美術はキュビズムとも関係をもつことになる。

同じ一九一〇年三月には、ペテルブルグで、〈青年同盟〉[★14]グループも結成され、パーヴェル・フィローノフ、オリガ・ローザノワ[★15]を中心に展覧会が開かれてもいる。

❸ゴンチャローワ『金鶏』 1914

一九一二年初頭、〈ダイヤのジャック〉は分裂し、ラリオーノフとゴンチャローワは、「ミュンヘンの追従者、保守的な折衷主義のセザンヌ主義者」と批判して〈ダイヤのジャック〉を脱退し、よりプリミティヴなもの、ロシアに固有なものを求めて、同じ一二年二月、〈ろばの尻尾〉グループを結成した。

一九一二年三月十一日、〈ろばの尻尾〉の最初の展覧会がモスクワで開かれた。これは、ラリオーノフ、ゴンチャローワ、マレーヴィチ、タトリンといった二十世紀ロシア美術を代表する四人がはじめて共同し、ネオ・プリミティヴィズムの運動の頂点を

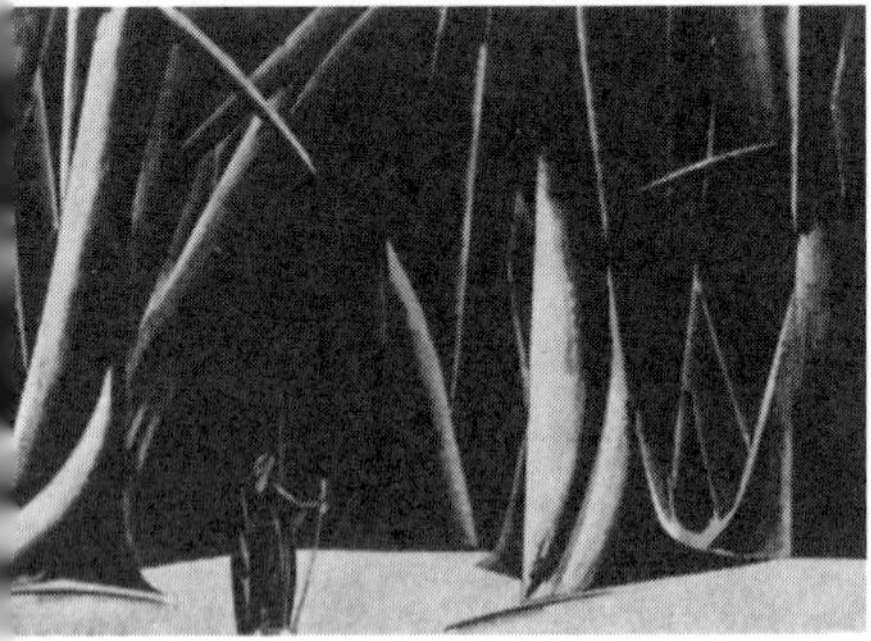

1913

記念する展覧会であった。全部で三〇七点が出品されたうち、ラリオーノフ、ゴンチャローワ、タトリンは、それぞれ五十点ほどの作品を出品し、マレーヴィチは二十三点の作品を出展した。もっとも、タトリンの場合、その大半は、戯曲『マクシミリアン皇帝とその息子アドルフ』のための衣装デザインであったが。ほかの出品者は、『死』と題する作品をパリから送ってきたシャガールを除くと、いずれもモスクワの二流の前衛画家たちであったが、グルジアの画家ニコ・ピロスマニシヴィリ[★16]が出品していたことは記録にとどめておくべきであろう。

〈ろばの尻尾〉は、カミラ・グレイの言葉を引くなら、「ロシアにおいてはじめて、ヨーロッパから意識的な離脱を意図し、その自立性を主張した」グループであった。

しかし、絵画におけるプリミティヴなものへの傾斜は、ゴーギャンにはじまり、ピカソやドランの例を挙げるまでもなく、当時のヨーロッパにおいても共通して見られる動きであった。それは未開文明における芸術の発見ともつらなっているが、

❹タトリン『マクシミリアン皇帝とその息子アドルフ』の舞台装置

「近代」の絵画が忘れてしまったものの再発見とも結びついていた。再現的な主題による表現を拒否したアヴァンギャルドの精神が新しい言語空間を求めて「絵画そのもの」の探求を志向したときに注目した色彩と形態が、プリミティヴな世界のなかでは大きな可能性をもつものとして注目されたのである。

ラリオーノフの「光線主義」

ラリオーノフの最初の光線主義（レイヨニズム）の作品といわれている『グラス』は、一九一一年の〈自由美学協会〉の展覧会で発表されたが、ラリオーノフが光線主義を主張したのは、一九一三年に開かれ、「標的」展と題される〈ろばの尻尾〉の第二回展においてであった。一九一三年七月に刊行された文集「ろばの尻尾と標的」には、「光線主義と未来主義の宣言」が発表されているが、この宣言では、まず、絵画の自律性が主張され、新しい形態の追求、絵画独自の法則が明らかにされている。

芸術作品を検証する際、個性がなんらかの価値をもつことをわれわれは否定する。人は芸術作品のみに注意を払うべきであり、それが創造された手段と法則に従って注目すべきである。……

現実の形態から独立し、絵画の法則に従って存在し、発展する光線主義の絵画万歳！

われわれの主張する光線主義の絵画様式は、さまざまな事物から発する反射光の交錯によって生ずる空間的な形態、そして画家の意志によって選ばれた形態を意味する。

❺ラリオーノフ『青のレイヨニズム』 1912

❻ラリオーノフ『光線主義的風景』 1912

光は、通常、色彩の線によって平面上に表現される。絵画の本質は、色彩の組合わせ、その彩度、色彩のマッスの関係、表面の活動の強さによって示される。……

ここから、新しい形態の創造がはじまるのだが、その形態の意味と表現は、色調の彩度と、その色調が他の調子との関係に占める位置とに完全に依存している。当然、これは過去の芸術に存在していたあらゆる様式と形態を包含するが、なぜならば、それらは生活と同様、光線主義の絵画の知覚と構成にとっては単なる出発点にすぎぬものだからである。

この「宣言」のなかでは、光と色彩とに注目することで新しい形態を追求し、絵画に固有な法則を探求せんとする光線主義は、「キュビズム、オルフィスム、未来主義の総合」として位置づけられていた。さらにつけ加えるなら、「美しい東洋万歳！　われわれは共同の仕事を目ざして現代の東洋の芸術家と連帯しよう」、「東洋の形態を卑俗化する西洋に反対する」とあるように、西洋と対決し、東洋の美を追求しようとするプリミティヴなもの、ナショナルなものも強調されていた。

ラリオーノフの光線主義の作品は一九一一年から一四年にかけて描かれたが、その後ほどなくして、ラリオーノフがゴンチャローワとともに、ディヤーギレフの率いるロシア・バレエ団の美術を担当するためにパリに向けてロシアを去ったために、この様式は終局を迎えることになる。このように、光線主義は短命な美術運動であり、この時期のラリオーノフとゴンチャローワの作品に見られる様式も、変貌しつづける数多くの様式のひとつの挿話にすぎないものとみなされかねないが、それでも、この時代のロシアの美術の展開にとっては、自覚的な抽象絵画への道を切りひらく先駆的なものとして、きわめて重大な歴史的な意義をもっていた。

言葉と形態の一体化

「言葉が絵画のあとを追って大胆に歩みはじめることをわれわれは望んでいる」と書いたのはフレーブニコフであったが、「言葉」が注視しつづけていた「絵画」の動向とはこのようなものであった。しかし、「絵画」のあとを追って大胆に歩みはじめようとしていた詩人はフレーブニコフだけではなかった。

まだ詩を二つしか書いていず、しかも、その詩をどこにも発表していなかった十九歳のマヤコフスキイは、一九一二年十一月二十日、ペテルブルグのトロイツキイ劇場で開かれた〈青年同盟〉主催の集会で、大勢の聴衆を前にして、生まれてはじめて自作の詩を朗読し、講演を行なった。「最近のロシア詩について」と題する講演の要旨には、「絵画と詩は最初に自己の自由を意識した」、「芸術的真実に到達せんとする絵画と詩の道の類似性」、「色彩、線、面は絵画の自己目的であり、絵画的概念であるのにたいし、言葉、その形状、その音声的側面、神話、象徴は詩的概念である」と書かれてあった。また、一九一三年三月二十四日に開かれた二度目の講演会では、「言葉におけるキュビズム。言葉における未来主義」とマヤコフスキイは要旨を定式化していた。

ここで、もう一度、未来派文集「社会の趣味への平手打」の文章を思い浮かべずにはいられない。文集と同じ題名をもつ宣言では、「自由に派生した言葉で辞書の語彙を拡大させること（言葉の新方法）」、「既成の言語を徹底的に憎悪すること」を「詩人の権利」とし、「それ自体に目的のある言葉」をすでに求めはじめていたことは注目される。

文集「社会の趣味への平手打」には、「キュビズム」と題するダヴィド・ブルリュークのつぎのような文章も発表されていた。

昨日、われわれは芸術をもっていなかった。今日、われわれのところには芸術がある。昨日、芸術は手段であった。今日、芸術は目的となった。絵画は絵画的な課題のみを追求するようになった。絵画は自己のために生きはじめた。脂肪ぶとりのブルジョアは画家にたいして恥ずべき無関心な態度をとりつづけているが、この魔法使いにして妖術者である画家こそ、自己の芸術の雲の上の秘密に帰る可能性をもっているのである。

この文章と、「社会の趣味への平手打」の亜麻布の表紙のカヴァーの上のほうに書かれている、「自由な芸術の擁護のために」というスローガンを合わせてみると、ロシア未来派の〈ギレヤ〉グループの詩人たちの志向はほぼ明らかになる。〈ギレヤ〉＝立体未来派にとって特徴的なことは、このグループに加わっているメンバーが詩人と画家であり、しかも詩人と画家が並行して共存しているのではなく、詩人は絵画を、画家は詩を注視していた事実である。マヤコフスキイやダヴィド・ブルリュークがモスクワ絵画・彫刻・建築学校に籍を置き、絵画をみずからの芸術活動の出発点としていたことはよく知られているが、ほかにも、クルチョーヌイフ、グロー、フレーブニコフ、カメンスキイも、絵画から詩にやってきたのであった。

ヘルソンの中学校を卒業し、職業の選択を迫られたとき、わたしはためらわずに絵画を選んだ。……絵画にたいするこの愛着は、未来派にとってなにかしら「運命的」なものがあった。……よく知られているように、立体未来派のほとんどすべてのメンバーが最初は画家だったのである。

詩人クルチョーヌイフはこのような回想を残している。

また、それとは反対に、アヴァンギャルドの画家たちも文学に関心を抱き、とりわけ詩作を試みている現象は興味深い。ゴンチャローワについで、もっとも有名なロシア・アヴァンギャルドの女流画家オリガ・ローザノワは、クルチョーヌイフの影響下に超意味言語による詩も書いているが、クルチョーヌイフに宛てた手紙の一通のなかで、ローザノワはこう書いている。

　詩がわたしをあまりにも遠くまで連れて行ってしまったので、自分の絵画にたいして不安を覚えはじめたほどです。……でも、わたしが突然、絵画から詩に移行するとしたら、どうなることでしょうか。

もちろん、このようなことは起こらなかったが、それでも、ローザノワは死ぬまで実験的な詩を書きつづけていた。ローザノワのほかにも、フィローノフ、ワシーリイ・チェクルイギン、マレーヴィチなどの画家も詩作を試み、マレーヴィチなどは、「詩について」というエッセイまで書いている。

　これと同じような過程は当時のフランス絵画のなかにも見いだせる。キュビズムの芸術運動の渦中にいたギョーム・アポリネール、マクス・ジャコブ、ジャン・コクトーなどは詩人であると同時

❼ローザノワ『トランプ・シリーズ』 1915〜1916

に画家でもあったし、ピカソの例を挙げるまでもなく、詩を書く画家はけっして少なくなかった。ここに共通して見られるものは、新しい絵画の切りひらいた道を詩もまた志向しようとしていた時代状況との密接な関係であったといえよう。

「印象主義者のスタジオ」、「裁判官の飼育場」、「社会の趣味への平手打」、「青年同盟」、「三人の儀礼書」、「斃死した月」、「三人」など、ごく少部数しか発行されなかったロシア未来派の文集は、フレーブニコフ、マヤコフスキイ、クルチョーヌイフ、ブルリューク、グローなどの詩人、レントゥーロフ、ラリオーノフ、ゴンチャローワ、マレーヴィチなどの画家との共同作業による詩画集とみなすこともでき、詩と絵画、言葉と形態が一体化した、当時のロシア未来主義の最良の表現を集約したものであった。そして、ここで試みられた実験こそ、二十世紀芸術の出発を準備したものにほかならず、忘却の底に沈めてはならないものなのである。

4

詩的言語と絵画の冒険

詩のキュビズムの実験

ロシア未来派の詩と絵画の類似性、あるいは課題の共通性はきわめて重要な意味をもっているが、詩的言語の形式的探求と同時代の絵画の冒険とのあいだにある共通性を証明する例を挙げるのはさして困難なことではない。

たとえば、ダヴィド・ブルリュークは、一九一三年に行なった報告「ロシア語の音韻の表現的な要素」のテーゼに、「子音は色彩ならびに技法の概念の担い手」、「母音は時間、空間、平面の概念」と述べ、つぎのような詩を発表していた。

空間は母音のもの、
母音のものである時間。
一面の無色、そこへ突如として現われる、
子音が、燃える男が

❶「吼えるパルナス」の表紙 1914

❷ラリオーノフ『理髪店にて』1906

色彩の重荷の頂上が。
……子音は種播く人、
意味の担い手、日々の生……

「未来主義の詩における詩と言葉のあいだには、未来主義の絵画と同様の相互作用が生じている」（『新しい象徴主義を目ざす途上にある未来主義』）とヘンリヒ・タステヴェンは証言しているが、この現象についてもっと明確な定義を下したのは、クルチョーヌイフとフレーブニコフの署名の入ったつぎのような文章である。

未来主義の画家たちは、物体の各部分、切断面を好んで利用するが、未来主義の言葉の創造者は切断された言葉、不完全な言葉、それらの奇妙で突飛な連合（超意味言語）を用いることを好む。このことによって最大限の表現力が獲得される。突進する現代の言葉、従来の凝固した言葉を廃絶した言葉が卓越している理由は、まさしくこの点にある。（『言葉そのもの』）

マヤコフスキイの初期の詩のほとんどは、これらの命題を具体的に例証するものであるが、たとえば、『なにもわかっちゃいない』と題される詩は、詩と絵画との密接な結びつきの例である。この詩が一九一三年の展覧会に出品されたラリオーノフの『理髪店にて』の模写であったことをシクロフスキイは『回想』のなかで指摘している。理髪師が鋏を持ち、彼のほうに耳を差し出している客を、敵意をこめ、途方に暮れたような表情で眺めているラリオーノフの作品を見て、マヤコフスキイはつぎのような詩を書いたのだった。

理髪店に入り、平気な顔をして言った。
「ぼくの耳をお願いします」
ふとった理髪師はたちまち針葉樹となり
顔は梨の木のように伸びた。
言葉がとんだ。
「気ちがい！
道化者！」
罵りがピイピイともがく。

それから、ながぁく、
誰やらの顔が、しなびた二十日大根のように
群れから抜け出しながら、くすくす笑いだした。

このような詩だけではなく、「社会の趣味への平手打」、「裁判官の飼育場」第二号、「三人の典礼書」、「斃死した月」など、一九一二年から一三年にかけて相次いで発表された未来派文集に掲載されたマヤコフスキイの作品には、キュビズムの絵画の要素を詩のイメージの要素に移し変えた都市の風景が描かれている。この時期のマヤコフスキイの詩について、ニコライ・ハルジエフとウラジーミル・トレニン[★1]は、「文学史上、詩に与えた絵画の

❸「裁判官の飼育場 II」の表紙　1913

❹「斃死した月」の表紙　1913

直接的な影響をこれほど鮮やかに示している例を見つけるのは困難である」と書き、「ここでは、対象の視覚的な特徴が詩のイメージの素材となっていることだけが問題なのではない。主題構成そのものに、新しい絵画の原理、つまり対象のダイナミックな転位と相互浸透の原則が適用されているのである」(「マヤコフスキイと絵画」)と指摘している。

ここで、マヤコフスキイの初期の詩のなかでも、彼が意識的に用いた方法の特徴をもっともよく示しているものとして、『街から街へ』を見てみよう。「詩のキュビズムの実験のもっとも成功した例」とマレーヴィチが評したこの作品は、一九一三年のはじめに書かれたものである。

ま、
ち。
猛犬たちの
顔は
年齢よりも
きびしい。
鉄の駒を
越えて

駈けている建物の窓から
最初の立方体がとび出した。
鐘楼の首をもった白鳥たちよ、
電線の罠のなかで曲がれ！
空では、キリンの絵が、いまにも
錆びた前髪を斑にしそうだ。
岩魚のような斑だ、
模様のない耕地の
息子は。
手品師は
塔の時計台の文字盤にかくれて、
線路を
電車の口から引っぱり出す。
われわれは征服されたのだ！
浴室。
シャワー。
エレヴェーター。

シャワーがウェストのホックをはずす。
身体を腕が焼く。
「そんなの、わたしはいやよ!」
と、叫ぼうが、叫ぶまいが、
鋭く
焼く、
苦しみ。
刺のある風が
煙突から
煙でできた毛糸の房を
ひっさらう。
禿げの街燈が
悩ましげに脱がす、
街から
黒いストッキングを。

この詩の冒頭の部分を完全に日本語に翻訳することは不可能であるが、ロシア語の単語を分解し、音響の類似性に重点を置き、意味を捨象したこの部分をロシア語で書き移すと、つぎのようになる。

у-《ウー》
лица.《リッツァ》
Лица《リッツァ》
у《ウー》
догов《ドゴフ》
годов《ゴドフ》
рез-《レズ》
че,《チェ》
Че-《チェ》
рез《レズ》
Железных коней《ジェレーズヌイフ コネイ》
С окон бегущих домов《ス オコン ベグーシチフ ドモフ》
прыгнули первые кубы.《プルイグヌリ ペールヴィエ クーブイ》

最初の行は「ウー」の一字だけで、つぎに、「リツァ」「リツァ」「ウー」となり、一行目から読んでも、四行目から逆に読んでも同じ音がつづく。「リツァ」には「顔」という意味があり、「ウーリツァ」となると「街」の意味になる。「ウー」は前置詞で「……のそばに」という意味をもつ。さて、つぎの「ドゴフ」(犬たち)と「ゴドフ」(年齢)は、一音節と二音節が入れかわっている。そして「レーズチェ」(形容詞比較級、よりきびしい)、「チェーレズ」(前置詞、……を越えて)も、一音節と二音節を入れかえるというかたちで、つぎからつぎと音が出てきて、『街から街へ』という、完全な言葉ではない、視覚的なイメージとメタフォアで都市の風景を表現する詩ができあがる。街は解体されてしまい、荒廃し、破滅して、完全なひとつの言葉で表現することはできない。分断された言葉、あるいは意味のない音だけとなってしまった言葉が街の現実にほかならず、その現実を言葉によって生きようとしたときにこういう詩ができあがるのではないだろうか。

この詩が多分に言葉の遊びの要素をもっているとはいえ、有機性を失った現実に言葉を投げ返すことによって、既成の意味の概念を無機的なものにしようとする実験としてみることができる。ここにはフレーブニコフとクルチョーヌイフの語る「切断された言葉、不完全な言葉、それらの奇妙で突飛な連合」である「超意味言語」が存在している。意味を越えた言語の創造こそ、未来派の詩人たちがみずからに課した課題にほかならなかった。

クルチョーヌイフの超意味言語

しかし、立体未来派の詩と絵画の接点をなによりもよく象徴しているのは、クルチョーヌイフとマレーヴィチの関係である。

「未来派の言葉のジェスイット教徒」とマヤコフスキイによって名づけられたクルチョーヌイフは、一八八六年、ヘルソン県の農家に生まれ、少年時代から絵画を志し、オデッサ美術学校に入学する。ブルリュークやマヤコフスキイがモスクワ絵画・彫刻・建築学校で絵画を学んだのと同様、クルチョーヌイフもまた絵画から出発しているのは、未来派の詩人たちに共通する経歴である。美術学校時代を回想して、クルチョーヌイフはこう書いている。

> オデッサ美術学校で、わたしはボヘミアンの世界に浸っていた。その世界に慣れようとする努力など必要なかった。文字通り、すでに百年間もそこに暮らしていたみたいだったからだ。学校での友人たちは髪を長く伸ばし、貧しく、自分を天才だと思いこんでいた。しかし、誰もが熱心に勉強に励み、芸術を心から愛していた。彼らは空腹をかかえ、万事にこと欠く始末だったが、未来を信じ、自分の非凡な作品を理解しない者をすべて軽蔑していた。

オデッサ美術学校在学中に、クルチョーヌイフは非合法の政治運動に参加したため、逮

❺左からマチューシン、マレーヴィチ、クルチョーヌイフ　1913

捕、投獄された経験もある。オデッサ時代からブルリューク兄弟と知り合っていたが、一九〇八年、モスクワで再会すると、新しい芸術を目ざす運動に同志として加わるようになる。

クルチョーヌイフがフレーブニコフとマヤコフスキイをブルリュークから紹介されたのは一九一二年のことだが、二度目にフレーブニコフに会ったとき、彼ははじめて書いた自作の詩を見せた。フレーブニコフは無意識のうちにクルチョーヌイフの詩に自分の詩句を書き加え、合作の詩として出版した。長詩『地獄の遊び』である。それ以来、クルチョーヌイフはフレーブニコフと協力しつつ、立体未来派の詩人として、また理論家として活躍しはじめる。

クルチョーヌイフもまた超意味言語による詩を創造したが、その詩的言語の実験は誰よりも徹底していた。『地獄の遊び』を刊行した半年後に、

❻クルチョーヌイフ　フレーブニコフ『地獄の遊び』の表紙（装丁ゴンチャローワ）　1912

❼クルチョーヌイフ　フレーブニコフ『言葉そのもの』の表紙（装丁マレーヴィチ）　1913

彼は超意味言語による詩を書いたが、一九一三年、フレーブニコフとの共著『言葉そのもの』のなかに、その詩を発表している。

Дыр《ドウィル》, бул《ブル》, Щыл《シチュイル》,
убещур《ウベシチュール》
скум《スクム》
вы《ヴィ》 со《ソ》 бу《ブ》
р《ル》 л《ル》 эз《エズ》

これには、「この五行詩のなかには、プーシキンのどの詩よりもロシアの民族性が表現されている」と注釈が加えられていた。

一九一三年の夏、クルチョーヌイフは「言葉そのものの宣言」のなかで、超意味言語の理論的根拠を、つぎのように示した。

> 思想と言葉は霊感にみちた体験に追いつくことができず、それゆえ芸術家は単に一般的な言語（概念）だけではなく、個人的な（創造者は個人的である）言語、一定の意味をもたない（凝固していない）超意味言語によっても表現する自由をもっている。一般的な言語は拘束するが、自由な言語はより完全に表現することを可能にする（たとえば、го《ゴー》 оснег《オスニエク》 кайд《ガイド》など）。言葉は死んでゆくが、世界は永遠に若い。芸術家は新しい方法で世界を見直し、そしてアダムのように、すべてのものに名前を与える。百合は美しいが、しかし百合《リーリヤ》という言葉は醜く、使い古され、「凌辱」されている。わたしが百合のことを〈еуы《イエウイ》〉と名づけるのはそのためであり、かくして、原初の清純が回復されるのである。

マレーヴィチの絶対の探求

クルチョーヌイフが詩的言語の実験としての超意味言語を創造しようとした試みに対応する美術の実験は、印象主義やキュビズムの洗礼を受けつつ、伝統的な聖像画や古い農民の木版画などに注目し、プリミティヴなものへの傾斜を示しながら、色彩の問題よりも形態の問題を重視し、いわば絵画における絶対の探求とでもいうべき対象を欠落させた形態を確立しようとしていたマレーヴィチの創造の過程のなかに見てとることができる。

一九七六年に、「少年時代」と「青年時代」の章がはじめて発表された『自伝』のなかで、マレーヴィチは彼自身の絵画の歴史に三つの転機があったことを述べている。それによると、最初の転機は農民芸術にたいする傾倒から、イリヤ・レーピン[★2]、イワン・シーシキン[★3]などの自然主義へと移っていったこと、ついで自然主義から印象主義への転換、そして最後に印象主義との訣別が挙げられていた。

『自伝』によると、一八七八年、ウクライナの首都キエフ近郊に生まれたマレーヴィチは、生まれ故郷の美しい自然と農民の生活に心惹かれ、農民のつくる素朴な「芸術」を愛する少年であったようで、定期市の開かれるキエフに父に連れて行かれ、そこで本格的な「芸術」の複製を見て感動する。十六歳のときにマレーヴィチははじめて油絵を描き、キエフの美術学校に入るが、間もなくクールスクに行き、同地でレーピンをはじめとする移動派の作品の影響下に、自然の模写から出発したという。

一九〇四年、マレーヴィチはモスクワに出て、絵画・彫刻・建築学校の油絵科に入学するが、その当時、ヨーロッパの影響を受けつつモスクワでも開始されていた新しい絵画の運動と出会う。自然主義からの脱却はまったく思いがけないかたちで起こる。

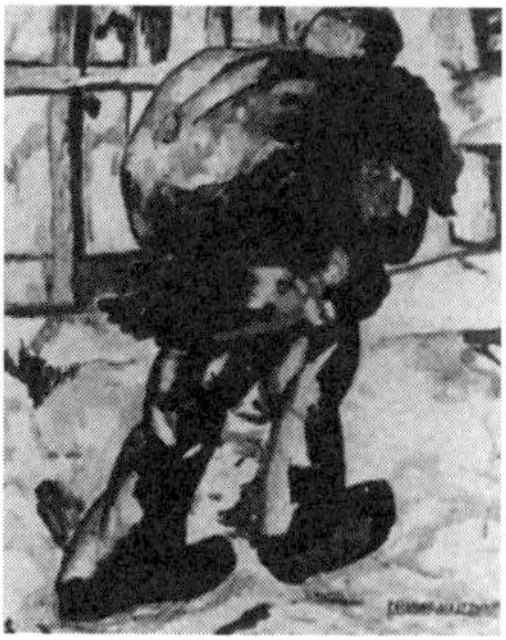

❽マレーヴィチ
『袋をかつぐ男』 1911

❾マレーヴィチ
『教会の農婦たち』 1911

「ある晴れた日のこと、わたしの目の前の木立のあいだに、まっ白に塗りかえられたばかりの家が建っていた。空はコバルト色で、白い家の片側が影になり、もういっぽうには日光が降り注いでいた。わたしははじめて青空の明るい反射、澄みきった透明な色調を見たのだった」とマレーヴィチは書き、「それ以来、わたしは印象主義者となった」のである。

　また、モスクワで聖像画に接し、それを通して農民芸術のプリミティヴなものをマレーヴィチが再認識したことも、ここに書き加えておこう。「解剖学」も「遠近法」も必要としない表現の可能性を探求しながら、一九〇七年ごろから、マレーヴィチは「印象主義者」として各種の展覧会に出品しはじめる。

　しかし、マレーヴィチにとって印象主義の時代は、そう長くはつづかなかった。

印象主義で重要なのは、現象や対象を寸分違わず描くことではなく、純粋に絵画的な手法、現象ならびにそこにある絵画的な性格とわたしのエネルギーとの純粋な関係のなかにこそ存在することを理解した。わたしの創造のすべては、純粋な織物を絶妙な技術でつくりだす織匠に似ているが、ただ相違は、わたしが感情の欲求と、絵画以外のなにものでもないものから流れ出る形態を純粋な絵画の織物に与えようとしている点である。

このように書くとき、マレーヴィチの第三の転機は、すでにすぐそこまで近づいていた。セザンヌの影響下に、マレーヴィチは絵画芸術が二つの部分から成り立っていることを定義し、「純粋な絵画そのものの形式」と「内容と名づけられる対象のテーマ」が一体となって「折衷的な芸術」、「絵画と非絵画との混合物」を作りだしているが、彼にとって「現実」とは「正確に表現すべきものではなく純粋に絵画的なものとなった」と書いて、「自然現象の外形から絵画的要素を解放し、わたしの絵画精神を対象の支配から解放する仕事」を彼自身の方法のなかに見出だすのである。そして、「わたしは絵画が手段となることをけっして望まない。ただそれ自体が内容であることを望む」と書くのだが、このときマレーヴィチは、同時代の画家たちの芸術意識の最先端を示し、〈ダイヤのジャック〉から〈ろばの尻尾〉にいたる新しい絵画を目ざす芸術運動の渦中にいたのである。そして、

❿マレーヴィチ『水桶をかつぐ農婦』 1912

詩と絵画が共通の課題を追求した立体未来派の芸術運動のなかで、マレーヴィチはクルチョーヌイフとも出会うのである。一九一二年、マレーヴィチは三十四歳、クルチョーヌイフが二十六歳のときのことであった。

『太陽への勝利』とシュプレマティズム

「それ自体に目的のある言葉」を求めるクルチョーヌイフと「絵画自体が内容であること」を望むマレーヴィチの方法意識には深く共鳴するものがあったはずで、二人がたがいに無関心でいられなくなるのは想像に難くない。ほかの立体未来派の詩人や画家たちとともに二人は講演旅行に出かけ、各地での公開討論会に出席した。一九一三年にクルチョーヌイフがかかわった未来派の刊行物のうち、『言葉そのもの』、「三人」など五点の装幀とイラストをマレーヴィチは引き受けているが、二人の関係の密接さをなによりもよく物語ってくれるのは、オペラ『太陽への勝利』の上演を準備する共同作業であっただろう。

一九一三年の夏、マレーヴィチとクルチョーヌイフは、フィンランドのウシキルコにあるマチューシンの別荘で過ごした。ペテルブルグの前衛画家集団〈青年同盟〉とモスクワの〈ギレヤ〉グループが合同して上演するオペラ『太陽への勝利』の準備のためである。このときのことを、〈青年同盟〉のリーダー、音楽家で画家でもあったマチューシンはこう回想している。

⓫「三人」の表紙（装幀マレーヴィチ） 1913

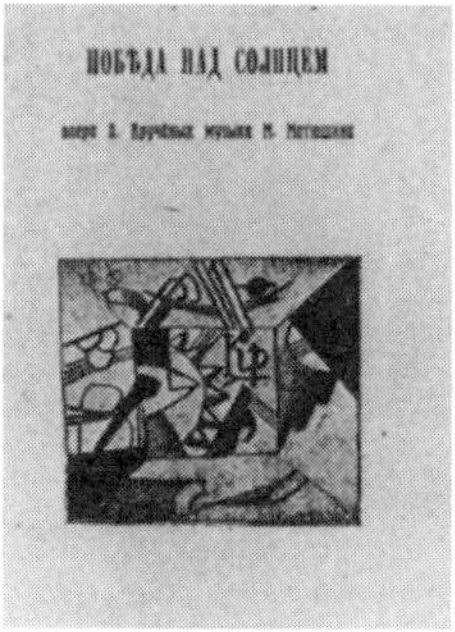

⓬『太陽への勝利』のカバー（リトグラフマレーヴィチ） 1913

　わたしが音楽を受持ち、クルチョーヌイフは台本、マレーヴィチは装置と衣裳のデッサンを書いた。わたしたちはすべてのことを相談しながら進めていった。わたしとマレーヴィチから弱い部分を指摘されると、クルチョーヌイフは台本を書き直した。それと同じように、わたしも全体の調子と合わない部分は訂正するのだった。

　クルチョーヌイフとマレーヴィチとわたしは一緒に仕事をつづけていた。……オペラは各人の努力によって、言葉と音楽と絵画の空間イメージを越えて発展していった。

　いかなる詩人といえども、クルチョーヌイフほどその作品でわたしを直接的に驚嘆させた者はいなかった。わたしもマレーヴィチも、言語創造の形式に隠された彼の理念に近いと

⓭マレーヴィチ『太陽への勝利』の衣裳デザイン　1913

ころにいた。

このとき、三人は「未来派劇場」の設立と上演予定を宣伝するマニフェストを書き、それを八月に発表している。

一九一三年十二月三日と五日、ペテルブルグのルナ・パルク劇場でオペラ『太陽への勝利』は上演されたが、十二月二日と四日には、やはり未来派劇場によるマヤコフスキイの悲劇『ウラジーミル・マヤコフスキイ』も上演されたのであった。

「『太陽への勝利』の中心主題は飛行機を含むテクノロジーの擁護である」とクルチョーヌイフは説明し、マチューシンは戯曲の意味を解釈しながら、「このオペラは古いロマン主義と饒舌を嘲笑する深い内的な内容をもっており……『太陽への勝利』はすべて美としての太陽についての古くさい常識にたいする勝利である」、「唯美主義の芸術が新鮮さを失ったことを示した」と述べていた。

しかし、装置と衣裳を担当したマレーヴィチが、舞台の背景の幕を単純な黒い正方形だけの構成でデザインしたデッサンのなかに、作者自身も含めて、おそらく誰からも気づかれることなく、新しい表現の可能性が生まれていた。『太陽への勝利』第二版（実際には出版されなかったが）に付けるために、幕に用いるデッサンを同封したマチューシン宛ての手紙で、「このデッサンは絵画において大きな意味をもつことになるでしょう。あのときは無意識のうちにつくったものが、いま驚くべき成果をもたらしているのです」とマレーヴィチは書いていた。この手紙には一九一五年五月二十七日の日付がある。

のちに、マレーヴィチはシュプレマティズムの出発の時期を一九一三年としていたが、「無意識のうち」の萌芽としてのシュプレマティズムの出発をここに求めることは可能であろう。だが、一九一三年から一四年にかけての非論理主義《アロジスム》の時期には、それはより深化し、そして純粋なシュプレマティズムが確立するのは一九一五年五月なのである。

非論理主義の時期においてもまた、マレーヴィチはクルチョーヌイフとの強い交響のうえで仕事をつづけている。「未来主義の画家たちは、物体の各部分、切断面を好んで利用する」と書くフレーブニコフとクルチョーヌイフの文章は、一九一三年から一四年にかけてのマレーヴィチの作品にたいする適切な解釈となっている。

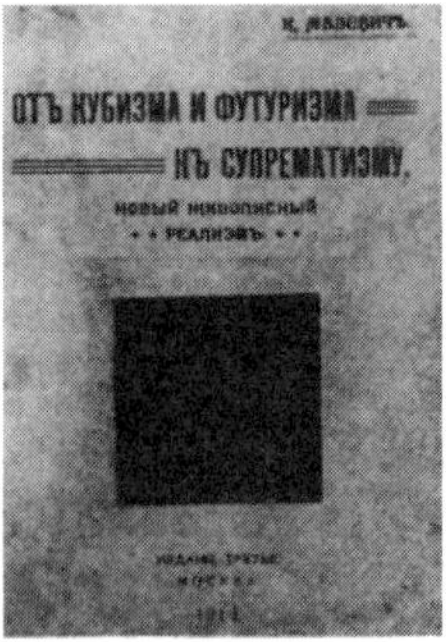

⑮マレーヴィチ「キュビズム、未来主義からシュプレマティズムへ」の表紙 1916

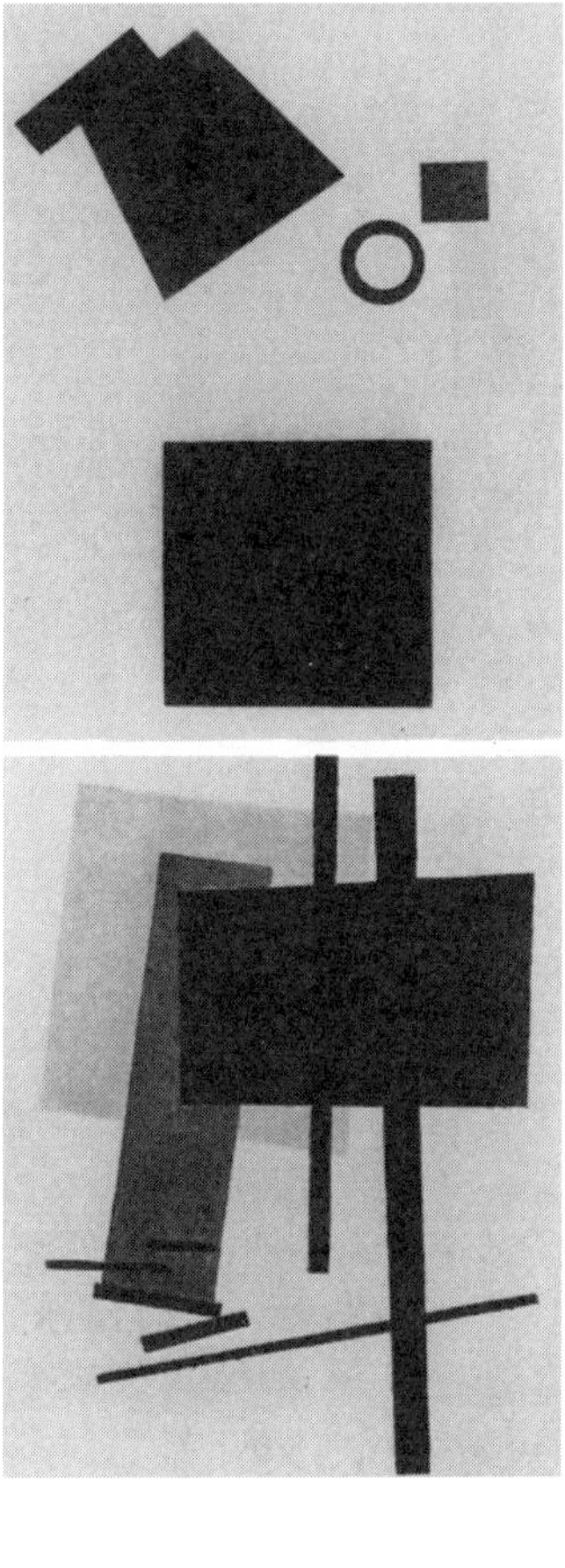

⑭マレーヴィチ『シュプレマティストの絵画』 1915

この時期のマレーヴィチの傑作『モスクワのイギリス人』（巻頭カラー口絵②）を見てみよう。魚、イギリス人の帽子についた赤いスプーン、小さな梯子、巨大なサーベルと蠟燭、キューポラと十字架のある小さな教会堂。そして例によって、「部分触」（形容詞と名詞の位置が入れかわっている）、「競馬協会」の文字。しかしここには、シャーロット・ダグラスも指摘しているように、クルチョーヌイフの『言葉そのもの』の文章との対応も見られる。「われわれは考える。言葉はなによりもまず言葉そのものであるべきだ。もしもそれがなにかを想像させるならば、それはなによりも鋸か野蛮人の毒を塗った矢であろう」とクルチョーヌイフは書いていた。マレーヴィチの作品では、「鋸」と「矢」に挟み打ちになったようにしてイギリス人は立っている。

このような過程を経て、マレーヴィチのシュプレマティズムは実現されるのであるが、クルチョーヌイフをはじめとする未来派の詩的言語の実験との交流は、画家にとって大きな飛躍を用意するものであったと考えられる。

一九一三年、芸術を対象の重圧から解放しようとする絶望的な努力をつづけているうちに、わたしは正方形のなかに避難し、白地に黒の正方形のほかはなにもない絵を出品したが、そのとき、批評家も観客もため息をついたものだった。「われわれの愛してきたすべてのものは失われた。われわれは砂漠のなかにいる……われわれの前には、白地の上の黒い正方形のほかはなにもない」……この正方形は批評家や観客にとって理解できず、危険なものに思われた……しかしこの砂漠は、すべてに浸透する非対象の感覚の精神に満ちあふれている……わたしは事物と概念が感覚にとってかわられたことを悟り、意志と表象の世界の欺瞞性を理解した。（『非対象の世界』）

マレーヴィチはこのように書いているが、シュプレマティズムの出発の時期としての一九一三年の意味は、深く、かつ重い。

構成主義へ

一九一三年には、マレーヴィチは『白地の上の黒い四角形』、『黒い円』、『黒い十字架』も作っている。

一九一五年二月、ペトログラードで開かれた「未来派絵画展・〈市電〉」はロシア・アヴァンギャルドのひとつの頂点を示すものともいえる。一九一四年八月に第一次世界大戦が勃発して以来、ヨーロッパにいたロシア人の画家たちは相次いで帰国を余儀なくされた。パリからはシャガール[★6]、リュボーフィ・ポポーワ[★4]、ナジェージダ・ウダリツォーワ[★5]、イワン・プーニ、ナタン・アリトマン[★7]、クセーニヤ・ボグスラーフスカヤ[★8]、ダルムシュタットからはラーザリ・リシツキイ[★9]、そしてミュンヘンからはカンディンスキイが帰国した。ヨ

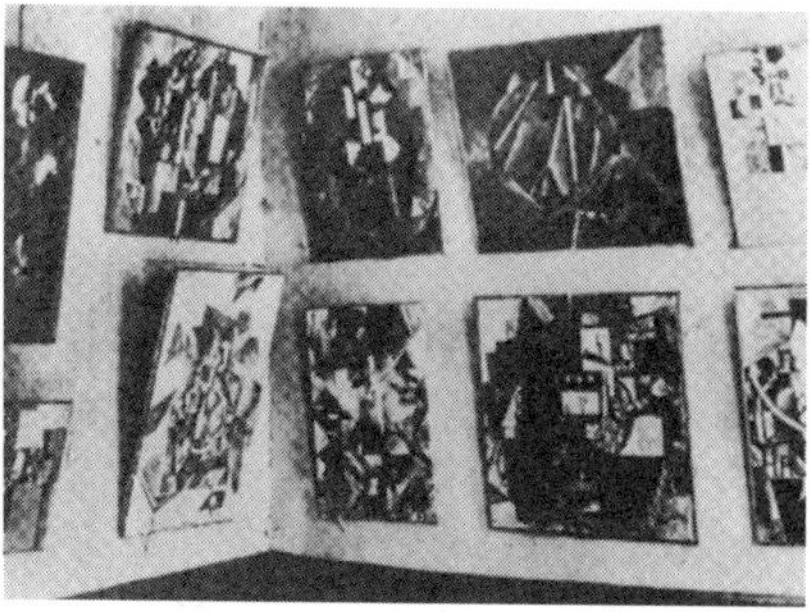

⑯「未来派絵画展・〈市電〉」 1915

⑰マレーヴィチ
『アルゼンチン・ポルカ』
1911

ーロッパから帰国したばかりの画家たちの多くと、国内にとどまっていた画家たちが一堂に会することになった「未来派絵画展・〈市電〉」は、イワン・プーニによって開催されたものであったが、この展覧会で、マレーヴィチとタトリンが初めて出会ったことでも注目される。この展覧会に出品したタトリンの作品はもっともラディカルなものであった。ピカソの影響下に、彼は、一九一三年から一五年にかけて制作した「絵画的レリーフ」六点を出品し、マレーヴィチのほうは、『アルゼンチン・ポルカ』（一九一一）、『電車のなかの女』（一九一二）、『マチューシンの肖像』（一九一三）、それに、「非理論主義」あるいは「ナンセンス・リアリズム」と呼ばれる一九一三年から一四年にかけての作品を出品しているが、この二人に代表されるロシア美術の二つの潮流、すなわち構成主義とシュプ

⑱マレーヴィチ『マチューシンの肖像』 1913

⑲「最後の未来派絵画展・〇――〇」マレーヴィチのコーナー　1915

レマティズムの潮流が顕在化したのであった。

そして一九一五年十月、「最後の未来派絵画展・〇――〇」がやはりプーニの主催によってペトログラードで開催された。この展覧会に、マレーヴィチはシュプレマティズムの作品を大量に公開し、タトリンも、これまでの「絵画的レリーフ」を否定し、鉄板、ブリキ、木片、ガラスなど異質の現実的な素材を集めて構成し、展示場の隅の空間を利用して吊して新しい造形空間をつくった「コーナー・レリーフ」の作品をはじめて発表したが、ある意味では対照的なこの二人の仕事のなかに、革命前のロシア美術の到達点が集約的に表現されていた。

構成主義の開拓者とみなすこともできるウラジーミル・タトリンは、一八八五年、ウクライナのハリコフに生まれた。父は大学教育を受けた技師で、詩も書く教養のある女性であった母は、タトリンが二歳のときに死亡し、間もなく父は再婚したが、継母との折合いもよくなかったタトリンの少年時代は、喜びの少ない、暗いものであった。

十八歳のときにタトリンは家を出、エジプト行きの汽船の水夫となった。この航海は、タトリンの想像力に火をともし、港町や水夫たちを主題にした初期の作品が多数残っているが、生涯を通して、彼は多くの愛をこめて海について語っていた。その後も、タトリンは一九一五年まで、水夫としての仕事で生活費を稼ぐことになるのだが、一九〇四年、父の死んだ年に最初の航海から帰還したタトリンは、ペンザの美術学校に入学し、絵画を勉強しはじめ、本格的に絵画で身を立てようとする。一九一〇年、モスクワに出て、モスクワ絵画・彫刻・建築学校に入学した。彼が二十五歳のときのことである。タトリンは、やがて構成主義の代表的な建築家となるアレクサンドル・ヴェスニン[★10]と共同でアトリエを借り、一九一一年の〈青年同盟〉の展覧会に、ラリオーノフとゴンチャローワの推挙で出品する。このころにタトリンがイコンの価値を発見したのはラリオーノフの影響であったと考えられる。

一九一二年の〈ろばの尻尾〉展に、一九一一年に〈モスクワ文学サークル〉によって上演された『マクシミリアン皇帝とその息子アドルフ』のための衣裳デザイン三十四点を出品したことはすでに述べたが、一九一三年と一四年の〈芸術の世界〉の展覧会には、グリンカのオペラ『イワン・スサーニン』の衣裳と舞台装置を出展した。一九一三年の〈青年同盟〉や〈ダイヤのジャック〉展にも出品してはいるものの、タトリンは同時代の画家ラリオーノフやゴンチャローワ、マレーヴィチとは異なって寡作であった。それでも、シチユーキンやモロゾフのコレクションを通して知ったセザンヌ、ピカソ、レジェを崇拝していたタトリンは、一九一三年の秋、「ロシア民衆芸術展」に参加するウクライナの歌手や音楽家たちとともにベルリンに行くことを決意した。そのグループで、タトリンはアコーデオンを弾くことになっていた。

ベルリンで、興味深いエピソードが生まれた。盲目のアコーデオン奏者のふりをしたタトリンに、どういうわけか、ドイツ皇帝はひどく興味を抱き、金時計を贈ったのである。

⑳ラリオーノフ『タトリンの肖像』
1911

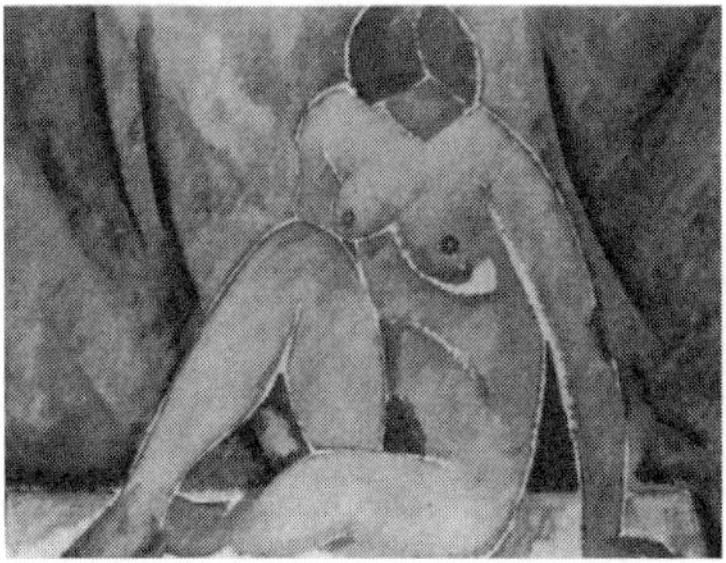

㉑タトリン『女性モデル』　1912

㉒タトリン『コーナー・レリーフ』 1916

タトリンはすぐさま金時計を売りはらい、その金でパリ行きの切符を買った。パリ旅行の主要な目的はピカソに会うことであった。シチューキンのコレクションで、フォーヴからキュビズムにいたるピカソの作品に接して以来、ピカソに会うことがタトリンにとっては最大の夢となっていた。パリで、タトリンはピカソのアトリエを何度か訪れ、弟子入りさせて欲しいと頼むが、ピカソは受け入れない。結局、パリで有り金を使い果たしたタトリンは、モスクワに戻ることになる。

間もなく、ヴェスニンとの共同アトリエでタトリンは最初の個展を開いたが、そこに展示された作品は、いうまでもなく、ピカソの影響下に制作されたものではあったが、その抽象性はピカソをはるかに凌駕するものであった。

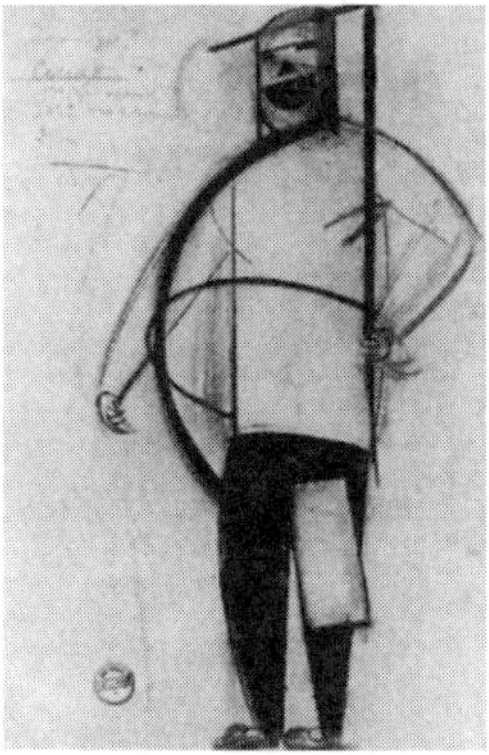

㉓タトリン『ザンゲジ』笑いの衣裳　1923

「絵画的レリーフ」をタトリンが最初に試みたのは一九一三年から一四年にかけての冬のことである。これは形態の概念の三次元の世界に踏みこむ第一歩であった。そして、「絵画的レリーフ」から「コーナー・レリーフ」に移行し、「素材と容量の文化」としての構成主義に突入することになるのである。

5 〈モスクワ言語学サークル〉と〈オポヤズ〉

ペテルブルグ大学プーシキン・ゼミナール

文学作品を自立した言語世界としてとらえ、言語表現の方法と構造の面から文学作品を解明することで、文学固有の批評原理の確立を目ざしたロシア・フォルマリズムが運動としてはじめて成立したのは、一九一五年から一六年にかけてであった。当時の文学状況、とりわけ批評の状況を考えるならば、文学における科学的な批評とは何かということを問い、内容にたいする形式の優位性を主張するフォルマリズムの誕生の必然性は確実に存在していたといえる。

二十世紀の最初の十年間には、さまざまな批評の潮流がさまざまな文学運動とのかかわりのなかで混然として並存していたが、その中心を占めていたのは、実証主義にたいする反動としての非合理主義、あるいは神秘主義を絶対化する象徴派の印象批評であった。それと同時に、象徴派から未来派にいたる潮流を「ブルジョア・イデオロギー」であると批判するマルクス主義批評を含む社会学的批評があり、またアカデミックな文献学に埋没していた実証主義も根強く存在していた。

　出発せんとしていたフォルマリズムをとりまくロシアの批評の状況はこのようなものであったが、非合理主義を根底に置く印象主義にたいしては批評の科学性を、文学以外の基準で文学を裁断しようとするマルクス主義のイデオロギー批評にたいしては文学固有の内的論理を、そしてアカデミックな文献批評にたいしては芸術の前衛精神を対置する地点から新たな批評運動を開始しようとしていたフォルマリズムは、当然のことながら、ロシア未来派のなかに自己の同志を見いだした。

　当時のロシアの芸術状況にあって、芸術を「手段」から「目的」に転化するところに「自由な芸術」があり、芸術そのものに芸術本来の意義を認め、なにかの道具としての有効性の論理を拒絶することによって象徴主義の陥った袋小路に突破口を切り開こうとした未来派が「芸術の自律性」を貫徹する内的支柱として言語の問題を大きく取り上げたことはすでに見てきたとおりである。未来派の詩人たちの言語の可能性の探求は、言語表現というかたちをとって自己の存在を回復させようとする試みを極限まで推し進めたものであった。言語を目的とすることで自己を生き、道具として言語を使用して自己を支配されることを拒絶しようとする試みは、芸術が芸術として存在しえないという当時の芸術の状況を深く自覚し、人間がもっとも追いつめられた地点で、言語表現にすべてを賭けて自己を回復させようとする芸術を創造しようとしたものであった。この言語の探求が未来派とフォルマリズムとを結びつけたのである。
フォルマリズムへの志向の萌芽は、一九一〇年ごろから、ペテルブルグ大学のセミョン・ヴェンゲロフ[★1]教授の指導するプーシキン・ゼミナールの学生たちのあいだから生まれた。ヴェンゲロフの文学研究の方法は穏健なイデオロギー批評とアカデミックで実証的な伝記主義との混合であったが、のちに、彼はこう回想している。

　わたしのゼミナールに一群の有能な青年たちがいるのにはじめて気づいた。彼らは文体、リズム、韻、形容詞の研究やモチーフの分類、さまざまな詩人の技法に類似を確認すること、そのほか、詩の外形の問題に驚くほどの熱意をもって専念していた。

このゼミナールに参加していたのが、のちにフォルマリズム運動の中心メンバーとなるヴィクトル・シクロフスキイ、ボリス・エイヘンバウム[★2]、ユーリイ・トゥイニャーノフ[★3]らペテルブルグ大学文学部の文学史を専攻する学生たちであった。そしてこの学生たちは、言語学を専攻する学生たちと共同することで、新たな批評の原理を追求しはじめたのである。
当時のペテルブルグ大学文学部は、エジプト学者トゥラーエフ、中国学者ワシーリイ・アレクセーエフ[★4]、モンゴール学者バルトリド、古代ギリシア・ローマの文献学者ファジェイ・ゼリンスキイ、[5]それにロシア文学史家ヴェンゲロフなどのすぐれた教授陣を擁し、ロシアにおけるアカデミズムの牙城の観を呈していたが、そのなかでも深刻な影響を学生たちに与えていたのは「音素」の概念を提出し、ある意味ではソシュールの仕事を先取りしていたボードワン・ド・クルトネ[6]の言語学の講義であった。「多くの者にとってなにか一大発見ででもあるかのように受けとめられているソシュールの遺著『一般言語学講義』は、ボードワンおよびボードワン学派がはるか以前に自家薬籠中のものとしていた」、「一般言語学の問題とその解決において目新しいものは文字どおりなにひとつ存在しない」と述べたのはボードワン・ド・クルトネの弟子エヴゲーニイ・ポリワーノフ[7]であったが、これはけっして過言ではない。共時態と通時態の区別、ラングとパロールの区別、そして音素の概念までも、一八七〇年代から八〇年にかけてすでに提起していたボードワン・ド・クルトネに学んだ若い学生たちは、既成のアカデミズムの枠を破って、大学のなかから街路へと進出していった。

いっぽうモスクワ大学においては、言語学の講義そのものは旧態然とした形態分析にとどまり、意味や構造の問題を避けていたが、若い学生たちはそのような方法にあきたりず、ボードワン・ド・クルトネからソシュールにいたる言語学やフッサールの現象学を学んで、新たな方法論を確立しはじめていた。このような若い学生たちの動きは、二十世紀に入って以来、さまざまな学問領域のなかに生まれていた方法論の危機にあたって、あらゆる学問の論理的基礎を再検討せねばならぬという時代の要請と軌を一にしていた。

このような背景のもとに、一九一五年、ロマン・ヤコブソン、ピョートル・ボガトゥイリョフ、[★8]アレクサンドル・ブスラーエフなど言語学を専攻し、フォークロアにも関心を抱く七名のモスクワ大学の学生を中心にして〈モスクワ言語学サークル〉が設立された。翌一六年、ペテルブルグにおいては、ボードワン・ド・クルトネの弟子レフ・ヤクビンスキイ、[★9]ポリワーノフ、ベルンシュテイン、[★10]それに近代言語学を利用して文学史の根本的な問題を解決しようとしていたシクロフスキイ、エイヘンバウムといったペテルブルグ大学の学生たちによって〈オポヤズ（詩的言語研究会）〉が結成された。これが運動としてのロシア・フォルマリズムの出発であった。

シクロフスキイの回想

ロシア・フォルマリズムの批評運動が未来派の芸術運動との熱い交流のなかから発生したことはすでに述べたが、両者の出会いのひとつの例をシクロフスキイの回想から引用しておこう。

あるとき、われわれ全員がテニシェフ学校のホールに集まったことがあった。コルネイ・チュコフスキイはここで未来主義に関する学術的な講義をする予定だったのだが、周到に準備したその講義を他の機会に延期して、未来派の作品を引用しつつ、皮肉を言いはじめた。

聴衆は彼を支持していたが、しかしここに、ずんぐりとして背が低く、短い脚にぼろぼろのズボンをはき、頬に絵をかきつけたイリヤ・ズダネヴィチ[★11]が到着した。ズダネヴィチは挑発的な頬の絵を拭いもせずに壇上に立つと、女性が頬に紅を塗っていることを証拠として挙げながら、頬紅はアカデミックなものであるとみなすし、自分のは新しい装飾方法を導入しているのである、と語った。

クルチョーヌイフは悲壮な面持で演説して、一瞬、聴衆を動揺させた。マヤコフスキイは氷山に立ち向かう砕氷船のように演壇にのぼると、足の下のたくさんの氷塊を押しつぶしながら、ぐんぐん進んでゆき、氷塊は拍手で割れた。フレーブニコフは発言しなかった。

コルネイ・チュコフスキイはそのころから才能あるジャーナリストで、当時の新聞の文芸欄の水準をすでに凌駕していた。フレーブニコフのすぐれた技術、言葉を支配するその技巧を彼は理解していた。マヤコフスキイのことは心底から驚嘆していた。しかし彼は、聴衆の性急な反応を愛していた。演壇じゅうに引用を何十となく投げ散らし、その上で陽気なダンスを踊っていたのである。

講演を終えると、いくぶん頬を紅潮させて、コルネイ・チュコフスキイは力強い足どりでフレーブニコフのところに歩み寄った。黒いフロックコートを着た詩人は両手をまっすぐに伸ばしたまま立ちつくしていた。彼は愛想のよいジャーナリストをみつめ、息もつかずに唇だけを動かすと、責めるような、驚いたような言葉をひとこと発した。詩人の悲しげなまなざしと口には出さぬ叱責とを、わたしは忘れられなかった。わたしは若かったので、なにもかも説明しつくしたいと望んだ。『言葉の復活』を書きあげた。

（『自伝』）

これは一九一三年のことと推測できる。テニシェフ学校というのは、ペテルブルグのマホワヤ通りにあるイギリス式の校風を踏襲しようとしていた学校で、大きな講堂があり、コンサートが開かれたり、演劇の公演も行なわれ、一九一四年には、メイエルホリドがブロークの戯曲『見知らぬ女』や『見世物小屋』を上演している。そして、黄色いブラウスを着、ボヘミヤンを気どったマヤコフスキイをはじめとする未来派の詩人たちがモスクワからペテルブルグを訪れるたびに、この学校のホールで詩の朗読や講演の集会を開いていたのである。

シクロフスキイの処女作『言葉の復活』が刊行されたのは一九一四年のことである。「グロソラーリヤ」といわれる、言葉や絶叫、意味をもたないにもかかわらず、ときには言葉に先行するかのように音をともなう身ぶりなどの例、子供たちの音遊びや諺、さまざまな宗派の信徒たちの恍惚状態に達した際の意味のない発声の例などを引用したこの小冊子は、未来派の詩人たちから、ポリワーノフやヤクビンスキイといったボードワン・ド・クルトネの弟子である若い言語学者たちにいたる多くの人々の注目を集めた。

この本の刊行に先立って、「生きた言葉をめぐって」という討論会で、シクロフスキイははじめて聴衆を前にして自己の理論を語った。会場は、いうまでもなく、ペテルブルグのテニシェフ学校の講堂であった。この討論に参加したボードワン・ド・クルトネは、開口一番、「まさしく今日から、一九一四年のはじめの今日から、文学が生活から断絶できないのと同じように、言葉と意味を切り離すことができなくなった」と語り、「きみは自分の窓を持っている、その窓から世界を見ることができるのだ」とシクロフスキイに語ったという。このときから、シクロフスキイは未来派と関連をもつ理論家としてはなばなしい活躍を開始したのである。このとき、シクロフスキイは二十一歳であった。

このシクロフスキイが、〈オポヤズ〉成立当時の事情を、のちにこのように回想している。

わたしは大学の講義にはあまり熱心に出席しなかったが、それというのも、ほかの仕事に熱中していたからである。わたしたちは〈オポヤズ〉と名づけていた詩的言語理論の研究会を作っていた。……これは資金もなければ研究員や助手もなく、「このことはきみが言った、このことはわたしが言った」というようなテーマをめぐる議論もない自由な研究団体であった。わたしたちは発見をたがいに交換しながら共同して仕事をしていた。詩的言語と散文の言語とは同じものではなく、詩的言語には独自な機能があり、表現手段にたいする志向が詩的言語を性格づけている、とわたしたちは考えていた。〈オポヤズ〉には、マヤコフスキイやフレーブニコフの詩と関連のある人々、もっとはっきり言うなら、未来主義者や、当時の詩をよく知っていた若い言語学者たちが結集していた。ボードワン・ド・クルトネのアカデミックな志向をもった弟子たちを未来派のほうに、ときには奇妙な身なりをし、つねに奇妙な話し方をする人々のほうへ導く力のあったものは何か。言葉の分析と思考の反伝統性である。ボードワンの弟子たちは、いわゆるアカデミズムの枠を越えた人々であったが、彼らは進路を明確にするための道具がすでに消滅しているとみなしつつ、大学から遠洋航海へと旅立ったのである。〈オポヤズ〉は革命前、第一次大戦のさなかに登場した。二冊の文集が一九一六年から一八年にかけて出版された。

わたしたちは自己の文学概念を、ブリューソフ、ヴャチェスラフ・イワーノフ、アンドレイ・ベールイといった象徴派の理論に対置した。彼らの理論によると、文学作品に重要なことは、生活機構を一連の対応物に転化させることであった。象徴派は自然を描こうとはせず、自然が隠してしまったものを描こうと望んでいた。光の源泉を置きかえながら、象徴派は一連の影と反射を秘密の発見である、とみなしていた。象徴派は「秘密」を単なる世界の謎解きではなく、世界そのもの、世界への入口であると考えていた。一連の象徴は隠され、超越的で、秘められた神秘的な人生の意味の開示とならなければならなかった。これとは反対に、現実の生活、エキゾティックで粗野な生活、あるいは親密さも使い古されなかったためか、親密な生活に戻るように呼びかけていたのはアクメイストであったが、もっとも、アクメイストの全部がそうであったというわけではない。

〈オポヤズ〉の会員は、発展する芸術のさまざまな現象のなかに共通する法則を明らかにしようと努めていた。わたしたちは自分たちのことを「フォルマリスト」であるとは称していなかった。……しかし、わたしたちはイメージの影に存在するものを見ようとはしなかった。薄紫色の世界が存在しているなどとは主張せず、ただ詩だけが存在していると主張していたかのようだった。

未来派ははなやかな隊列をつくって進み、多様であることを望んでいた。フレーブニコフは偉大な破局を予感して、数字によってその予感に根拠を与えようと絶えず試みていた。歴史のリズムを発見したいと考えていた。アレクセイ・クルチョーヌイフが探していたのは、「牛の鳴き声のように単純である」かもしれぬ言葉ではなくて、言葉を音響の身ぶりに変えるかのような「単なる牛の鳴き声」であった。マヤコフスキイはわたしたちの頭越しに未来を見、そして未来のためにわたしたちの言葉を理解しつつ、わたしのなかを通っていった。

象徴派の詩学はきわめて技術的な一連の観察を与えたが、しかしいつでも、詩学から出発して神秘の支配する行程へ入りこもうと努力しつづけていた。

アクメイストは自己の詩学を創造しなかった。

オポヤズは未来派ともっとも密接に結びついていたが、もっと正確にいうと、最初のうちは彼らと結びついていただけだったが、間もなく、形式自体の要求にもとづいて変化する文体の法則を共同して確立しようと試みながら、文体について共通の課題を追求しはじめた。

（『自伝』）


〈オポヤズ〉は一九一六年から二一年にかけて六冊の「詩的言語論集」を出し、「詩学」、「主題」、「リズム」、「革命と言語」などの特集を組み、それには、ヤクビンスキイ「詩的言語の音」、ポリワーノフ「日本語の音的身振りについて」、オシップ・ブリーク「音反復」、トゥイニャーノフ「ドストエフスキイとゴーゴリ」、エイヘンバウム「ゴーゴリの『外套』はいかにして作られたか」など、注目すべき論文が掲載されているが、この文集のなかでは、「意味を超えた言語と詩」、「方法としての芸術」、「音響の結合」、「詩の音響」、「主題構成」、「スターンの『トリストラム・シャンディ』と小説の理論」、「ローザノフ」など、毎号のように巻頭論文を発表していたシクロフスキイの活躍こそ注目すべきであろう。

ヤコブソンの回想

いっぽう、〈モスクワ言語学サークル〉については、ロマン・ヤコブソンがつぎのように述べている。このサークルの誕生五十周年を記念して書かれた論文「移住する術語と制度モデルの一例」においてである。

このようなサークルは一世紀前と同様、官憲の敵意を呼び起こしやすかった。そのため、難儀を避けようとしたわれわれは、ロシア科学アカデミーと結びついたモスクワ方言委員会の推進者である敬愛するウシャコフ教授に話をもちかけ、わたしたちのグループがこの委員会の後援のもとで活動できるよう依頼した。……サークルの綱領は、方言委員会議長コルシによって一九一四年末にアカデミーに提出される運びとなった。ロシア語、ロシア文学部門書記のシャフマトフが公式化して署名したアカデミーの回答は、わたしたちが「方言委員会と提携するとともに、言語学、詩学、韻律論、フォークロアの研究を目的とする若い言語学者のサークルを創設する」ことを認定していた。わたしたちはコルシの内諾を得て、彼を名誉会長に選ぶ予定にしていたが、一九一五年三月二日に初会合をもったまさにその日に、サークルは彼の死を知らされ、この言語、韻文、口承伝統の偉大にして果敢な研究者に黙禱を捧げたのであった。十八歳から二十歳そこそこの学生たち、つまり七名の創始者とのちに加わったバジレヴィチ、デンゲスの二人は、コルシの研究訓戒をひたすら忠実に守った。すなわち、十八世紀に記録されたロシア英雄叙事詩《ブィリーナ》の韻文と言語の集団的研究、モスクワ市の方言とフォークロアの詳細な調査と研究、ロシア言語地理学の先人たちの研究などにいっそうの発展をもたらした。

　のちに活動的なメンバーとなり、書記となったヴィノクール[★12]は、一九二二年に、「（〈モスクワ言語学サークル〉は）その活動の当初から、民俗学と民族学の問題と同様に、実用言語と詩的言語の双方の言語学的問題の解明を任務としてきた。……調査の方法は、共同の集団的研究によって練られた」と報告している。

　一九一八年以来、サークルは自分たちの集会室と図書室をもつようになり、一九一九年、二〇年のあいだに、モスクワで活躍し、あるいはそこを訪れる若い言語学者、詩学の探求者たちすべての興味を誘うまでにいたった。

〈モスクワ言語学サークル〉は、ボードワン・ド・クルトネからソシュールにいたる言語学やフッサールの現象学の理論の影響を受けた若い言語学者の集まりであったために、最初の二年間は、ロシアの方言学と民俗学の問題を中心テーマとし、言語学的データを収集していたが、やがてマヤコフスキイ、パステルナーク、アセーエフ、マンデリシュタームなどの詩人たちとの交流を通じて詩的言語に関する方法論の研究に移っていった。このよ

❶左からブリーク夫妻、ヤコブソン、マヤコフスキイ　ドイツにて　1923

うな理論的追求の推進力となったのはヤコブソンであったが、スラヴの民間伝承や民俗学にたいする彼のアクチュアルな関心は、西ヨーロッパの言語理論や哲学の新たな展開と密接に結びついていた。

〈モスクワ言語学サークル〉においては、方法論が重視されるにつれて詩的言語の問題が前面に出てき、サークルでの報告も、「言語学サークル」とはいいながら、文学史や文学理論を扱ったものが多くなった。[13]オシップ・ブリーク「詩の形容辞について」、「韻文のリズムについて」、トマシェフスキイ「プーシキンの五詩脚弱強格《ヤンブ》」、ボブロフ「文学の借用と影響の問題」、ボガトゥイリョフ、ブリーク、ブスラーエフ、ヤコブソン、ヴィノクールによるゴーゴリの『鼻』についての共同研究、ヤコブソンの「フレーブニコフの詩的言語」(『もっとも新しいロシアの詩』の原型)が一九一九年までのこのグループの成果であった。とりわけヤコブソンの活躍は注目すべきものがあり、ペテルブルグにおけるシクロフスキイと同じような役割を彼はモスクワにおいて果したのである。

事実、ヤコブソンとシクロフスキイの二人によってロシア・フォルマリズム運動の方向が決定されたといっても過言ではあるまい。しかし、二人の強力な指導者の存在の意義を否定できないとはいえ、グループの個性的な一人一人の知的共同作業として共通の課題が追求された点にこそ、フォルマリズム運動の意味のすべてがこめられてあった。

6 方法としての芸術

〈自動化〉と〈異化・非日常化〉

それでは、ロシア・フォルマリズムは何を実現しようとしたのであろうか。「言語が社会関係の影響を受けるということは自明の理である。……それでもやはり、言語は影ではない。言語は事物である。そして言葉は、言葉の生理のようなものと関連する言葉それ自体の法則に応じて変化する。わたしは文学理論のなかの文学の内的な法則を検討しつくしたいと思っている。紡績工場と比較するならば、世界の木綿市場の状況やトラストの政策などではなくて、紡績糸の番号やそれの織り出せる能力のみがわたしの関心となっているのだ」とシクロフスキイは『散文の理論』の序文で書き、フォルマリズムの方法を、「新しい形式の弁証法的自己創造の法則についての科学」と呼んだが、エイヘンバウムも、「文学的素材に固有な特性にもとづいて、自立した文学の科学を樹立せねばならぬ」(「『形式主義的方法』の理論」)と書いていることからも明らかなように、「文学の内的な法則」、「自立した文学の科学」を樹立することがフォルマリズムの課題であった。文学作品を文学以外の要素に還元する素材としていた従来の印象批評や実証主義批評、あるいは社会学的な批評を拒否して文学の自律性を主張したのである。

まず最初に、ヤコブソン、シクロフスキイ、ヤクビンスキイ、ポリワーノフは詩的言語の解明に全力を傾けた。そして、象徴派の美学をもっとも危険な敵として攻撃対象に選ぶ。「フォルマリストの主要なグループを統一していたのは、象徴主義においてかなり優勢であった哲学的宗教的傾向の束縛から詩的言語を解放しようとする願望であった」とエイヘンバウムは述べている。

詩的言語の問題を出発点として「文学の内的法則」を樹立しようとする意図は、のちに『散文の理論』に収録されることになるシクロフスキイの論文「方法としての芸術」のなかで明確にされている。ロシア・フォルマリズム再評価の出発をなすロシア生まれのアメリカのロシア研究者ヴィクトル・エールリッヒの著書『ロシア・フォルマリズム』のなかで「ロシア・フォルマリズム宣言」と名づけられたこの論文で、シクロフスキイは、象徴主義理論の根底をなすアレクサンドル・ポテブニャ★1の理論、すなわち、「芸術とはイメージによる思考」であり、「詩は散文と同様、なによりもまず、主として思考と認識のひとつの方法である」という理論に挑戦し、ポテブニャが詩的言語と散文の言語を区別せず、実用的な思考の手段としてのイメージと印象を強めるための手段としてのイメージを同一視しているといって批判する。

実用的な言語は概念に結びつき、思考を表現するための手段であるのにたいし、詩的言語は芸術的美学的課題に依存し、そこにあっては、意味ではなくて、それ自体として意義をもつ音声や音響が重視される。散文の言語と詩的言語とを明確に区別し、意味をもたない言葉もまた一般的な言語現象であり、伝達機能は言語の使用法のひとつにすぎず、意味を超えた言語もまた必要であるとして未来派の詩的実験に自己の方位を定めたのである。

そしてシンボルとイメージを区別して、「イメージの目的は、その意味をわれわれによりよく理解させることではなくて、対象の独得な知覚を創造すること、つまり対象を〈知ること〉ではなくて、〈見ること〉を創造することなのである」とし、「詩とは難解で歪んだ言葉」であり、詩の言葉は「構成された言葉」であると主張する。この「構成された言葉」にたいして、知覚作用における「自動化」と同質の過程をたどるものを日常語としての散文と規定する。

この「自動化」の概念は、シクロフスキイによってつぎのように規定されている。

もしわれわれが、知覚の一般法則を解明していくならば、知覚作用が習慣化しながら自己運動を

❶シクロフスキイ（レーピン画）1914

行なっている事実を見ることであろう。たとえば、われわれのあらゆる習慣的な反応は、そのようにして無意識な自己運動の領域へと立去ってゆくものであって、ペンをはじめて手に取るとき、あるいは外国語をはじめて口にするとき、人は自分自身がこれまで経験したことのある感覚を思い出し、その感覚をいま体験しつつあるものと比較しながら、それを一万回もくり返すならば、なんらの違和感もなくなってしまうことだろう。不完全な表現や、言いかけたまま中断された言葉の出てくる散文の法則は、自動化の過程によって説明される。

この「自動化」はすべての事物に適応され、「自動化」されたものに衝撃を与え、本来の意味を回復させるのが芸術である。

シクロフスキイの言葉を引用すれば、「芸術作品は、1、散文的なものとして創造され、そして詩的なものとして知覚されるか、2、詩的なものとして創造され、そして散文的なものとして知覚されるかのいずれかであるといえる。このことは、芸術性、ある作品のもつ詩的性格とは、われわれの知覚の仕方の結果であるということを示しており、そしてわれわれは、可能なかぎり芸術的なものとして知覚させることを目的とした独自な方法によって創造されたものを狭い意味で芸術作品と名づける」となる。そして、あらゆる自動化に反逆し、「生の感覚を回復し、事物を意識せんがために、石を石らしくするために、芸術と名づけられるものが存在するのだ。知ることとしてではなしに、見ることとして事物に感覚を与えることが芸術の目的であり、日常的に見慣れた事物を奇異なものとして表現する〈異化・非日常化《オストラネーニエ》〉の方法が芸術の方法であり、そして知覚過程が芸術そのものの目的であるからには、その過程をできるかぎり長引かせねばならぬがゆえに、知覚の困難さと、時間的な長さとを増大する難解な形式の方法が芸術の方法であり、芸術は事物の行動を体験する仕方であって、芸術のなかにつくりだされたものが重要なのではないということになるのである」と断定する。

　このようなシクロフスキイの芸術の概念規定は、芸術作品を現実の再現ないし反映と見ようとしたベリンスキイ[★2]以来のロシア・リアリズムの批評とも、ロシア象徴派の美学とも鋭く対立するが、「異化・非日常化」の方法の例として、シクロフスキイはトルストイやボッカッチオ、ロシアの民話の方法などを挙げているが、そのことは、この方法がロシア未来派を中心とする芸術のアヴァンギャルドにのみ適用されるのではないということを示したかったのかもしれない。

　シクロフスキイは、トルストイが事物を通常用いられている名前で呼ばずに、事物をはじめて見たもののように記述し、また、事件もはじめて起こったもののように描き、しかも事物の描写にあたっては、広く認められている事物の名称を使用せずに、ほかの事物と対応する部分の名称で事物を名づけている点にその方法の特徴を見ている。そして、『戦争と平和』の戦闘場面や、『復活』のなかの都会や裁判の場面なども例として挙げ、具体的には、馬を主人公とし、馬の心理を通して人間世界の虚偽や欺瞞を摘発した『ホルストメール』を引用して検討したあと、この方法はトルストイにのみ固有なものではなく、イメージのあるところならどこにでも見られると書き、この方法の適用できる範囲をひろげている。問題はいかにしてイメージを創造するかということにある。

二十世紀の時代精神を共有

ところで、この「異化・非日常化」というのはシクロフスキイの造語である。知覚作用が習慣化しながら「自己運動」の領域へと立ち去ってゆくものに、知ることとしてではなしに見ることとしての感覚を与える方法としての意味がまずあり、習慣となった知覚のなかから新しい知覚の領域へと対象を移行させること、つまり独自な意味上の変更を加えることをイメージの目的と考えてこの概念を補強しているのを読むとき、わたしは二つの言葉を変形させて一語に収斂したものと考えた。ひとつは、「ストランヌイ（奇異な、奇怪な、異様な）」という形容詞に動的な意味を加えて名詞化したもの。これだけなら、「異化」とか「奇異化」と訳すことができよう。もうひとつは、「オストラニーチ（脇へどける、遠ざける、突き退ける）」という動詞を名詞化したもの。これは事物をある場所から転位することとの意味もあり、隔離化とか、疎外ないしその逆過程、つまり疎外されたものを本来の位置にとり戻すことと訳すことも可能である。前者の意味での概念ならば、さして新しいことではない。

この論文でシクロフスキイ自身も挙げているように、すでにアリストテレスには、「詩的言語はこの世のものではないような、驚嘆すべき性格をもたねばならぬ」という意味の言葉がある。近代になっても、コールリッジが「新奇さと新鮮さの感情」が真の詩の特徴のひとつであると説明しているし、ノヴァーリスも、「優雅な方法で意外の感を与え、ある対象を見慣れぬものとしながら、しかもそれでいて見慣れている魅力あるものとするのがロマン派の文芸である」と述べているように、ロマン派の詩人たちの言葉もある。

一九二三年に書かれたシクロフスキイの論文のなかに、こんな文章がある。

海辺で生活している人間は、潮騒が耳に障らないほど馴れ親しんでいる。それとまったく同様に、われわれはふだん自分たちの語る言葉をほとんど聞いていない。……われわれはおたがいに顔を合わせながらも、なお相手を見ていない。われわれの世界の知覚は衰弱し、なお残っているものといえば、認識だけである。

これはもちろん、知覚が日常性のなかに閉ざされ、習慣化され、新鮮さを失い、シクロフスキイの言葉を用いれば、「自動化」された現象である。このような「自動化」の状況を凝視し、それに楔を打ち込み、再度の緊張を与えつつ事物の本来の姿を露わにさせることが芸術の課題となり、詩人、作家は、「自動化」の状況と正面から対決し、「自動化」した言葉ではない言葉でもってそれを表現せねばならないのだ。そこから、文学者の言語との格闘がはじまる。このように考えると、この方法は、「自動化」を歯止めし、否定してゆくもの、そして世界を再発見する方法としての芸術の機能の問題となる。そして、「知覚の自己運動の過程に言葉を見ることこそ作家の目的であり、その過程で知覚を停滞させ、可能なかぎり高度な力を与えて長引かせ、しかもその際、事物をその空間においてではなく、いわばその連続性において知覚させるなど、言葉が芸術的につくりだされるという事実に出会う」とシクロフスキイが書くとき、「異化・非日常化」は完全に二十世紀の芸術の概念となる。

この例として、エールリッヒは『ロシア・フォルマリズム』のなかで、一九二六年に書かれたジャン・コクトーの『職業の秘密』と、三二年に書かれたT・S・エリオットの『詩の効用と批評の効果』との類似性を指摘している。

確かに、「突然、稲妻によって照らされるように、われわれははじめて犬や自動車や家を見る。だが、たちまち習慣性がこの豊かなイメージを擦消してしまう。われわれは犬を撫で、自動車を呼び、家に住まう。しかし、そのとき、われわれはもはや見ていない。まさに、ここに詩の役割がある。それは語のもっとも完全な意味で語を剝ぐことである。

……ある常套句をつかまえて、それを洗い浄めよ、磨きをかけよ、その清新潑溂さと、はじめにあった同じ新鮮さ、同じ輝きで人々の心を光らせてみよ、そうすれば、きみは詩人の仕事を果たしたことになるのだ」と書くコクトーの言葉にも、「詩とは知覚と評価の伝統的な様式を破壊するのに役立ち……人々に世界をあらためて見直させ、あるいは世界の新しい部分を見させ、ときには、詩はわれわれに、われわれがめったに掘り下げてゆくことのないわれわれの存在の基底を形成している、あの名のつけようもない深い感情を少しずつ呼びさまさせてゆく。それというのも、われわれの実生活とは、たいてい、われわれ自身からの不断の逃避であり、視覚的、感性的な世界からの逃避である」と書くエリオットの言葉にも、「ロシア・フォルマリズム宣言」の調子が鳴り響いている。しかし、ここで問題にしたいのは、シクロフスキイがコクトーやエリオットに影響を与えていたかどうかということでは無論なく、危機をはらむ二十世紀の時代精神を共有する芸術家の発想は、時間を越え、国境を越えて共通性をもつという事実である。そういう面から考えるならば、当然のことながら、ベルトルト・ブレヒトの「異化」の概念もこれと無縁ではない。

ブレヒトが最初に「異化」という言葉を用いたのは、一九三五年に訪ソした翌年の三六年に上演された『まる頭ととんがり頭』の注釈においてであると言われているが、その時間的な一致からも、シクロフスキイの「異化・非日常化」からヒントを得て「異化」の概念を作ったのではないかというドイツの文芸学者ホルトゥフーゼンの推定は根拠のないものではないと考えられる。ブレヒトの用いた「異化」という言葉が、さきほど「異化《オストラ》・非日常化《ネーニエ》」が二つの語を変形させたものとわたしが推定したその二つの意味を含んでいるように思えるからである。ブレヒトの「異化」は、見慣れたもの、日常的なものを、見慣れぬ異常なものに見せるというロマン派の美学の「異化」の概念を含みつつ、マルクスの疎外の概念ともかかわりをもち、疎外状況を目だたせることによって疎外状況を除去する意味をも含むと考えられるからである。

『叙事的演劇とは何か』のなかで、ワルター・ベンヤミンも書いているように、「叙事的演劇の技巧《クンスト》は感情移入ではなく、むしろ驚きを呼びさますことである。定式化していえば、公衆はヒーローに感情移入することではなく、むしろ、ヒーローの行動の置かれている状況に驚きを覚えることを求められるのだ。ブレヒトの考えでは、叙事的演劇では、筋の展開よりも状況の表現のほうが重要である。だが、ここでいう表現は、自然主義の理論家のいう再現とはちがう。第一に必要なことは、まず状況を発見することだ（状況を異化するといってもよい）。この状況の発見（異化）を実現する手段が、劇の流れの中断である」という意味も含めて、ブレヒトの「異化」が、シクロフスキイの「オストラネーニエ」の概念とほぼ重なり合うのは、これまで見てきたとおりである。

シクロフスキイの「方法としての芸術」が発表されたのは一九一七年、ちょうど十月革命の起きた年と重なっているが、革命直後から一九二〇年代前半にかけてのソヴェトの芸術の状況は、文学においても、演劇においても、美術においても、あらゆるジャンルにおける芸術の前衛の進出と爆発的な活動によって特徴づけられる。大胆な方法的実験と豊饒な可能性に彩られたソヴェト芸術の開花期にあって、シクロフスキイの提出した「オストラネーニエ」の概念が、マヤコフスキイやメイエルホリド、エイゼンシュテインをはじめとする二十世紀を強烈に意識した芸術家たちのすべてに共有されていたのは、歴史の激動期、あらゆる価値の転換期にこそ、この方法が要請されるということを物語ってもいる。「ロシア・フォルマリズム宣言」とみなされているこの論文は、シクロフスキイの主張を明確に打出したものであったが、「方法としての芸術」という題名そのものがフォルマリズムのスローガンとなった。「文芸学をひとつの学たらしめるためには、まず〈技法《プリヨーム》・方法〉をその唯一の〈主人公〉と認める必要がある」（『もっとも新しいロシアの詩』）とするヤコブソンの主張もこれに交響する。「方法としての芸術」をいかにして創造するか。ここから、詩的言語の問題から文学作品の構造への接近がはじまる。そして「方法」の重視から、「内容」を重視する功利主義やマルクス主義への批判も発生する。

フォルマリズムの指導的理論家は、芸術以外のものに芸術を引き渡すことを拒絶する。

> 芸術はつねに生活から独立していたし、それが都市の要塞の上にひるがえる旗の色を反映したことなど一度としてなかったのである。　（シクロフスキイ）

表現に言葉の集合体に依拠すること、それが唯一の本質的モメントだ。(ヤコブソン)

新しい形式がある、ゆえに新しい内容がある。かくして、形式が内容を規定する。

(クルチョーヌイフ)

もちろん、このような発言を文字通りに受けとってはなるまい。第一次世界大戦から革命を経て内乱のつづく激動する日々にあって、さまざまな芸術潮流の渦のなかで、みずからの声を響かせようとするためには、声を限りに叫ばなければならないのだから。マヤコフスキイの絶叫とも、プロレタリア詩人たちのかぎりない情熱とも同じような響きをもつものとしてこれらの言葉を理解すべきであろう。フォルマリズムのなかにも時代精神の昂揚を発見できるし、表面的には、形式の追求に没頭している非政治的なグループのようにみなされたとしても、批評の革命を大胆に遂行しようとしたのは、ロシアの場合、このフォルマリズムのグループを除いてひとつとして存在しなかったのである。

ii

十月革命と芸術

ロシアの赤い宴

ロシアの赤い宴

マヤコフスキイの公開状

一九一七年の暮れ、詩人マヤコフスキイはペトログラードから革命直後のモスクワにやってくる。雪におおわれ、通りの人影もまばらなモスクワ。断ち切られた市電用の電球、焼けた建物。食料品店にも洋品店にも、商品はほとんどなく、どのショーウィンドーもがらんとしていて、銃弾のはじけたガラスには裂け目ができている。飢餓と封鎖にあえぎ、疫病が流行し、戦闘とテロル、勝利と敗北の交錯する革命と反革命のせめぎ合う内乱期のロシア社会主義共和国にあっては、マヤコフスキイの言葉を用いるなら、「芸術どころではなかった」(『わたし自身』)のである。従来、刊行されてきた新聞や雑誌は発行を停止するか禁止され、印刷所は没収されて国有となり、紙不足、印刷施設の機能停止のため、この時期、活字文化は存在をやめてしまったといっても過言ではなかった。

ところがモスクワは、乱立する文学カフェーの全盛期で、「ペガサスの厩」、「オルゴール」、「ピトレスク」、「詩人のカフェー」などが活況を呈し、詩人や作家たちはそこで自作の詩や短篇を朗読していた。マヤコフスキイが頻繁に訪れていたのは、ナスタシンスキイ横町の洗濯屋を改造し、タトリン、ヤクーロフ、レントゥーロフ、マシコフなどの画家が

❶「詩人のカフェー」 立っているのはブルリュークとマヤコフスキイ　1918

❷ヤクーロフ「ピトレスク」のポスター　1917

❸ヤクーロフ「ピトレスク」の装飾　1917

風変わりな室内装飾をほどこした立体未来派のたまり場「詩人のカフェー」であった。そのカフェーで、マヤコフスキイは詩を朗読し、革命前からの芸術の同志たちと芸術の問題を語り合っていた。「芸術どころではなかった」状況のなかで、あえて「芸術」を問題にしたマヤコフスキイは、一九一八年三月、「未来主義者の新聞」を発行した。この新聞は、カメンスキイの回想によると、「モスクワじゅうの塀という塀にべたべたと貼られ、センセーションを惹き起こした」(『マヤコフスキイとの生活』)のだった。いわば朗読と壁新聞が当時のモスクワの文化の伝達手段のひとつだったのである。

一九一八年三月十五日に発行された「未来主義者の新聞」第一号に発表した「労働者への公開状」を、マヤコフスキイはこのような文章で書きはじめている。

同志諸君! 戦争と革命の二度にわたる火事は、われわれの精神とわれわれの都市を荒廃させてしまった。昨日までは豪華そのものであった宮殿も、いまは焼け跡の残骸をさらしているにすぎない。廃墟と化した都市は新しい建設者を待っている。奴隷根性は革命の竜巻によって精神から根こそぎ引き抜かれた。民衆の精神は播種を待ち望んでいるのだ。ロシアの遺産を受け入れた諸君、明日には全世界の主人公になる(とわたしは確信してやまない)諸君に向かって質問したい、昨日の火事の焼け跡に、諸君はどのようなファンタスチックな建物をつくるつもりか。諸君の窓からはどのような歌、どのような音楽が流れ出るのであろうか。どのような聖書で諸君の精神を押し開くのであろうか。

革命初期の激動する日々に、十月革命の勝利によって長期にわたる圧制から解放された労働者に宛てて、マヤコフスキイが一通の公開状を書いたことはきわめて示唆的である。この公開状のなかで、労働者の意識が革命を経てもなんら変革されず、旧来の芸術意識を残存させたままの状態であることにマヤコフスキイは疑問を投げかけ、「精神の革命の爆発こそが、古い芸術の古着からわれわれを解放してくれる」、「生き生きとした美のパンのかわりに化石みたいなものを諸君に与えようとする者を、怒りをこめて拒否せよ」と書き、「社会主義・無政府主義という内容の革命は、未来主義の形式の革命なしには考えられない。われわれの提供する健康で若々しく粗野な芸術のかけらをむさぼり食うがよい」と訴えて、「未来の生活がどれほど大きな太陽によって照らし出されるかは誰にもわからない。画家が都市の灰色の埃を百色の虹に変えてしまうかもしれないし、フルートと化した火山の雷鳴のような音楽が低い山脈から永久に鳴り響きつづけるかもしれないし、あるいは、ヨーロッパからアメリカまで張りめぐらした網の弦を大洋の波がつまびくことになるかもしれない。はっきりしていることはただひとつ、もっとも新しい芸術の歴史の第一ページがわれわれの手によって開かれるということである」と結んでいた。

マヤコフスキイの「労働者への公開状」の発表された「未来主義者の新聞」はこの一号

を発行しただけで終わったが、それでも、マヤコフスキイ、ダヴィド・ブルリューク、カメンスキイの編集になるこの新聞が、革命前に発生した未来主義の芸術運動を再編成し、「コミューンの芸術」から「レフ（芸術左翼戦線）」にいたる左翼未来主義の芸術運動の母胎となったとみなすことは可能である。そしてこの運動の中心として、革命後のアヴァンギャルド芸術運動が強力に展開されることになるのだが、「もっとも新しい芸術の第一ページがわれわれの手によって開かれる」と書くマヤコフスキイの言葉を実証したのが、さまざまな芸術のジャンルを越え、革命と芸術にたいする見解の対立を内包しながらもこの潮流につらなる芸術の旗手たちにほかならなかった事実は、今日、あらためて問題にするに足る意味をもっていると考えられる。

「もっとも新しい芸術の第一ページ」には、どのような言葉が書かれなければならなかったのだろうか。

芸術家たちの独走

同志諸君！
バリケードへ！
心臓と魂のバリケードへ行け。

退路の橋を焼き払う者こそ
真のコミュニストなのだ。
未来主義者たちよ、ゆっくり行進するのはもうやめろ、
未来に向かって飛躍するのだ。

（中略）

安物の真理なんかうんざりだ。
心臓から古いものをたたきだせ。
街路はわれらの絵筆。
広場はわれらのパレット。
時代がかった書物では
千ページを費したって
革命の日々は歌えない。
街頭へ出ろ、未来主義者たちよ、
太鼓を打ち鳴らせ、詩人たちよ！

これは一九一八年十二月七日に創刊された週刊紙「コミューンの芸術」第一号に掲載されたマヤコフスキイの詩『芸術軍への指令』であるが、同紙第二号には、『喜ぶのはまだ

早い』と題するマヤコフスキイの詩も発表されている。

白衛兵を見つければ
すぐに銃殺だ。
それなのに、ラファエロを忘れたのか？
忘れたのか、ラストレルリを？
いまこそ
弾丸を
美術館の壁に炸裂させる時だ。
咽喉の百インチ砲で古いものを狙撃せよ！

森のはずれに大砲が配置された、
白衛軍のやさしい言葉には耳を貸さない大砲だ。
それなのに、なぜ
プーシキンは攻撃されないのか？
ほかの
古典作家の将軍どもも？

（中略）

古いものが芸術の名において保存されている。
それとも
革命の歯は王冠を噛んで鈍ってしまったのか？
さあ、急げ！
冬宮の上の煙を吹き散らせ、
マカロニ工場の煙を！
一日か二日、銃火を浴びせただけで、
古いものを打ち負かせたと
思いこんでいる。
上着を取りかえただけでは
まだ足りないのだ、同志諸君！
内臓までひっくり返すのだ！

革命を支持し、しかも、かたときといえども革命が中断されることを拒否し、政治の革命を芸術の革命としてとらえ返しつつ、魂の革命を無限に永続させようとする宣言にも似たこの詩には、十月革命を芸術革命に呼応するものとして受けとめ、旧体制の崩壊のなかにみずからの勝利を見いだしたアヴァンギャルド芸術の躍動する志向が鮮明に表現されている。

革命前のロシアで活躍した芸術家の大多数が、十月革命にとまどいの色を浮かべ、恐れおののき、茫然自失して沈黙を守ったり、あるいは国外に亡命したりして、沈滞した雰囲気が文化のあらゆる領域を支配していたとき、文学、美術、演劇といったジャンルの枠を越えて、すべての芸術の最前線に立っていたのは、革命前のロシア未来派の芸術運動と関係をもつ芸術家たちだった。一九一二年の未来派宣言「社会の趣味への平手打」に署名したフレーブニコフ、ブルリューク、マヤコフスキイ、クルチョーヌイフをはじめ、パステルナーク、アセーエフといった詩人たち、〈ダイヤのジャック〉から〈ろばの尻尾〉グループを経てシュプレマティズム、構成主義へと飛翔したマレーヴィチやタトリンを中心に、第一次世界大戦の開始とともにヨーロッパから帰国したカンディンスキイ、シャガール、シュテレンベルグ、アリトマン、リシツキイなどの画家たち、シクロフスキイ、トゥイニャーノフ、ブリーク、ヤコブソンなどのフォルマリズムの批評家たち、そして「十月の演劇」を提唱したメイエルホリド★1をはじめ、タイーロフ★2、エヴレイノフ★3といった演出家たち。未来派につらなる芸術家たちの独走がはじまったのである。

街頭へ、広場へ

これにたいして革命政府のほうでも、この運動を積極的に評価し、芸術の実験と冒険を物質的にも支援していたが、なかでも、きわだった動きを示していたのは美術の領域においてであった。

ボリシェヴィキの政権獲得後三カ月めに教育人民委員会議長に任命されたルナチャルスキイ★4は、教育人民委員会のなかに〈イゾ（造型芸術部会）〉の設置を決め、革命前の美術界で公認されていた美術家同盟を中心に革命後の美術運動を再編成する目的で、すべての美術グループに中立政策を取り、その自由な発展を保証する主旨をもって、新政権と協力するよう美術家同盟に訴えた。しかし、さまざまなグループの集合体であったとはいえ、「リアリズム」を信奉する「アカデミック」な画家たちを指導部に置き、ボリシェヴィキに敵対し、新政権の勝利が長期にわたることもあるまいとみなしていた美術家同盟は、これを拒否した。ルナチャルスキイと美術家同盟のあいだには数カ月にわたって交渉がつづけられたが、一九一八年の六月、美術家同盟は、完全な自治権をもって〈イゾ〉を支配することが保証されないかぎり新政権とは協力しない、と回答した。ここにいたって、ルナチャルスキイは美術家同盟との交渉を断念し、革命直後に新政権支持を表明していた未来派を中心とするアヴァンギャルド系の人々によって〈イゾ〉を組織することを決意し、パリ時

❹ルナチャルスキイ

代に知り合った立体派の画家シュテレンベルグにその組織を一任した。

シュテレンベルグは多くのアヴァンギャルドをスタッフに集め、「国内のすべての美術流派と美術活動全体の建設と組織」を目的にして、ペトログラードとモスクワに〈イゾ〉の支部を置いた。一九一八年六月のことである。アリトマンを責任者とするペトログラード支部には、マヤコフスキイ、ブリーク、プーニン、シクロフスキイといった美術の専門家ではない人々も参加し、週刊で発行した「コミューンの芸術」は、実はこの組織の機関紙であった。タトリンを責任者とするモスクワ支部には、マレーヴィチ、カンディンスキイ、ローザノワ、ロドチェンコらが参加した。


〈イゾ〉は革命後の美術の問題を解決する任務を実質的に国家から与えられ、美術学校や美術館の運営から展覧会の開催、それに作品の購入まで、美術の領域のすべての仕事を一任されることになったが、なかでも、ロドチェンコを責任者として設置された美術館局は行政面での中軸の位置を占め、一九一八年から二一年までのあいだに、三十六の美術館を設立し、さらに二十六の美術館の設立を計画中であった、とカミラ・グレイは『ロシア美術の実験（一八六三―一九二二）』のなかで指摘している。これらの美術館のために、ロドチェンコは未来主義からシュプレマティズム、構成主義にいたる前衛美術を購入し、美術館には非具象的な傾向をもった作品が展示されることになった。

美術教育にも大胆な改革が試みられた。一九一八年夏、ペトログラードの美術アカデミーは閉鎖され、十月には、〈イゾ〉によって〈スヴォマス（自由工房）〉として再出発した。ルナチャルスキイとシュテレンベルグの署名した〈スヴォマス〉のプログラムによると、美術の専門教育を受けたい者は、十六歳以上の者なら資格の有無を問わず、誰でも随時入学でき、美術学校に籍のある者はすべて〈スヴォマス〉のメンバーとみなされるという自由なものであった。ここでは、アリトマン、プーニ、ペトロフ＝ヴォトキン[★7]、のちにはタトリンやマレーヴィチが教鞭をとった。モスクワでは、従来の絵画・彫刻・建築学校がストロガノフ応用美術学校とともに改組されて、〈ヴフテマス（高等芸術技術工房）〉として発足し、カンディンスキイ、タトリン、ローザノワなどが教師として参加し、ヴィテヴスクの美術学校ではシャガールが校長となり、マレーヴィチ、リシツキイも招かれた。ヴィテヴスクの場合、間もなく、シャガールとマレーヴィチのあいだに対立が生じ、シャガールがヴィテヴスクを去ることになるが、このような美術教育の改革がロシアの各地で行なわれ、美術は従来のアトリエ、アカデミー、美術館とい

❺ヴィテヴスクのマレーヴィチ（後列左から2人目） 1921

う閉ざされた世界を捨て、街頭へ、広場へと進出した。そしてこれらの全体の活動に理論的な指針を与えるために、共産主義社会における芸術理論と芸術教育計画の構築を目ざす機関として〈インフク（芸術文化研究所）〉が設立された。その最初の支部は〈イゾ〉の一部門として、カンディンスキイを指導者としてモスクワに創設された。これは一九二〇年五月のことであったが、二一年十二月にはタトリンを指導者にしてペトログラードに、マレーヴィチを指導者としてヴィテヴスクに支部が創設された。

〈プロレトクリト〉と革命の祝祭

このように、美術の分野ではアヴァンギャルドの芸術家たちが組織的に第一線に立っていたが、革命後の数年間、この動きに対応していたのは、〈プロレトクリト（プロレタリア文化）〉の運動であった。それは、ルナチャルスキイが〈イゾ〉をアヴァンギャルドに委せながらも、古くからの同志であったアレクサンドル・ボグダーノフ★8を理論的支柱とする〈プロレトクリト〉を支援していたためである。〈プロレトクリト〉は、「社会的活動、闘争、建設において、自己の力を組織するために、プロレタリアートは自己の階級芸術を必要とする」という観点からプロレタリア文化運動を展開していたが、ピーター・ウォーレンは、〈プロレトクリト〉とアヴァンギャルドとの差異と共通性を、こう述べている。

これら二つの潮流は二つの異なった考え方を表現していた。……〈プロレトクリト〉はその本質からして、構成においても外観においても、もっぱらプロレタリア的であった。アヴァンギャルドのほうは、とりわけ主要な部分を構成する未来派は、世界観において熱狂的な都会を提唱するコスモポリタンで、都市に、機械に、産業文明社会に眩惑されていた。……初期には、〈プロレトクリト〉とアヴァンギャルドとのあいだには重なり合う部分がかなり存在していた。〈プロレトクリト〉の芸術家たちは、過去にたいする侮蔑、新しい形式と機械時代の表現を創造せんとする決意において未来派と一致していたのである。

（「革命のなかの芸術・一九二〇年代のロシア芸術」）

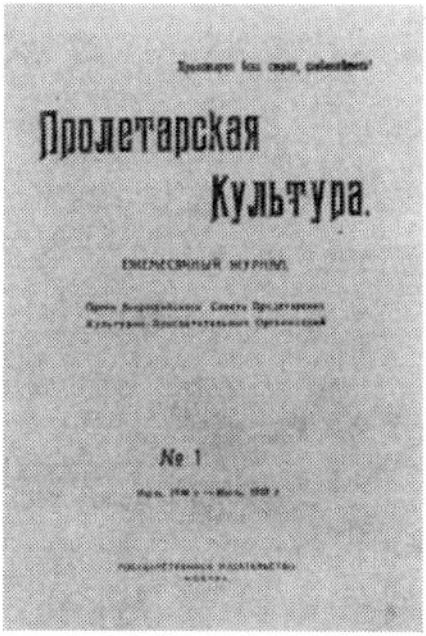

❻「プロレトクリト」創刊号

アヴァンギャルドと、その影響下にあった〈プロレトクリト〉は革命の理想を追求し、革命の宣伝をめざす移動演劇は空間に構成主義風の絵や文字の描かれた煽動列車や煽動汽船によってロシア各地を巡回し、非具象主義のポスターが街頭や工場に氾濫した。そしてメーデーや革命記念日には、モスクワ、ペトログラード、キエフ、ヴィテブスクをはじめとするロシアの各地で、前衛的な芸術家たちが中心となって革命の祝祭が行なわれた。

一九一八年十一月七日、十月革命一周年記念のこの日、ペトログラードでの記念祭のデザインを担当したのはアリトマンであった。アリトマンはシュテレンベルグをはじめとする〈イゾ〉に所属する画家たちと共同して、冬宮前広場の中央にあるアレクサンドル記念塔の台座にダイナミックな未来派風のコンストラクションを積みあげ、巨大な抽象彫刻で記念塔全体をおおい、広場をとりかこむ宮殿の建物を立体主義と未来主義のデザインで飾

⑦煽動列車　1919

⑧煽動汽船　1920

り、広場の装飾のために一万五千メートルほどのキャンバスを使用したといわれている。
西ロシアの都市ヴィテブスクでの革命一周年記念日のことは、シャガールが自伝『わが回想』のなかで生き生きと物語っている。

第一次大戦のはじまる前に、パリで知り合っていたルナチャルスキイから、ヴィテブスクの美術学校の創設とその校長になる任務を与えられたシャガールは、革命記念日の前日、生れ故郷のヴィテブスクに帰った。赤煉瓦の建物が立ち並ぶ町角には大きなポスターが掲げられ、記念祭の準備が進められていた。およそ四百五十の大ポスター、労働者組織のための無数の旗、さらには演壇やアーチで飾りたてられていたという。ヴィテブスクの町の若者から老人まで、画家という画家を残らず集めて、シャガールは言った。

❾アリトマン「冬宮前広場の装飾」1918

ここに十二枚の下絵《エスキース》があります。それを大きなキャンバスに転写してください。そうして、旗や炬火を手に持って労働者がこの町を行進する日に、その絵を町角や近くの家の壁に吊りさげてください。

そして十一月七日、ヴィテブスクの町じゅうに、革命でふくれあがり、さまざまな色彩で描かれたシャガール流の獣たちが揺れることになる。「労働者はインターナショナルを歌いながら行進した。労働者たちの微笑を見て、彼らがわたしを理解してくれたのだ、とわたしは確信した」(『わが回想』)とシャガールは述べている。

祝祭劇『ミステリヤ・ブッフ』

いっぽう、この日、ペトログラードの音楽ドラマ劇場では、革命という大洪水を逃れるためにノアの箱舟に乗って、「約束の地」を目ざす旅を描き、聖書の伝説をパロディー化したマヤコフスキイの革命祝祭劇『ミステリヤ・ブッフ』も上演された。劇場は超満員だった。この戯曲には、革命の大洪水で氾濫した地球から北極に逃げ出す七組(十四人)の不浄な人々と七組(十四人)の浄い人々が登場する。やがて北極も水があふれてくる。そこで、大きな箱舟を作り、箱舟に乗って、「地獄」、「天国」、「廃墟の国」を出て「約束の地」にたどりつくという話である。

門が大きく開け放たれ、都市が出現する。それにしても、なんという都市であろう。

透明で巨大な工場や住宅が塔のように空に向かって伸びている。虹で飾られた列車、市電、自動車が並び、中央には、輝く太陽の王冠をかぶった星と月の庭園がある。

これは、『ミステリヤ・ブッフ』に出てくる未来都市の輪郭を示すト書の一節である。ブルジョワを象徴する「七組の浄い人々」とプロレタリアを象徴する「七組の不浄な人々」という集団の登場人物が箱舟のなかで闘争し、「地獄」と「天国」、「廃墟の国」を経て、最後には勝利を収めた不浄な人々が、拍手と歌声で歓迎される「約束の地」で目にしたこの光景は、彼らに衝撃を与えずにはおかない。

百階建ての高層ビルが大地をおおっている！
ビルからビルへ優美な橋が渡されている！
ビルの下には豊富な食糧！
品物の山！
橋の上を、列車の後尾が消え去ってゆく！

これは、マヤコフスキイの夢みた未来都市のイメージかもしれない。このような果てしない夢とモスクワの現実とのあいだには、どれほど大きな落差があったことか。だが、む

しろこのような落差を自覚するところにアヴァンギャルドの出発点があった。パンと平和を求めて革命の戦士に転身した名もない民衆の夢は、この「不浄な人々」の夢とも重なっているが、ここにはトヴェルスカヤ通りがあり、サドーワヤ通りがあり、ロシア共和国劇場（のちのメイエルホリド劇場）もあって、モスクワの未来にほかならなかった。

「不浄な人々」の一人、機関士はこう語る。

今日、これは舞台装置のドアにすぎないが、
明日には、芝居のとるに足りぬものが現実にとってかわるのだ。

一九二一年六月、モスクワで開かれた第三回コミンテルン大会に出席した各国代表に見せるために『ミステリヤ・ブッフ』のドイツ語版がモスク

⑩マヤコフスキイ『ミステリヤ・ブッフ』のエスキース「七組の浄い人々」(右)、「七組の不浄な人々」(左) 1919

⑪『ミステリヤ・ブッフ』のポスター 1918

ワのサーカス場で上演されたが、そのときのパンフレットに寄せて、マヤコフスキイは、「『ミステリヤ・ブッフ』とは、詩と演劇の行為によって凝結されたわれわれの偉大な革命である。ミステリヤとは革命のなかの偉大なもの、ブッフとは革命のなかの滑稽なものである」と書き、この作品の詩は、「集会のスローガン、街頭の叫喚、新聞の言語」であり、作中の出来事は、「群衆の行動、階級と階級の衝突、思想の闘争、サーカス場のなかの世界のミニュアチュアである」と書いていたが、ヨーロッパ中世の民衆劇に起源を発するミステリヤ（神秘劇）とブッフ（道化）を強引に結合することでカーニバル的な性格をもつ革命の力学を表現しようとしたことは興味深い。革命後の日常的な世界を再現するのではなく、聖書のパロディー化、散文的表現と詩的表現との混合、日常の方言や俗語、「インターナショナル」の合唱などの挿入、社会的な性格の付与などによって日常性を破壊せんとしたこのユートピア的な作品もまた、群衆の積極的な参加のもとに、条件づけられた見世物、日常性を離脱した祝祭的な演劇的空間を創造することを志向していた。

われわれがお目にかけようとしているものだって、本物の生活だ、
しかし、それは
演劇によって、このうえなく異常な見世物につくり変えられた生活なのだ。

このようなセリフがプロローグにはあるが、『ミステリヤ・ブッフ』の演出にあたったメイエルホリドは、サーカスやアクロバット、あるいはグロテスクの技法を取り入れ、条件づけられた見世物、日常性を離脱した一種の儀礼の世界としてこの戯曲を上演し、俳優の肉体を通して日常的な世界を否定しつくし、非日常化された演劇的な空間を創出し、その空間に観客を主体的に参加させ、演劇的な時間を共有させたのであった。ちなみに、こ

の戯曲の初演の際の美術を担当したのはマレーヴィチで、シュプレマティズム風の舞台を構成した。メイエルホリドやマレーヴィチといった前衛的な芸術家とマヤコフスキイとの共同作業によるこの劇の上演によって明らかにされた、ユートピアともとれる未来都市を中核とする機械や産業文明の高度に発達した未来社会の構想は、革命後のロシア・アヴァンギャルドに共通する夢でもあった。

前衛芸術と民衆との交流

いま、ここに挙げた一九一八年十一月七日の三つの例からもほぼ明らかになるが、この日、街頭に進出し、冬宮広場を、建物を大胆に装飾したアリトマンを中心とするペトログラードの前衛的な芸術家たち、シャガールの緑色の牛や空を飛ぶ赤い馬に飾られたヴィテブスクの通りを、「インターナショナル」を歌いながら行進する労働者、そしてマヤコフスキイ、メイエルホリド、マレーヴィチによる見世物のために劇場を埋めつくした観客。このような開かれたイメージをもった革命記念日を、その後のロシアは何度、所有したことであろう。これこそ、革命の祝祭と呼ばれるにふさわしい光景ではないだろうか。しかも民衆は、飢えを満たす食糧にもこと欠き、暖をとる薪もなく、かじかんだ手で木製の椅子や机を暖炉に投げ入れた日々、戦線では、国際的な革命干渉戦争を含む革命と反革命の熾烈な戦闘が継続されていた日々を、政治の指導者が志向しつづけていた世界革命の実現に期待しながら、明るい表情で耐えていた。ロシア革命の出発点でもあったパンと平和を求めて革命の戦士に転身した名もない民衆は、依然として革命の戦士であった。このような日々のなかでこそ自由に飛翔する民衆の想像力は、アヴァンギャルド芸術の大胆な実験や冒険と緊張した関係を結びつつ、強烈なエネルギーに支えられてその体験を共有できるのである。

ロシアの革命はまさしく二十世紀の問題の集中的表現であり、事件そのものがあらゆる日常的な規範を除去し、演劇的な空間と時間を形成し、人々をそこに生きさせたのである。これを祭り、ないしコミューンと呼ぶことも可能であろう。革命期という歴史の断絶と飛躍の時期、日常性の破壊を目ざす革命のエネルギーの噴出と、革命を日常性の枠のなかに閉じこめておこうとするエネルギーの逆流とが拮抗するなかで、その現実を否定しつくし、日常性を支えようとする意識に衝撃を与えて、それを総体として変革しようとする試みがアヴァンギャルド芸術の方法であった。この方法をもう少し明確にするならば、すでに二十世紀芸術の基本概念のひとつとなっているシクロフスキイの「異化・非日常化《オストラネーニエ》」の方法といってもよいであろう。一九一七年、「ロシア・フォルマリズム宣言」と呼ばれている「方法としての芸術」のなかでシクロフスキイも書いているように、知覚が日常性のなかに閉ざされ、習慣化され、新鮮さを失い、「自動化」された状況を凝視し、それに楔を打ちこみ、再度の緊張を与えつつ、事物の本来の姿を露わにさせることが芸術の課題となり、

「自動化」を歯止めし、否定してゆくもの、そして世界を再発見する方法としての芸術の機能の問題となり、この次元で、「異化・非日常化」の概念は、ロシアのアヴァンギャルドによって共有されたのである。ここに、アヴァンギャルド芸術が、「文盲撲滅」とか「古典の普及」とかいった上からの文化革命ではなくて、民衆の意識の変革を不断に要求しつつ、魂の革命を目ざす下からの文化革命を展開できる基盤があった。政治革命が日常性の擁護者に変貌することのないかぎり、政治革命が不断に日常性を否定しつづけ、革命を革命しつづけているかぎりは、この文化革命も政治革命と衝突せずにすむのである。

⑫アンネンコフ『冬宮の占領』のエスキース 1920

このような前衛芸術と民衆との躍動的な交流は、一九二一年に〈ネップ（新経済政策）〉が施行されるまでつづいた。

一九二〇年の十月革命記念日には、ペトログラードの冬宮広場で、エヴレイノフや画家ユーリイ・アンネンコフ★9らの共同演出による野外群衆劇『冬宮の占領』が上演された。

これは一九一七年の冬宮占領を同じ場所で演劇化しようとしたもので、左側に「赤軍」を表わす舞台、右側には「白軍」を表わす舞台が作られ、夜の十時、開演と同時に、アレクサンドル記念塔の上から強力なサーチライトが「白軍」の舞台を照らし出し、つづいて、それが消えて「赤軍」の舞台を照らし出すといったぐあいに、照明が二つの舞台に交互に当てられ、ケレンスキイに率いられる臨時政府の閣僚と労働者、女、子供、兵士という二つの敵対する陣営のエピソードが交互に展開され、やがて、冬宮に向かう革命軍の進撃が開始される。冬宮の一階の窓という窓に煌々と明かりがともり、決闘や格闘の影絵が浮かびあがり、数千におよぶ兵士、バルチック艦隊の水兵、十万の群衆が広場を埋めつくし、「インターナショナル」の大合唱が響きわたり、ネワ河に停泊している巡洋艦オーロラ号が発砲すると、ケレンスキイは女に変装して逃げ出し、臨時政府の崩壊と革命の勝利が表現される。歴史的な事件を劇化したこの大スペクタクルの美術を担当したのは、アリトマン、プーニ、ボグスラーフスカヤなど、〈イゾ〉に属する画家たちであった。

一九二〇年のヴィテブスクについては、エイゼンシュテインがつぎのように回想している。

風変わりな地方都市。西ロシアの多くの町と同じように赤い煉瓦でできている。煤けて、うらぶれている。しかし、この町はとりわけ風変わりであった。ここの目抜き通りは、赤い煉瓦が白い絵具でおおわれている。白地に緑の輪がちりばめられている。オレンジ色の正方形。青い長方形。これは一九二〇年のヴィテブスク。煉瓦の壁にマレーヴイチの絵筆が揮われていたのだ。これらの壁のひとつひとつから、「広場はわれらのパレット」と叫ぶ声が聞こえてくるみたいだった。

（「マヤコフスキイについての覚書」）

一九二〇年、マレーヴィチは、シュプレマティズムと構成主義を統合する役割を演ずる

⓭エイゼンシュテイン

⓮リシツキイ『PROUN 3』1919〜23

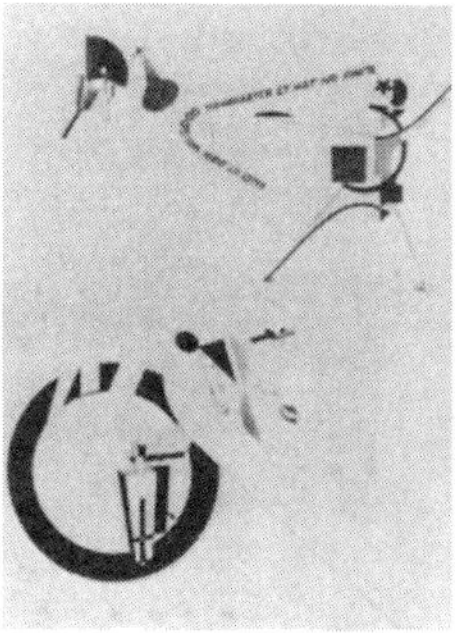

⓯リシツキイ『太陽への勝利』1923

リシツキイとともに〈ウノヴィス（新芸術の確立）〉をヴィテブスクに創設し、新しい美術教育の実験を行ない、色彩と形態、その相互関係を理論的に考察し、のちにバウハウス叢書の一冊として出版されることになる『非対象の世界』を書きあげ、ほかにも数多くの論文を書いた。そしてマレーヴィチを中心とする〈ウノヴィス〉は、二〇年の革命記念日に、シュプレマティズムの記号でヴィテブスクの街頭を飾り、市電、壁、大広告塔などに、円、三角形、方形などを塗りつけたのだった。こうして、マヤコフスキイの呼びかけたように、「街路はわれらの絵筆」となり、「広場はわれらのパレット」となったのであるが、革命後のロシアで果敢に展開された芸術形式の革命の突出部に位置づけられるのは、タトリンの『第三インターナショナル・モニュメント』である。

一九二〇年十二月、モスクワで開催された第八回ソヴェト大会の会場に、金属と木で作られた五メートルもある奇妙な建造物が展示された。一九年はじめに〈イゾ〉から依頼されてタトリンが作成した『第三インターナショナル・モニュメント』の模型である。このモニュメントは、立方体、円錐、円筒の三つの大きなガラス造りの建物を下から積みあげ、上に行くにしたがって細くなる三層の鉄の螺旋骨格に支えられ、螺旋骨格の上に突出する円筒形を傾斜させて、モニュメント全体の運動感を強調していた。一階の立方体は一年で一回、二階の円錐形は一月に一回、三階の円筒形は一日に一回といったように速度を変えて回転し、それぞれがコミンテルンの大会場、執行委員会、書記局、情報・宣伝センターにあてられる予定になっていた。

「素材、ヴォリューム、構成の探求は、一九一八年のわれわれに、芸術フォルムとして現代の古典的な素材であるガラスと鉄といった素材の結合を可能にさせはじめたが、その重要性は古代における大理石にも比肩できる。こうして、芸術フォルムと実用的な目的を純粋に結合する機会が生まれている。その一例が『第三インターナショナル・モニュメント』の模型である」(「これからのわれわれの仕事」)とタトリンも述べているように、これは鉄とガラスという工業社会を代表する「素材の文化」のシンボルであり、光、電波、映像などの技術を駆使して綜合的モニュメントを目ざす芸術家の想像力と実用的な機能性を結合させた壮大な夢にほかならなかった。この夢はまさしく夢に終わり、モスクワに建てられる予定もついに実現されなかったが、それでも、エンパイヤステート・ビルの二倍の高さをもつ建築物を設計し、構成と空間の問題を極限まで追求し、それこそロシア・アヴァンギャルドのモニュメントともなるはずであったこの構想は、革命直後の自由な芸術的雰囲気のなかではじめて実現できたものであった。

それにしても、マヤコフスキイやメイエルホリド、あるいはタトリンやマレーヴィチをはじめとするアヴァンギャルドのユートピア的な夢の発生の根拠はどこに求められるべきであろうか。いうまでもないことではあるが、ここで問われるのは、一九一〇年代のはじめから抱かずにはいられなかった芸術革命への渇望と、現実の革命を乗り越える革命の想

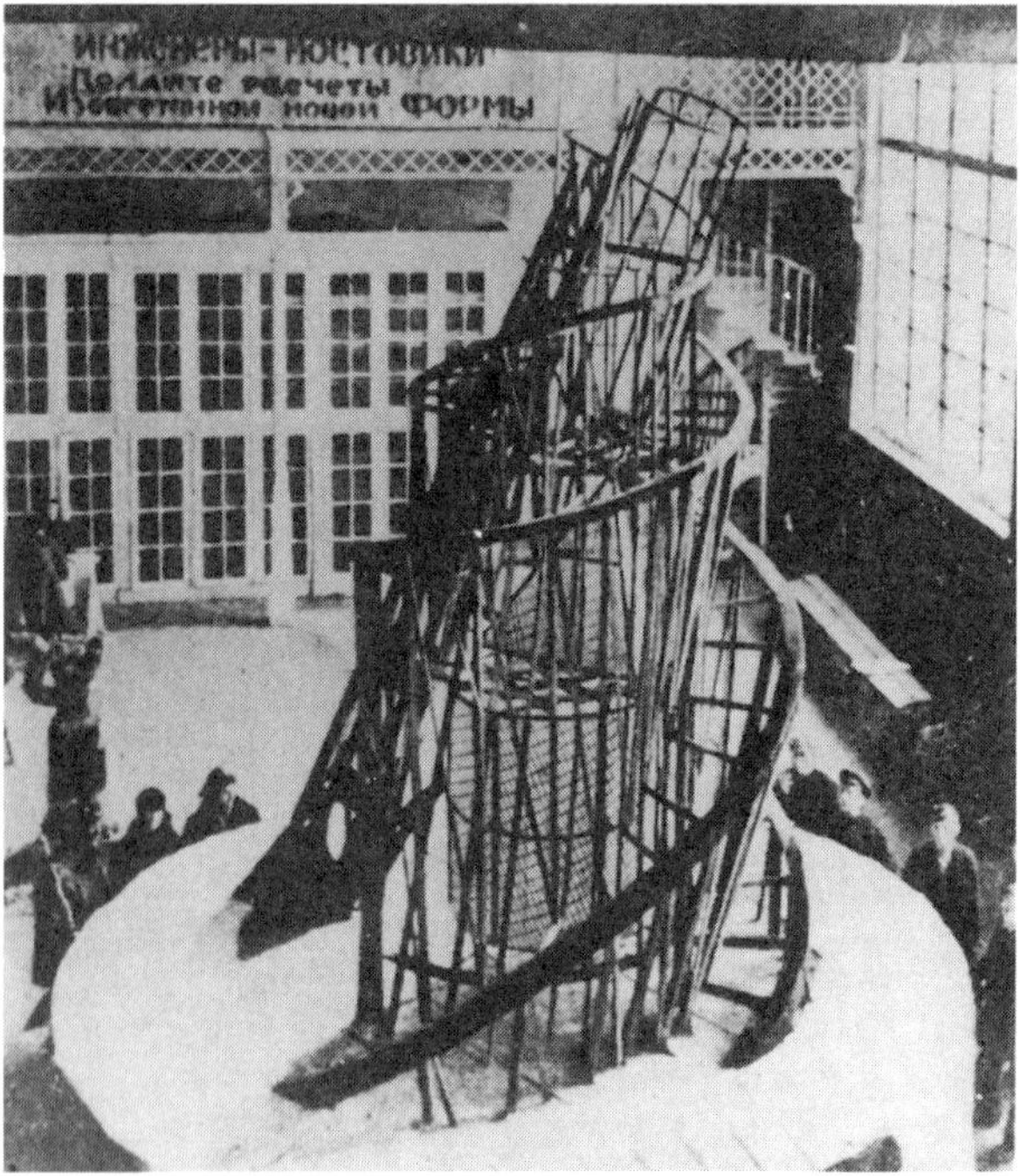

像力であった。そして、この芸術革命の中心となった都市がモスクワにほかならなかった。

当時のモスクワはあらゆる芸術の実験室と化した観があったが、のちにメイエルホリド劇場と革命政権によって改称されるロシア共和国第一劇場やタイーロフの指導するカーメルヌイ劇場などのモスクワの劇場で、構成主義の画家たちによる舞台装置を含めて進行しつつあった大胆な演劇革命、それに、アヴァンギャルドの成果を集約する「レフ」の創刊をつけ加えると、一九二〇年代初頭のモスクワが芸術革命の拠点となっていたことは容易に想像できよう。

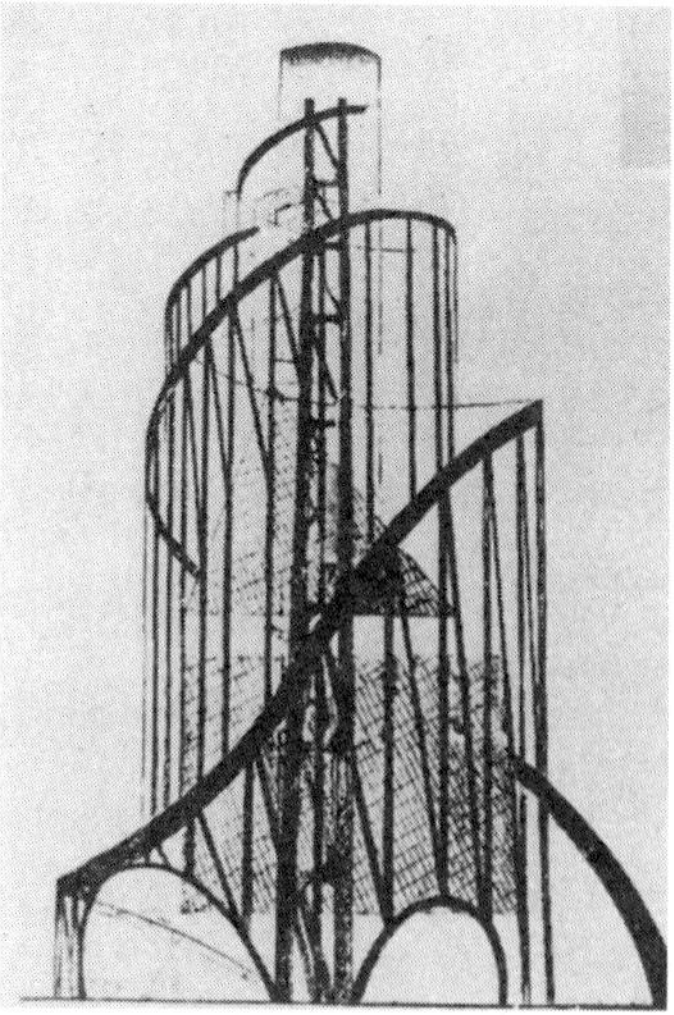

⑯タトリン『第三インターナショナル・モニュメント』模型（右）、設計図（上）1919〜20

革命政権の樹立とともにロシア共和国の首都となったモスクワは、ピョートル大帝によって建設され、西欧化の道をひたすら歩みつづけ、近代ロシアの文化の中心となり、ヨーロッパの都市を彷彿させるペテルブルグに比較すると、クレムリンに代表される前近代を残存させたロシアを象徴するものともいえる。経済的にも文化的にも後進の都市、貧困にあえぐ古い都に、近代文化とは絶縁した新しいエネルギーが充満し、同時代のヨーロッパのどの都市におけるよりも前衛的な芸術が生まれつつあったのは奇妙な構図かもしれない。失うべき過去の伝統をもたない者のエネルギーの爆発としてアヴァンギャルドをとらえるかぎり、それはまさに革命期の芸術にふさわしいものであった。

アヴァンギャルドの未来への限りない飛躍を支えていたのは、革命という価値の転換期における民衆の意識の昂揚と軌を一にする革命の想像力であった。そして革命の想像力を磁場とする形式革命への熱中は、未来派の出発以来の情熱が継承されているとみなければならない。

「絵画の死」の実践

このような形式革命への志向性は、形式にたいする自覚を欠落させたまま内容の革命を重視せよと主張する芸術と一線を画し、そのために現実の革命の変質の過程でさまざまな困難をともなうことにもなるのだが、美術の場合、形式の革命をもっとも徹底させたものとして、マレーヴィチを考えることができよう。

マレーヴィチが『白地の上の四角形』を書くことによって形態の絶対性を主張してシュプレマティズムを展開しはじめたことはすでに述べたが、『シュプレマティズム・三十四の素描』のなかでマレーヴィチが書いているように、シュプレマティズムは一九一三年から一八年にかけて、「経済の記号」としての「黒の時代」、「革命の合図」としての「赤の時代」を経て、「純粋活動」としての「白の時代」にいたる。一九一七年、マレーヴィチは『白地の上の白い四角形』をつくることによって色彩を否定し、形態を純化すると同時に、形態を画面から追放する極限にまでいたり、いわば絵画そのものを拒否してしまおうとするのである。

⓱マレーヴィチ『シュプレマティズム・三十四の素描』の表紙

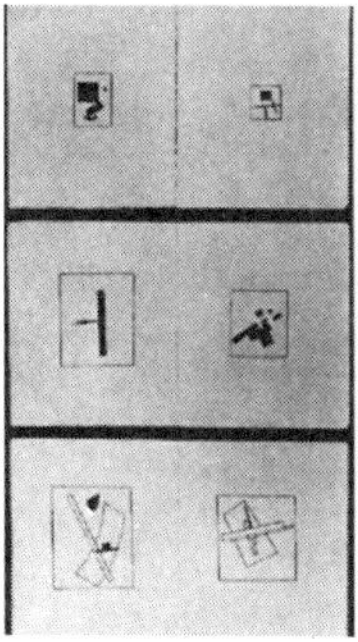
⓲マレーヴィチ『シュプレマティズム・三十四の素描』

一九一九年に開かれた「第十回国家展、抽象創造とシュプレマティズム」に、マレーヴィチは「白の上の白」シリーズを出品し、展覧会のカタログにこう書いた。

空の青はシュプレマティズムの体系のなかで破棄され、突破され、そして無限の真に現実的な概念としての白が侵入し、それゆえ、それは空の色彩の背景から自由となっている。

わたしは色彩の限界である青の境界線を突破して白のなかに侵入した、わたしのあとから、同志の水先案内人が白のなかで泳いでいる。わたしはシュプレマティズムの信号を確立した。

（「非対象の創造とシュプレマティズム」）

同じ年の十二月に、マレーヴィチは「印象主義からシュプレマティズムまで」と題する個展を開き、一五三点を出品したが、この個展とともに絵画の運動としてのシュプレマティズムが終了したことを宣言した。当時のマレーヴィチの作品に表現されていた主要な象徴である十字形について、「この十字架はわたしの十字架である」とマレーヴィチはアントン・ペヴスナーに語ったといわれている。また、シュプレマティズムを、「美学にたいするひとつの異議申し立て」と位置づけつつ、「シュプレマティズムにおいては絵画に関する問題はなんら存在しない、絵画はずっと以前に終了してしまっていて、芸術家それ自身は過去の偏見でしかないからである」（『シュプレマティズム・三十四の素描』）とマレーヴィチが述べているのはきわめて示唆に富み、ここには、「既成の美学」、「絵画」、「芸術家」といった概念にたいする鋭い批判を読みとることができ、自己の実践でもって「芸術」批判を完成してしまったのがマレーヴィチであったといえる。
セザンヌの影響から出発し、キュビズム、プリミティヴィズム、立体未来主義を経て、

⑲マレーヴィチ『黒い十字架』 1920 以降

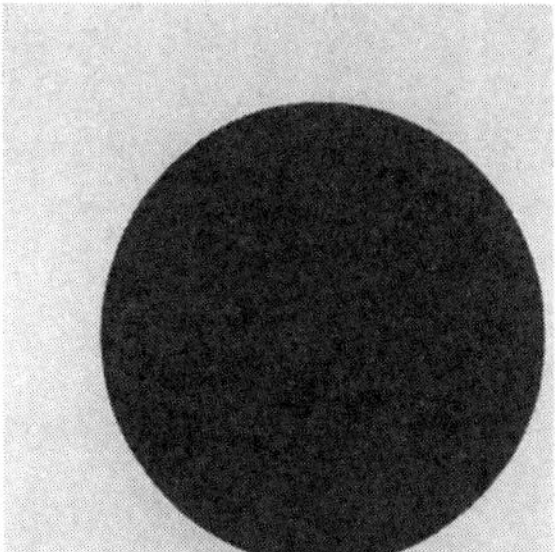

⑳マレーヴィチ『黒い円』 1920 以降

幾何学的抽象の世界から一挙に非対象の世界に突入するシュプレマティズムにいたり、絵画そのものの死に直面する全行程を、ほぼ十年のあいだに一人の画家がたどってしまう

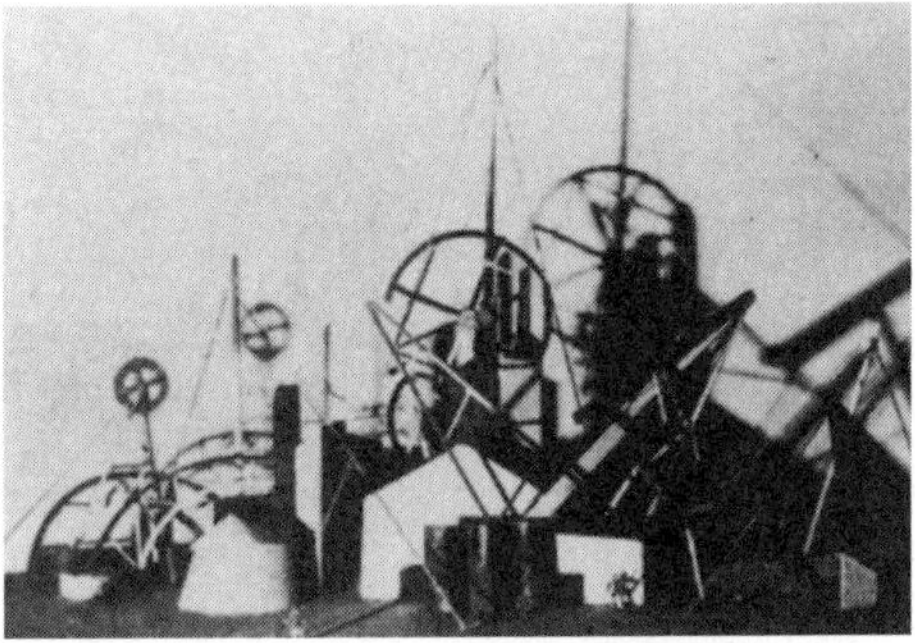

㉒ヴェスニン ポポーワ『未来の都市』 1921

㉓ポポーワ『ダイナミックな構成』 1919

㉑ロドチェンコ『黒の上の黒』 1918

「絶対」の探求には、しかし、「死」と「生」を逆転させるエネルギーも秘められていた。マレーヴィチが「白の上の白」シリーズを出品した同じ展覧会に、シュプレマティズムの影響下にあったアレクサンドル・ロドチェンコが『黒の上の黒』を出品してマレーヴィチをパロディーの対象とすることで構成主義の新たな道を歩みはじめたのは象徴的である。いわばマレーヴィチは、「絵画の死」をみずから実践することで、その死の廃墟を「非絵画の誕生」の場と化したのであった。それ以降、タトリンを含めて、ロドチェンコ、リシツキイ、リュボーフィ・ポポーワ、アントン・ラヴィンスキイ[★10]、ワルワーラ・ステパーノワ[★11]といった人々は、マレーヴィチのシュプレマティズムを止揚するかたちで、生産主義・構成主義を展開することになるのである。

iii 〈革命〉以後

レフは何を目指したか

1 「レフ」のプログラム

一九二三年の三月も終りに近いころ、「レフ」創刊号がモスクワで発行された。創刊号の表紙には、赤と黒の太くて大きな文字で「レフ」、芸術左翼戦線の雑誌、出版所は国立出版所、編集責任者ウラジーミル・マヤコフスキイと書かれている。アレクサンドル・ロドチェンコの構成したいかにも構成派の作品らしいポスターにも似た表紙が、当時のモスクワの書店でひときわ人目についたであろうことは想像に難くない。

編集責任者となったマヤコフスキイはこのとき二十九歳、自分たちのグループの機関誌を国立出版所から発行させることに成功したことがよほど嬉しかったにちがいない。つぎのような宣伝詩まで彼は作っている。

古いものに腹が立ったら
「レフ」を探しなさい。
ウィンドーを覗いたら

「レフ」をお買いなさい。
オールドミスの批評から
「レフ」を守りなさい。
よい雑誌です！
それでなくても
悪い雑誌を
出すはずが
ない、
国立出版所が。

❶「レフ」創刊号　1923

これに先立って、一九二三年一月、マヤコフスキイは雑誌創刊許可申請書を共産党中央委員会宣伝部に提出しているが、その申請書には、つぎのような「雑誌の目的」が列挙されていた。

(1)あらゆるジャンルの芸術に、共産主義の道を発見させることを助け、(2)いわゆる左翼芸術の理論と実践を再検討し、それのもつ個人主義的なもったいぶりを投げ捨て、価値ある共産主義的側面を発展させ、(3)共産主義の道とイデオロギーを受け入れるために芸術の生産者のあいだに執拗な煽動を行ない、(4)芸術の領域におけるもっとも革命的な潮流を受け入れつつ、ロシアと世界の芸術にとってのアヴァンギャルドの役割を果たし、(5)ロシアの労働大衆にヨーロッパ芸術の達成を紹介するが、それは規範化され、公認された代表者のものではなくて、現在、ヨーロッパのブルジョアジーによって拒否されているとはいえ、新しいプロレタリア文化の芽生えとなっている若い文学者・芸術家のものを紹介し、(6)芸術の領域における協調主義者、絶対的な価値とか、永遠の美とかいった使い古された文句でもって芸術のなかの共産主義的イデオロギーをすりかえている協調主義者たちと、ありとあらゆるやり方でたたかい、(7)唯美的な趣味を満足させるためにではなくて、効果的な煽動を内包する作品の創造方法を示すために、文学・芸術作品の見本を提供し、(8)あらゆる革命芸術の流派の技法の利用に根ざす傾向的なリアリズムを確立するために、デカダン、唯美的な神秘主義、自己満足に陥っている形式主義、凡庸な自然主義とたたかう。

「レフ」の編集委員は、ニコライ・アセーエフ、ボリス・アルワートフ★1、オシップ・ブリーク、ボリス・クシネル★2、ウラジーミル・マヤコフスキイ（責任者）、セルゲイ・トレチヤコフ、[3] ニコライ・チュジャク[4]の七名で、二三年三月から二五年にかけて七号の雑誌を発行した。

「レフ」が革命前に発生した詩と絵画を中心にするロシア未来派の運動の延長線上に成立し、とりわけ十月革命後、革命と芸術との緊張した関係を追求しつつ、「形式の革命なしには内容の革命はありえない」(マヤコフスキイ)という観点から、既成の芸術概念の変革を試み、ジャンルの枠を越えて展開されたアヴァンギャルド芸術運動の経験を踏まえて新たな運動の展開を志向したことについては、ここであらためてくり返すまでもない。

「レフは何のためにたたかうか」

「レフ」創刊号には、「レフは何のためにたたかうか」、「レフは誰に咬みつくか」、「レフは誰に警告を発するか」の三編からなる「プログラム」が発表されている。「レフは何のためにたたかうか」には編集委員七名の署名が入っているが、この『プログラム』全文はマヤコフスキイの執筆になるものとされ、『マヤコフスキイ全集』第十二巻にも収録されている。

まず、「レフは何のためにたたかうか」には、「レフ」が第一次世界大戦前に誕生した未来主義と深い血縁関係のあることとの強調からはじまり、それを証明するためか、きわめて傾向的なロシア未来主義の歴史と発展が要約されている。

この宣言文によると、一九〇五年の革命の敗退後の反動期に生まれた「象徴派（ベールイ、バリモント）、神秘主義者（チュルコフ[★5]、ギッピウス[★6]）、性的精神病者（ローザノフ[★7]）の芸術」に攻撃を浴びせるものとして未来主義の誕生が位置づけられている。文集「裁判官の飼育場」については、「印象主義的な傾向」を残しているものと注釈が付けられてはいたが、既成の芸術にたいする攻撃は未来主義のなかで爆発し、未来主義連合の最初の文集が「社会の趣味への平手打」であったとされている。〈ダイヤのジャック〉や〈ろばの尻尾〉など、未来主義の潮流につらなるさまざまな芸術グループが相次いで誕生し、それぞれ活発に芸術運動を展開していったが、一九一四年八月にはじまった第一次世界大戦は、未来主義にとっての「最初の試練」であって、「戦争は未来主義の粛清の基礎を置き」「明日の革命を見ることを命じた」のである。この「プログラム」は、戦争にたいする呪いから革命を見る未来派の代表作としてマヤコフスキイの『戦争と世界』と『ズボンをはいた雲』とを挙げている。一九一七年の二月革命は「粛清を深化」し、未来派を「右」と「左」に分裂させ、「十月を待ち受けていた左派はボリシェヴィキの洗礼を受けた」として、マヤコフスキイ、カメンスキイ、ブルリューク、クルチョーヌイフの名前が挙げられている。これらのグループに、ブリーク、アルワートフといった「生産主義・未来主義者」とロドチェンコやラヴィンスキイなどの「構成主義者」が合流して芸術左翼戦線の基礎がつくられるのだが、彼らは教育人民委員会のなかに〈イゾ〉、〈テオ（演劇部会）〉、〈ムゾ（音楽部会〉を創設し、そこで反アカデミックな芸術活動を行なうことになる。この文では、「十月革命期の最初の芸術作品」として、タトリンの『第三インターナショナル・モニュメント』、メイエルホリドの演出による『ミステリヤ・ブッフ』（マヤコフスキイ作）、カメンスキイの叙事詩『ステンカ・ラージン』などが挙げられているが、これらの例からも推測できるように、革命直後のロシアの芸術界にはアヴァンギャルドの独裁が支配していたのである。間もなく、週刊紙「コミューンの新聞」を創刊し、「プログラム」の言葉を引くなら、「われわれの思想は労働者の読者を獲得した」のであった。さらに、極東で「創造」誌を出していたチュジャク、アセーエフ、トレチヤコフなどもこの流れに加わる。

❷〈レフ〉同人たち　シクロフスキイ、マヤコフスキイ、ロドチェンコ、ラヴィンスキイなど

　このように未来派の歴史を総括したあと、「レフは何のためにたたかうか」は、一九二三年二月一日までのロシア共和国の芸術の状況を、「プロレタリア芸術」、「公式筋の文学」、「同伴者作家」と呼ばれる〈セラピオン兄弟〉グループを中心と

する「もっとも新しい文学」、ならびに〈道標転換派〉に分けて概観し、最後に、〈インフク〉、〈ヴフテマス〉、メイエルホリドの国立演劇研究所、〈オポヤズ〉などを「左翼」と規定し、それらが「上品で礼儀正しい展望を攪乱しながら、あらゆる場所に孤立している」と規定して、「レフは左翼勢力をひとつに結集しなければならない。レフは自己の隊列を点検し、しみついている過去を投げ捨てなければならない。レフは古いものを爆破し、新しい文化の確立をめざして格闘するために、戦線を統一しなければならない」と述べ、こう結論を下す。

十月革命の成果を補強する仕事において左翼芸術を強化しつつ、レフは明日へと通ずる道を芸術のために切りひらきながらコミューンの思想で芸術を煽動するであろう。レフは組織的な力を大衆のなかで獲得しながら、われわれの芸術によって大衆を煽動するであろう。レフはわれわれの芸術の技術的な質をもっとも高度なものにして、われわれの理論が有効性をもった芸術であることを証明するであろう。レフは生活を建設する芸術のためにたたかうであろう。

「レフは誰に咬みつくか」

「レフは何のためにたたかうか」で未来主義の歴史的総括とネップ後の新しい状況に対応

すべき方向を明らかにしたとするならば、「レフは誰に咬みつくか」のなかでは、「古典作家が国有化されていた」過去をくり返さないために、死者の仕事の方法を今日の芸術のなかに持ちこもうとすることにたいして、「われわれは全力を傾けてたたかうであろう」という観点から、つぎのように書いている。

しかし、われわれはつぎのような二つの傾向にたいして攻撃を加えるであろう、つまり思想的な復古という悪意にみちた企みをもって、今日の効果的な役割をアカデミックな老人に振り当てようとする者たち、没階級的、全人類的な芸術を宣伝して、芸術労働の弁証法を予言者や僧侶の形而上学ととりかえようとする者たち。われわれは美学的なひとつの傾向にたいして攻撃を加えるであろう、つまり政治においてのみ専門化された結果、無知ゆえに、曽祖母から受け継いだ伝統を人民の意志とみなすような者たち、避けがたい趣味の独裁を一般的で初歩的な理解の固定したスローガンととりかえようとする者たち、永遠性だとか、魂だとかについて観念的に吐露するために芸術の逃げ場を残して置こうとする者たち。

「レフは誰に警告を発するか」

このように攻撃目標を設定したあと、「レフは誰に警告を発するか」のなかで、「警告」

をみずからの内部に向ける。〈レフ〉は未来主義者（マヤコフスキイ、アセーエフ、クルチョーヌイフ、トレチヤコフ、カメンスキイ、パステルナーク）、構成主義・生産主義者（ポポーワ、ステパーノワ、ロドチェンコ、ラヴィンスキイ）、〈オポヤズ〉（シクロフスキイ、ブリーク、ヴィノクール、トゥイニャーノフ）などの集合体であった。まず未来主義者にたいしては、こう「警告」する。

諸君が芸術に果たした貢献は偉大である、しかし、昨日の革命性の利息でもって今後も生き延びられるとは考えるな。今日の仕事によって、諸君の爆発が抑圧された知識人の絶望的な号泣ではなくて、コミューンの勝利を目ざして疾走しているすべての人々と肩を並べて行なう仕事、闘争であることを示せ。

構成主義者にたいしてはこう要求する。

おきまりの美学的な小流派となることを恐れよ。芸術だけの構成主義というのは零にひとしい。芸術の存在そのものの問題が提起されている。構成主義者は生活全体の高度な形式をもった技師とならなければならない。構成主義がのどかな牧歌を演ずるのは無意味である。われわれの思想は今日の作品のなかで展開されなければならない。

また、生産主義者にたいしてはこう書く。

　家内工業の腕達者な職人となることを恐れよ。労働者を教えながら、労働者から学びたまえ。部屋のなかから、美学的な指令を工場に口述しているうちに、諸君は単なる注文主となってしまっている。諸君の学校は工場なのだ。

そして〈オポヤズ〉には、こうである。

　フォルマリズムの方法は芸術研究の鍵である。蚤のような韻はひとつひとつ計量されなければならない。しかし真空の空間のなかで蚤をつかまえることを恐れよ。芸術の社会学的な研究と接近することによってのみ、諸君の仕事は興味あるものとなるだけではなくて、必要不可欠なものとなるであろう。

このように、それぞれ具体的に「警告」を発していた。

このような「プログラム」を読むと、ともすれば、革命前の未来派を中心とするアヴァンギャルド芸術運動の理念があまりにも変貌してしまったかのような印象すら与えられる。

未来主義の詩も絵画も、あるいはフォルマリズムの詩学も批評も、革命前には、いずれも自己の領域を限定し、その固有の原理を探求し、社会的な有効性を拒否しつつ、詩と絵画の革命、詩学と批評の変革を目ざしていたのではなかったか。ところがいま、芸術は革命に奉仕しなければならない、芸術は煽動と宣伝の武器として社会的に有用なものを創出しなければならない、と宣言されているのだ。それでも、未来主義のこれほどまでの激変も、けっして唐突なものとはいえない。革命前のアヴァンギャルドが十月革命を熱狂的に受け入れたことには、彼らがその出発のとき以来もちつづけてきた反伝統的な前衛精神に支えられ、現実にたいする憎悪と反撥を基礎に置く形式革命への熱中と同質の根拠があったと考えられるのである。そして、革命期という、ありとあらゆる価値が転換し、既成の秩序がことごとく崩壊してゆく時期にあっては、近代意識に根ざした「芸術」そのものに疑いを抱き、近代芸術を根底から否定しようとする〈レフ〉の過激なまでの主張には、芸術における絶対的なものを追求したロシア未来派の出発以来の情熱もまた継承されているとみなければならないのだが、それでは、このような「プログラム」を、自己内部に向けられたこのような「警告」を、未来主義者は、生産主義・構成主義者は、そして〈オポヤズ〉は、それぞれどのように受けとめようとしていたか。まず〈レフ〉の中心的な「理論」を検討することにしよう。

2 「生産主義者」の理論

チュジャクの生活建設論

〈レフ〉で理論活動を中心的に行なっていたのはチュジャク、トレチヤコフ、ブリークなどの「生産主義者」であったが、「レフ」創刊号の「プログラム」につづいて、チュジャクの「生活建設のスローガンのもとに」と題される長い論文が掲載されている。

チュジャクは古くからのボリシェヴィキで、国内戦時代には極東地方で「赤い星」紙や「創造」誌の編集にあたり、共産主義文化の建設を志向していたジャーナリスト、批評家であった。とりわけ、「創造」誌の編集を通じて、マルクス主義と未来主義の統合を考えつつ、アセーエフやトレチヤコフを世に送り出し、マヤコフスキイと未来主義を宣伝していたことから〈レフ〉創設に招かれたのだが、彼の論文は〈レフ〉の理論の一面を代表している。

チュジャクの主張によれば、芸術は「一時的なもので、情緒を主とした生活の建設の方法」であって、それは長期にわたって自立しうるものではなく、生活のなかに、生産や煽動活動のなかに入りこみ、最終的には生活と融合するものであった。

このような芸術観から、チュジャクは未来主義の成果を検討し、未来主義は生産主義を生み、生産主義は構成主義を生み、構成主義はメイエルホリドの主張したビオメハニカを生み、ビオメハニカはエクセントリズム、サーカス、アクロバットの技術を生んだとみなし、これに煽動芸術をつけ加えたものが未来主義の潮流であり、未来主義の理念の復興を目ざすことこそ、あらゆるイデオロギー戦線の課題である、と主張した。そして、未来主義の芸術こそは「生活建設の芸術」であるとみなし、それはすでに革命の単純な伴唱者であることをやめ、直接的な生産に、文化建設に参加しなければならないという。そのために、芸術とは何かがあらためて問い直される。

「古い美学は、そのもっともすぐれた見本のなかにあってさえ、生活を認識する特定の方法としての芸術観に立脚していた」として、「生活を認識する方法としての芸術」に「生活を建設する方法としての芸術」を対置させ、「生活を認識する方法としての芸術（ここから、受動的な観照主義が発生する）こそは、古いブルジョア美学の内容にほかならない。生活を建設する方法としての芸術（ここから、素材の克服が可能となる）こそ、芸術科学に関するプロレタリア的概念のスローガンである」とチュジャクは書いている。「生活認識の方法としての芸術」★1というのは、ベリンスキイに端を発し、アレクサンドル・ヴォロンスキイにまで引き継がれたロシア・リアリズムの主張にほかならなかった。

このような理論をさらに推し進めて、チュジャクは「今日の課題に寄せて」（「レフ」二号）のなかで、「もしも芸術の理論において、生活認識の方法としての芸術（昨日の美学）と生活の建設としての芸術（芸術に関するわれわれの科学）という線の上に分水嶺があるとするならば、芸術の実践の領域においては、問題はもっと紛糾しているといわねばならない」と書き、「生活建設の芸術」の内部批判を行なっている。

たとえば、「レフ」創刊号に発表されたマヤコフスキイの長詩『これについて』を、チュジャクは「感傷的なロマン」とみなし、マヤコフスキイの一九一四年の作品に比較しても「後退」していると批判し、「われわれの同志、未来主義者諸君はプロレタリアートによって提起された芸術の問題、生産の芸術の問題を解決することを学んでいるだろうか」と問い、「われわれは言葉の（昔風に言えば、詩の）戦線のことだけを問題にしている、なぜならばこの戦線にこそ、現在、実践的にはもっとも有効性が少ないとはいえ、理論的にはもっともよく整備された未来主義の中核が集約的に存在しているからであるが、このレフの中核は、いまこそ、振り込まれた生産主義の手形を直接的な有効性に向かって支払ったと訴えなければならない」と書く。

マヤコフスキイの『これについて』のような個人的な恋愛感情に根ざす抒情詩を、チュジャクは「もはや必要でなくなった左翼芸術」ととらえ、そのような芸術は、いくら前衛的な形態をとっていても、純粋に外部から、傍観者的に現実の生活に伴奏するだけでは不十分で、それは、「生産過程にもっとも積極的に融合せねばならぬという課題を前にすると、なにものでもない」のである。また、ただ煽動し、挑発するだけで、実際には必要なモデルや見本を建設しないような芸術でも不十分で、今日の課題に対応して日々の建設を行なわないような未来主義、未来の明日にたいする神秘主義は「革命的」な小市民以外のだれにも必要ないと述べ、「未来主義者というのは、今日においてもっとも現実的な現実主義者で、明日に直接つらなる弁証法的なモデルを今日のなかから建設する者にほかならない」と結論を下していた。

さらにチュジャクは、「芸術を目ざす格闘のなかで（レフにたいするさまざまな態度）」（「プラウダ」紙二三年八月二十一日号）や「プラスとマイナス」（「レフ」三号）で、「レフは深刻な内部危機に直面している。レフを構成する二つの要素のほぼ公然たる闘争が行なわれている」と書いて、芸術の直接的な有効性を強調し、「われわれに必要なのは、今日を組織化する芸術だけ」で、抒情的ないっさいのものを排斥した。やがてチュジャクは、「編集局への手紙」（同、四号）を発表して〈レフ〉グループから脱退してゆくのだが、「生産芸術」の理論をチュジャクよりももっと説得力をもって展開したのはトレチヤコフであった。

トレチヤコフの生産芸術論

チュジャクと同じく、極東で「創造」誌の中心メンバーであったトレチヤコフは、「どこから来て、どこへ行くのか。未来主義の展望」（同、創刊号）のなかで、未来主義者を「世界感覚の変革」を目ざす者と把握することで未来主義の歴史を一貫したものとしてとらえることに成功している。

トレチヤコフは「世界感覚」という言葉を、世界にたいする理解の仕方、あるいは認識や論理体系の上に樹立する「世界観」とは区別し、人間のつくりだす情緒的な評価の総和として用い、「いかなる世界観といえども、それが世界感覚として鋳直されなければ、生命力をもったものにはならず、人間のあらゆる行為、あらゆる日常的な特性を定義づける原動力とはならない」と規定しているが、その「世界感覚」の変革を試みようとしたところに未来主義の出発点を見いだしているのである。最初は過度な個人主義的な自己主張、対象のない激昂、純粋にスポーツのような衝動からはじまった未来主義は、トレチヤコフの言葉によれば、「革命のなかではじめて、みずからの課題とみずからが提起した思想の意味を総体として自覚することができた」のであった。

確かに、トレチヤコフも書いているように、革命がなかったならば、未来主義は飽満したサロンの要請に応ずる玩具に容易に退化してしまい、個人的で目的のない言葉と色彩によるテロという無政府主義的な攻撃の域を越えることがなかったかもしれない。

革命と結びついた未来主義に、トレチヤコフは「生産芸術」のモデルを見る。「革命は大衆の心理への影響、階級の意志の組織という実践的な問題を提出した」とし、「未来主義は注文に応じ……実用的な日常の要請のただなかに頭からとびこんでいった。煽動的な俗謡、ジャーナリスチックな雑文、煽動劇、行進曲といった仕事のなかで、芸術を生活のなかに完全に溶解させよ、という未来主義の呼びかけは強化された」と書き、ここに、未来主義者によって宣言された生産芸術の理論の第一の根拠をみ、生産芸術の理論の本質をこう書く。

> 生産芸術の理論の本質は、芸術家の創意があらゆる種類の装飾の課題に奉仕されるのではなくて、あらゆる生産過程に応用されるべきであるという点に存在する。事物を有用で目的にかなったものにつくり変える仕事、それが芸術家の任務であり、そのことによって芸術家は創造者という特殊階級から離脱し、しかるべき生産組合に入るのである。

生産芸術の理論は主として造形芸術と関連をもち、「素材と容量」の関係を追求した立体主義、未来主義から「有用な事物の生産」へと移行し、実用性にかなった素材の構成的な組合わせを目ざす構成主義が誕生していたが、言語芸術のなかにもこの生産芸術の理論を導入すればどうなるか。トレチヤコフは未来主義につぎのような要求を提出する。

生活のなかに芸術を融解させること、生産者、消費者の心理を情緒的に訓練するために格闘することが未来主義者の最大限綱領となるならば、今日の実践的課題に奉仕する自己の言語的な技術を確立することが、言語に従事する未来主義者の最小限綱領となる。芸術がその自立した権威を失墜する日まで、未来主義は芸術を利用しつつ、芸術の舞台で、生活の再現にたいしては煽動作用を、抒情詩にたいしてはエネルギッシュな言葉の推敲を、心理主義にたいしては通俗的で創意にみちた冒険小説を、純粋芸術にたいしてはジャーナリスチックな雑文、煽動的な作品を、芸術的朗読にたいしては雄弁な演説を、町人劇にたいしては悲劇や笑劇を、心的体験にたいしては生産的な行動を対置しなければならないのである。

そして最後に、「未来主義の仕事は共産主義の仕事と並行し、一致している」という観点からこう結ぶ。

社会的経済的生活を根底から否定せんとする超人間的な巨大な仕事において、共産主義がまだ充分には、個人的で社会的な世界感覚を組織することに関する基本線を提起し、明らかにしえないでいるあいだ、未来主義は自己の固有な名称をもった潮流にすぎない。最後には、ただひとつの名称が未来主義という言葉にとってかわるのだが、その名称というのは、「共産主義の世界感覚、共産主義の芸術」である。

このように、未来主義が共産主義に同化する方向をトレチヤコフは展望していたのである。

しかし、チュジャクとトレチヤコフの文章だけで〈レフ〉の理論を判断するわけにはゆかない。〈レフ〉の理論の根底に重大な影響を与えた〈オポヤズ〉を中心とするフォルマリズムの系列に属する批評家・言語学者の革命後の仕事をこれにつけ加えて検討する必要がある。

3　十月革命後の〈オポヤズ〉

革命初期の日々に明らかになった政治的信念にもとづいて、〈オポヤズ〉の会員はみな、全体として完全に十月革命の側に立った。ボリス・クシネルは以前からの共産党員だったし、ポリワーノフ、ヤクビンスキイ、オシップ・ブリークは共産党に入党したし、トゥイニャーノフはインテリゲンツィヤの大部分がサボタージュをしていたころにコミンテルンで翻訳の仕事に従事し、エイヘンバウムは国立文学研究所で働いていた。これらの人々はみな、昔のことを思い出さずに、新しい生活に生きがいを見いだしていた。

ところで、わたし自身はどうであったか。わたしがマルクスとレーニンを読んだのは、ずっとあとになってからのことである。わたしと同世代の多くの人々の運命はそのようなものであった。……わたしはただ、あの激動する時代に生きた若者、ためらわずに決断し、行動にたいする倦まぬ渇望を抱いていた人間にすぎなかった。（『自伝』）

のちに、シクロフスキイは複雑な思いをこめてこのように回想している。ここでもう一度、「芸術はつねに生活から独立していたし、それが都市の要塞の上にひるがえる旗の色を反映したことなど一度としてなかったのである」と一九一九年に書いたシクロフスキイの文章も思い起こしておこう。

　それでも、十月革命後、〈オポヤズ〉を中心とするフォルマリズムは急速な発展をとげた。そしてある時期には、革命後の文学・芸術にもっとも強い影響力をもつ批評集団となったのである。一九二〇年にペトログラードに創設された芸術史研究所の文学史部会の中心メンバーになったのが、ジルムンスキイ[★1]、バルハートゥイ[★2]、エイヘンバウム、シクロフスキイ、トゥイニャーノフ、トマシェフスキイといった〈オポヤズ〉のメンバー、ないしその影響下にあった人々であったことは、そのことをなによりもよく実証している。

　確かに、一九二〇年代前半においては、フォルマリズム・グループの活躍は目を見はらせるものがあり、実質的には批評の主流を歩みつつ、「文学の科学」を確立できるかに見えた。革命前には、詩的言語の問題が中心的に論じられ、たとえば、シクロフスキイによれば、詩的言語は、「自動化」した実用的な言語とは厳密に区別されるべきで、異常な、理解するに困難な言葉であって、特別に構成された詩的言語は、実用的な言葉からはもっとも遠く離れた詩の言葉であった。詩的言語と日常言語の区別から、異なる機能による日常言語の概念の区別、あるいはヤコブソンによる詩的言語と情動言語の区別へと問題は深化していった。そして革命後には、これまでの成果を踏まえて、もっと包括的な文学形式の研究が開拓され、文学作品に使用された文体や構成、イメージや語り口の技術の問題を中心とする論文も多数発表されるようになった。

小説の理論と詩の理論

フォルマリズムの文学研究のなかで、しだいに大きな空間を占めるようになった散文の問題を徹底して追求したのはシクロフスキイであった。主題構成の方法や文体の研究、短編小説と長編小説の構造など、つぎからつぎと発表される論文は、『散文の理論』として一冊の書にまとめられたが、これはフォルマリズムの小説の理論を総括したものといえる。『散文の理論』は、詩の時代から散文の時代へと変わってゆく革命後の時代を背景にして書かれたが、フォルマリズム・グループの小説の理論の研究は過去の文学遺産の再検討、再評価へと進んだ。

シクロフスキイのパロディー論を発展させたトゥイニャーノフの『ドストエフスキイとゴーゴリ』、「新擬古典派とプーシキン」、トマシェフスキイの『プーシキン』、エイヘンバウムの「ゴーゴリの『外套』はいかに作られたか」、『若きトルストイ』、『レールモントフ』、「プーシキンの『詩学』の問題」、『ネクラーソフ』、ヴィノグラードフ[★3]の『ゴーゴリと自然派』などが発表され、作品の構造分析から、文学の歴史の変化する原動力の探求へと問題を深化させていった。

このように、散文にたいする研究が深化してゆくなかで、詩もまた主要な関心の対象となっていった。この時期の詩論でクローズアップされるのは、ジルムンスキイ『詩学の目標』と『抒情詩の構成』（一九二一年）、トマシェフスキイ『ロシア作詩法』（一九二四年）、ヤコブソン『チェコの詩について』（一九二三年）、エイヘンバウム『詩の旋律論』（一九二二年）などで、「詩的言語」と「情動言語」の機能の差異がヤコブソンによって強調されたのをはじめ、詩の領域における音声学と意味論との境界領域にある統辞論にも関心が向けられ、リズムと統辞論との相互依存関係が注目された。だが、この時期の詩論のもっとも重要な著作は、トゥイニャーノフの『詩の言葉の問題』（一九二四年）であった。『詩の言葉の問題』の序文で、トゥイニャーノフはこう書いていた。

近年、詩の研究はめざましい進歩をとげた。詩が計画に従って研究されるようになったのは、まだ人々の記憶に新しいことではあるが、近い将来には、詩の領域全体にわたる研究の発展が確実に予測される。しかし、現在の研究には詩の言語と文体に関する問題が含まれていない。この領域の研究は詩の研究とは切り離されていて、詩の言語と文体そのものが詩とは結びつかず、詩とは無関係なもののような印象すら与えている。「詩的言語」という概念が提出されてからさほど時を経ていないのに、いまや、その概念は危機を迎えているが、これは心理主義的な言語学に基礎を置くこの概念の含む範囲と内容が明らかに広すぎ、曖昧であるために発生したのである。われわれの言語や学問の中にある「詩」という用語は、現在では具体的な適用範囲と内容とを失ない、特定の価値基準を表わすようになっている。

本書では、(散文の概念と対置する)詩の具体的な概念と、詩の言語の特質を分析する。詩の言語の特質は、構成としての詩の分析を基礎にして、はじめて解明されるが、そこではすべての要素は相互関係のなかにある。したがって、これまではばらばらに進められてきた文体の諸要素の研究を、ここでは相互に関連づけてみようと思う。

こうしてトゥイニャーノフは、ロシアや西欧の研究者たちの仕事を踏まえて、あらゆる要素が相互関係にある構成としての詩の分析を基礎にして、詩の具体的な概念と詩的言語の特質を分析しようとした。ここで、新たに提起されたのは「素材」の概念で、「形式と内容」の対立概念を乗り越えようとし、「素材」という概念が「形式の枠を越えることはなく、素材の概念もまた形式なのだから、それを構造外の契機と混同するのは誤りである」とした。形式と内容の統一、文体のあらゆる要素の相互作用を具体的に理解するための材料を豊富に提供しつつ、トゥイニャーノフは、詩的言語の特徴を、通常の伝達手段としての言語機能とは一致しない独自な特性とみなす。まさしく、リズム、韻、音、隠喩といった詩の言葉の現象は、詩的言語の独自な特性を表現しているのである。

詩の性質そのものの動態的な理解から出発するトゥイニャーノフは芸術的散文の言語と詩の言語との区別を主張し、主題展開の法則の相違、「詩」と「散文」の時間の差、リズムの独得な機能的役割のなかにその区別を見い出し、詩の言語の構造と散文の構造を本質的に区別する。そして、「作品の統一性とは、閉ざされた対称形の全体ではなく、発展してゆく動態的な全体なのであり、統一体の諸要素に存在するのは静態的な等号と加算記号ではなく、動態的な相関関係と積分の記号がつねに存在しているのである。文学作品の形式は動態的な形式として理解されなければならない」と書くトゥイニャーノフにとっては、形式の本質となるのはその可変性、自動化との闘争、「形式の弁証法的発展」にほかならなかった。こうして、あらゆる詩の構造とその構造上の要素を構成する相互関係の歴史的な可変性の理解への道がひらかれたのである。そして、詩におけるリズムと意味の問題を追求したのであった。

十月革命後、〈オポヤズ〉は公認され、学術団体として登録された。〈オポヤズ〉の仕事にたずさわったのは、オシップ・ブリークとわたしだった。

イサーク広場にある芸術史研究所、シチェドリン図書館のそばにある生きた言葉の研究所、あるいは部分的には大学などに、わたしたちは大勢の教え子たちをもっていた。いまやわたしたちは、よりアカデミックに仕事をし、いかなる行政的な障害を受けることなく、文学創造の根本について絶えず議論するようになった。……この時期は、二、三年後に、〈レフ〉のグループに、主としてマヤコフスキイのもとに指導的メンバーが移行することで終わった。

〈レフ〉は、新しい生活の創造に参加したいという熱烈な情熱をもっていた。〈レフ〉は、あらゆる活動を芸術に捧げた〈オポヤズ〉とも結びついていた。（『自伝』）

シクロフスキイはこのように回想しているが、〈レフ〉と〈オポヤズ〉との結びつきはけっして偶然的なものではなく、詩学と批評の変革を目ざした〈オポヤズ〉が、出発当初からフレーブニコフやマヤコフスキイの詩的実験と深い関連をもち、未来主義の運動と共同して共通の課題を明らかにしようとしていたことは多くの人々が証言しているとおりである。

革命前の未来主義から「コミューンの芸術」を経て〈レフ〉にいたるまで、一貫してこの潮流のもっとも近くに位置していたのは、〈オポヤズ〉の理論的な指導者であったシクロフスキイだった。これには、マヤコフスキイとシクロフスキイとの個人的な友情も要因として考えないわけにはゆかないが、マヤコフスキイが〈オポヤズ〉グループのなかに未来主義の詩の最良の理解者を見いだし、詩的言語やリズムにたいする研究を行なった若い批評家、言語学者たちに敬意を払っていたことも無視できない。

フォルマリズムと社会学の方法

「レフ」誌はフォルマリズムの理論家たちに系統的に誌面を提供しつづけた。「レフ」創刊号には、オシップ・ブリークの論文「いわゆる『形式主義』の方法」が発表されているが、そのなかで、ブリークは〈オポヤズ〉の理念を要求したのである。ブリークによると、〈オポヤズ〉は、詩人や文学者は存在せず、存在するのは詩や文学だけであると考え、詩人の社会的役割は、彼の個人的な特質や熟練の分析からは理解されず、詩人の技法、人間労働の隣接する領域との相違、技法の歴史的発展の法則を広範に検討する必要があると考えた。そのような見地からすれば、プーシキンはひとつの流派の開祖ではなくて、流派の先頭に立っていただけで、プーシキンがいなくても『エヴゲーニイ・オネーギン』は書かれたことであろう、コロンブスがいなくてもアメリカは発見されたことであろう、というようなことになる。

「詩人は言葉の達人、自己の階級、自己の社会的グループに奉仕する言葉の創造者である。詩人はテーマを考えだすのではなくて、周囲の環境からテーマをとってくるのである。詩人の仕事はテーマの推敲、テーマに対応する言葉の発見からはじまる」とブリークは書き、「詩を研究することは、この言葉の推敲の法則を研究することを意味する。詩の歴史は、言葉の形式化の技法の発展の歴史にほかならない」と考え、「〈オポヤズ〉は詩的活動の法則を研究している」ということを確認しつつ、〈オポヤズ〉がプロレタリア文化建設に何を与えているかとみずからに問い、「さまざまな事実や個人的な見解の混沌とした集積のかわりに、創造的な個性の社会的基準」、「創造の秘密にたいする神秘的な洞察のかわりに、生産法則の認識」の二つを与えていると答え、そのことによって、〈オポヤズ〉が「若いプロレタリア文学の最良の教師である」とした。

❶〈レフ〉のメンバー　後列左から　マヤコフスキイ、ブリーク、パステルナーク、トレチヤコフ、シクロフスキイ、グリンクルグ、ベスキン、ネヌマノフ　前列左から　エルザ・トリオレ、リーリャ・ブリーク、ライーサ・クシネル、オリガ・トレチャコワ

「レフ」誌ではフォルマリズムとマルクス主義との関連も追求されたが、そのような点で注目されるのは、グリゴーリイ・ヴィノクールの論文である。ヴィノクールは〈オポヤズ〉と並行してフォルマリズム理論を開発した〈モスクワ言語学サークル〉に所属していた言語学者だが、彼は、「未来主義者――言語の建設者」（「レフ」創刊号）、「革命的言辞について――言語政策のひとつの問題」（同、第二号）、「詩学・言語学・社会学」（同、第三号）、

「言語の純粋主義《ピューリズム》について」（同、第四号）、「われわれの新聞の言語」（同、第六号）など、「レフ」の誌上に毎号のように言語に関する論文を発表した。

論文「未来主義者――言語の建設者」のなかで、「未来派は既成の見本を規範化することなく、大衆の口語を克服し、そこから自己の言語創造のための素材を汲みとった。この点にこそ、言語学者にとってロシアの未来主義にたいする最大の関心がこめられている。……未来派は言語の発明にはじめて自覚的に取組み、言語技術学の道を指し示し、『言葉を奪われた街路』の問題を、それも詩的であると同時に社会的な問題として提起した」と書いて、ヴィノクールは未来派を評価していた。ほかの論文でも、ヴィノクールはこれまでのフォルマリズムの理論的成果を踏まえて、新しい言葉の芸術が対応しなければならぬ生きた言語の創造の問題を提出し、さまざまな言語現象を解明しつつ、たとえば、新聞用語や政治的なスローガンのなかに見られる使い古された紋切型の表現を批判し、独自な言語政策の実施の必要性を訴え、フォルマリズムと社会学との結合を主張していた。

〈レフ〉は詩的言語の領域では象徴主義の言語とたたかい、詩を社会的な実践と接近させようと努め、そこに立脚しつつ、ロシア詩の「言葉の根拠」の拡大を目ざそうと試みたが、マルクス主義への傾斜をもつフォルマリストであるアルワートフは、「形式の反革命――ワレーリイ・ブリューソフについて」（「レフ」創刊号）のなかで、「崇高」な語彙、神話や歴史上の名辞の氾濫するブリューソフの創作と、象徴派の詩人に共通する予言者としての詩人、半神的な概念にたいして激しい非難を浴びせ、「言葉の創造——意味を越えた詩に寄せて」(同、第二号)で、フレーブニコフやクルチョーヌイフの超意味言語にもとづく詩作を検討し、その音響的構造を高く評価した。アルワートフは、革命とは異質な象徴主義の美学が若いプロレタリア詩人に浸透することを警戒していたが、シルロフの「ロシアかロシア共和国か——プロレタリア詩についての覚書」(同、第二号)も同様な主旨をもった論文で、ゲラーシモフ[★4]、アレクサンドロフスキイ[★5]、キリーロフ[★6]など代表的なプロレタリア詩人の作品に象徴主義の言語の強い影響がどのように現われているかを具体的に分析した。

ブリーク、ヴィノクール、アルワートフ、シルロフはいずれもフォルマリズムの分析方法と社会学の方法とを結びつけようとしていたのが目立つが、この問題と真正面から対決したのはツェイトリンで、彼は、「マルクス主義と『フォルマリズムの方法』」(同、第三号)のなかで、「文学の歴史におけるマルクス主義の方法は、マルクス主義にとって不可避な課題を追求しているフォルマリズムの方法なしには考えられない」と書いていた。フォルマリズムと社会学の方法の統一に関しては、マヤコフスキイも何度となく言及していたが、たとえば一九二五年三月、「芸術におけるフォルマリズムと社会学の方法をめぐる討論会」で、内容と形式を統一的に全体として分析するためには、「社会学的な方法をフォルマリズムの方法に対置することはできない。なぜならば、これは二つの方法ではなくてひとつの方法であり、フォルマリズムの方法は社会学の方法を継承しているからである。

なぜかという問題が終り、いかにという問題が発生するとき、社会学の方法は仕事を終え、その場所にフォルマリズムの方法が進出するのである」と語っていた。

それでも、〈レフ〉に参加したすべてのフォルマリストが、自己の方法を社会学の方法と統一させようと望んでいたわけではなかった。とりわけ〈オポヤズ〉グループは、そのような傾向に自己の方法を性急に修正することに危惧を抱いていて、文学や言語に固有な法則の探求を継続しようとしていた。たとえばシクロフスキイは、のちに『散文の理論』に収録されることになる「秘密をもった長編小説の技術」（「レフ」第四号）や、「バーベリ論」（同、第六号）、「ピリニャーク論」（同、第七号）で散文の特殊性を考察した。

一九二三年、トゥイニャーノフは「文学的事象」（同、第六号）で、「文学は動態的な言葉の構造にほかならない」ことを明らかにし、文学ジャンルの交替の事実を追求し、「中心」と「周辺」の概念を明確にしつつ、文学をフォルムから構造へと転換させることでフォルマリズムの内側からの超克の道を切りひらこうとしていた。

特集「レーニンの言語」

「レフ」における〈オポヤズ〉の活動の頂点は、一九二四年一月、レーニンの死後に発行された第五号で「レーニンの言語」と題する特集を組んだことに示されている。この特集は、シクロフスキイ「規範の否定者としてのレーニン」、エイヘンバウム「レーニンの演説における基本的な文体の傾向」、レフ・ヤクビンスキイ「レーニンにおける高尚な文体の格下げについて」、トゥイニャーノフ「論争家レーニンの語彙」、ボリス・カザンスキイ[7]「レーニンの演説——修辞学的分析の試み」、トマシェフスキイ「テーゼの構造」の六篇の論文から成り、全部で百ページ以上にわたり、雑誌全体の三分の二を占めている。

対象と名称のダイナミックな関係や、最終的には規範化にいたる言語の自然現象を検討しつつ、「煽動活動における公式の固定化の拒否」、「革命的美辞麗句の格下げ」、「伝統的な言葉の日常的な同意語の置き換え」のなかにレーニンの文体の特徴を探り、それとトルストイの文体との親近性を指摘したシクロフスキイ。「演説のような形式に関していうならば、その実用的な性格にもかかわらず、多くの点で、詩の言葉にひじょうに近い」と述べ、論文ないし演説も、思想の剝き出しの公式でもなければ、専門用語による単純な表現でもなくて、ある種の言語表現の過程であり、この過程は、それを生み出した思想とは無関係に、独自な言語表現のダイナミズムと一貫性、情緒的な文体上の陰影をもっている、という観点から、レーニンの文体がチェルヌイシェフスキイにも起因するロシア・インテリゲンツィヤの書物の言葉、ロシア人の日常会話や議論の言葉、それに古代ローマの演説の文体といった三つの文体の層を独得に結合したものと考えたエイヘンバウム。[8]情緒的に昂揚した高尚な文体をもち、悲壮感のあふれた、内容のない雄弁を構成要素とする演説とたたかい、そのような演説を格下げしたところにレーニンの文体が発生していることを実証したヤクビンスキイ。レーニンの論争における「言語政策」が、語彙にたいする原則的で細心な注意、言葉そのものへの疑惑、内容のとぼしい美辞麗句の権威を剝ぎとって、そこから言葉の具体的な意義をとりだすこと、使い古された言葉にたいする事物の区別と、意義の蘇生を目ざすたたかい、さまざまな事物を統一している言葉、特徴のない言葉にたいするたたかいなどに表現されていることを指摘したトゥイニャーノフ。レーニンの演説のレトリックに注目し、構成方法としての反復の例を列挙し、「これらの反復は、詩の韻律、リズムをもった言葉の流れ、イントネーションのある動きの圧縮の役割を果たす」と書くカザンスキイ。やはり修辞学的な見地から、きわめて実践的な政治課題と直結するスローガンやテーゼの分析を行なったトマシェフスキイ。この特集は、レーニンの発想の根拠を彼の演説や論文の文体の分析を通して明らかにしようと試みたものであった。

　このように、〈レフ〉と緊密な関係をもち、また、「いかなる党派も、全体としてわれわれを満足させない。われわれは共産主義者でも、社会革命主義者でも君主主義者でもなく、単なるロシア人であって、われわれは隠遁者セラピオンの徒である」[★10]（「文学手帳」誌一九二二年三月号）[★11]と宣言し、レフ・ルンツ[★9]、ミハイル・ゾーシチェンコ、ヴェニアミン・カヴェーリン、コンスタンチン・フェージン[★12]、フセヴォロド・イワノフ[★13]など若い作家の参加した〈セラピオン兄弟〉を中心とする同伴者作家たちとも交流しつつ、フォルマリズムの批評運動は一九二〇年代前半を実り多い時期として過ごしたが、まさしくそのことのために、そして一定の影響力をソヴェト芸術に与えはじめたことのために、芸術の分野においても自己の権力を樹立しようとしていた部分からの激しい批判を浴びねばならなくなった。一九二四年から二五年にかけてのことである。

トロツキイのフォルマリズム批判

マルクス主義の側からのフォルマリズム批判の口火を切ったのは、当時の政治の最高指導者の一人レフ・トロツキイ★14であった。「ソヴェトの土壌の上でマルクス主義にみずからを対置した理論といえば、芸術におけるフォルマリズム理論だけである」という観点から、トロツキイが『文学と革命』(一九二四年)のなかの一章をフォルマリズム批判に当てたことは、たとえ痛烈な批判の対象であったにせよ、じゅうぶんに批判の対象となりうるものをフォルマリズムが所有していて、フォルマリズムの重要性を無視できなくなったことを意味する。

「芸術におけるフォルマリズム理論がどのように表面的なものであり、反動的であろうとも、フォルマリストによって探求された作業のある部分はきわめて有益なものである」、「フォルマリズムを、しかるべき限界内にとどめて方法論として用いれば、形式の芸術的あるいは心理学的な特性の解明に寄与することができよう」と一定の評価をフォルマリズムに与えているのは注目に価する。

その点を踏まえて、トロツキイはマルクス主義者として、「フォルマリズムとはまず第一に、極度に驕慢な月足らずの赤ん坊である。詩の本質は形式であると宣言したこの派は、結局、詩作の語源的、措辞的な特質の分析を仕事にしている。あるいは、母音、子音、句、規定詞の使用頻度の計算などに終始している」と断定し、芸術を「客観的歴史的な通過税の観点からして、つねに社会的、補助的であり、歴史的、功利的なもの」であるとする観点から、フォルマリズムの「純粋芸術」を批判するのである。

芸術は人生から自由であるというシクロフスキイやヤコブソンの主張する命題の思想が批判の対象となっているのであった。もちろん、トロツキイは公式的なイデオロギー批判を行なっただけではない。しかし、「芸術的創造の産物は、なによりもまず、その固有な諸法則、すなわち芸術の諸法則にそって裁かれなければならない。とはいえ、特定の時代に特定の芸術がなにゆえに発生したのか、言いかえれば、他の芸術形態ではなく、まさにこの芸術形態にたいする需要を誰がなぜ表わしたのかという問題を解明できるのは、マルクス主義だけである」と書くとき、フォルマリズムの志向した芸術固有の諸法則にたいする内在批判を回避して、マルクス主義芸術論の限界を明らかにしただけではなかっただろうか。

フォルマリズムの成果を条件づきで評価し、そして思想的基盤を批判するというトロツキイの方法はニコライ・ブハーリン[★15]によっても受け継がれたが、マルクス主義の側からなされるフォルマリズムにたいする批判のなかで、このような批判の方法はきわめて稀有な現象であった。それ以後、フォルマリズムにたいするソヴェトの公式批評はトロツキイのような芸術の理解すらなくなってしまう。フォルマリストのなかには、シクロフスキイやヤコブソンとは異なって、思想的にも左翼の位置を占めながら、なおフォルマリズムの方法を固守していた者も存在していたことを考えるならば、イデオロギー批判でフォルマリズムを切り捨てていったことは、マルクス主義芸術論の発展にとっても不幸なことであった。

一九二四年、「出版と革命」誌でフォルマリズムの方法をめぐっての討論会が開かれた。その席上でエイヘンバウムはこう語った。

フォルマリズムはマルクス主義に自己を対置するものではなく、ただ、社会・経済的な問題を芸術研究の領域に簡単に導入することに反対するだけなのだ。マルクス主義とフォルマリズムのあいだには接点が存在する。フォルマリズムは科学のなかに世界観を導入することに反対するとはいえ、科学としての文学の領域にあっては革命的な運動を展開している、なぜならば、フォルマリズムは老朽した伝統から科学を解放し、あらゆる基本的な概念と公式を新たに再検討しているのだから。

❷「出版と革命」創刊号の表紙　1921

ところが、ルナチャルスキイ、サクーリン、[16]コーガン、[17]ポリャンスキイ[18]などのマルクス主義の側に立つ者は、マルクス主義とフォルマリズムの関係を問い直そうとするエイヘンバウムの意図を理解せず、フォルマリズムの長所をいっさい認めず、非難を浴びせるばかりであった。

それでも、これはまだよいほうであった。マルクス主義とフォルマリズムが対等に討論できたのはこれが最後の機会だった。一九二〇年代前半に開花したソヴェト文学の春は、二〇年代後半に入るとともに、政治の側からの圧迫のもとに短かった季節を終えようとしていたからである。

フォルマリズムは一歩一歩と後退し、マルクス主義との妥協をはかり、社会学的方法を受け入れて、マルクス主義美学の欠陥を補塡する作業に着手することによって生き延びようとするが、成功を期待することは不可能だった。シクロフスキイ『〈戦争と平和〉における素材と様式』、エイヘンバウム『トルストイ』はその例である。

〈オポヤズ〉復興への訴え

このような状況で、フォルマリズムを踏まえ、内側から危機を乗り越えようとする試みとして注目されるのは、一九二八年、「新レフ」誌十二月号に発表されたトゥイニャーノフとヤコブソンのテーゼ「文学と言語の研究の問題」であった。ここでは、アカデミズムの折衷主義、スコラ的な「フォルマリズム」、文学と言語に関する学を体系的な学から挿話とアネクドートのジャンルに変えようとする試みと絶縁することの必要性の要求にはじまり、文学の系列と他の歴史的系列との相関状態を確認すること、文学にかかわる素材や文学外の素材も機能の観点から再検討すること、共時相と通時相、「パロール」と「ラング」の関係を再検討することなど、簡潔にではあるが重要な提言が含まれていて、最後に、「シクロフスキイを代表とする〈オポヤズ〉の復興」が訴えられていた。

　このテーゼの発表に際して、「新レフ」編集部は、つぎのような文を発表していた。

❸「新レフ」創刊号の表紙
1927

> 古い学問においては、理論的原理と歴史的原理との原則的な境界が存在していた。文学研究は詩学と文学史に分裂していた。詩学は一般的な構成から切り離され、文学の進化過程から抽象された文学作品の構成要素を記述してきた。文学史は、年代記のような順序で、たまたま選ばれた伝記的、文化史的、文学的な事象を記録しつづけてきた。

……言語と文学に関する現代の科学は理論と歴史の対立を克服しつつあるが、それというのも、理論的な分析は、歴史の弁証法（文学と言語の量の流出と変化）を考慮に入れなければ不可能であり、また、それとは反対に、歴史的な研究は、理論における素材の特殊性の自覚なしには実り多いものとはならないからである。「なにゆえに」という古い科学の問いにかわって、「何のために」（機能性の問題）という問題が前面に出てきている。単なる構成機能（文学的事象を形成する諸要素の機能）のみならず、さまざまな時期の文学系列の社会的な機能も研究されるべきである。

このテーゼが発表されるに先立って、プラハにいたヤコブソン、ベルリンで病気療養中のトゥイニャーノフ、そしてモスクワにいたシクロフスキイのあいだに、興味をそそられる手紙が交換されていた。

〈レフ〉は崩壊した……わたしは〈レフ〉の残党どもから脱出することだろう。もしもわれわれにグループが必要だとしたら、われわれの友情に確固とした性格をつけ加えること、そして、ソヴェト作家同盟連盟なり、雑誌にみずからの場所を要求したほうがよいでしょう。（一九二八年十一月十五日付、トゥイニャーノフ宛てのシクロフスキイの手紙）

本当に、フォルマリストの仕事は、いま、まさにはじまったばかりと言わなければならないでしょう。……問題がはっきりとしたかたちをとって明らかとなったいま、突如として対立が現われるなんて。問題を前にしての恐怖、なにもかも説明したいという愚かな願望……。

（十一月十五日付、シクロフスキイ宛てのヤコブソンの手紙）

ロマン・ヤコブソンの手紙を受けとったが、それはすばらしい手紙で、いま発生しているのは、フォルマリズムの危機ではなくて、フォルマリストの危機である、とヤコブソンは書いてきている。……とにかく、一緒にいて、一緒に仕事をし、最大限の理論と最大限の量をもつ共通の命題をもつ文集を出さなければならない。きみも、ヤコブソンも、わたしも、もしかしたらポリワーノフも論文を書けることでしょう。

（十一月二十七日付、トゥイニャーノフ宛てのシクロフスキイの手紙）

きみはいつ帰ってくるのでしょうか。……きみが帰ってきしだい、われわれは〈オポヤズ〉か、あるいは新しい名称をもつ団体に結集しよう。そのメンバーとなるのは、わたしときみ、エイヘンバウム、ヤコブソン、ヤクビンスキイ、ベルンシュテイン、それにポリワーノフの弟子たち、トマシェフスキイや、いますぐには呼びかけるつもりはないが、若い世代もよいかもしれない。……大学では、フォルマリストのサークルがきわめて大きな勢力をもっているが、しかし残念なことに、時代遅れのわれわれの昔の観点に立っている。集団的知性をわれわれは復活させよう。このことをヤコブソンと話し合ってほしい。

（十二月五日付、トゥイニャーノフ宛てのシクロフスキイの手紙）

しかし、このテーゼにもとづいて〈オポヤズ〉がソ連で復活されるはずもなかった。ヤコブソンはプラハ言語学サークルの中心メンバーとして活躍し、祖国を永久に捨てることになる。そして一九三〇年、シクロフスキイは「科学的誤謬の記念碑」というあまり率直でない自己批判書を強制的に書かされ、「プラウダ」紙に発表することになる。「わたしにとって、フォルマリズムというものは過去のものとなってしまった」とシクロフスキイが書かねばならなかったとき、ロシア・フォルマリズムは運動として死滅したのであったが、さしあたって、これはまださきのことである。

4 〈レフ〉の実践

「レフ」誌は毎号、「プログラム」、「実践」、「理論」、「本」、「資料」という欄をもうけて編集されているが、「プログラム」と「理論」はこれまで見てきたように、生産主義・構成主義とフォルマリズムを支柱として組み立てられていた。それはあくまでも、ロシア未来主義とフォルマリズムの理論と実践を再検討し、みずからの歩みをふり返りつつ、革命後の新しい状況のなかで芸術の左翼は何をなすべきかという問題の追求に集約されていた。未来派の芸術運動にせよ、フォルマリズムの批評運動にせよ、既成の芸術および批評にたいする根底的な否定性を内包していたことは事実だが、その内的論理をさらに深化させることで自己の否定性の徹底化を主張していたといえる。ところで、このような「プログラム」と「理論」が〈レフ〉の実践とどのようにかかわっていたのだろうか。「この雑誌には、誤まれる理論が実践よりも重きをなしていた」(『文学百科事典』第四巻、一九六七年刊)といったように、〈レフ〉の「理論」と「実践」との落差を指摘する見解はいまだにあとを絶たないが、〈レフ〉の「実践」はどのようなものであったか。

詩と小説

まず、詩人たちの活動をたどると、マヤコフスキイ『これについて』と『最初の鉄鉱を掘り出したクールスクの労働者に、ウラジーミル・マヤコフスキイの仕事の臨時記念碑』の長詩、叙事詩『ウラジーミル・イリイチ・レーニン』の部分、詩『五月一日』と『記念祭の晩』、フレーブニコフ『ウストルグ・ラージナ』、『ラドミール』、『暴動のイメージ』、パステルナーク『一九一八年の吹雪のクレムリン』、『五月一日』、『崇高な病い』、アセーエフ『世界を越えて——歩み』、『ブラック・プリンス』、『抒情的な逸脱』ほか、カメンスキイ『奇術師』、『スフミの波打際』、『徒刑囚の女』、『四十歳の青年への讃歌』、クルチョーヌイフ『喪に服したルール』、『喜びにみちたルール』、『空中の要塞』、『一九一四—二四年』、トレチヤコフ『吠えろ、中国』などが注目される。

これらの詩作品をここで具体的に検討する余裕はないので、詩人たちにたいする「レフ」の注釈を引用するにとどめよう。

アセーエフ——未来に向かって飛躍する言葉の試み。
カメンスキイ——あらゆる音響性におよぶ言語の遊戯。
クルチョーヌイフ——反宗教的で政治的なテーマを構成するための隠語の音韻学を利

用する試み。
パステルナーク——革命的な課題にたいするダイナミックな措辞論の適応。
フレーブニコフ——既成のあらゆる詩的言語と絶縁した日常言語による最大の表現力の達成。
マヤコフスキイ——広範な社会、生活をとらえた叙事詩におけるポリフォニックなリズムの試み。
（「われわれの言葉の活動」、「レフ」創刊号）

この注釈を行なったのはマヤコフスキイとブリークであったが、確かに、〈レフ〉の詩人たちは、詩の創作過程にたいして自覚的で、音響や音韻、リズム、措辞論の変革を目ざし、新しい詩的言語を創出してロシア詩の前進に大きく貢献したということができる。

これにたいして、小説のほうは、イサーク・バーベリ★1の『騎兵隊』と『オデッサ物語』に収録される連作短篇『手紙』、『ドルグーシェフの死』、『塩』、『王様』、『これがオデッサでどのように起こったか』とアルチョム・ヴェショールイ★2の長編『血で洗われたロシア』の一部をなす『自由な人々』と『祖国』が斬新な技法で革命直後の時代精神を鮮明に表現した傑作であるが、アセーエフの短篇『明日』、『鼠たちとの戦い』、ネズナーモフ★3の短篇『金の刺繍とモール』、クシネルの長編の断片『静まることのない動揺』、ブリークの短篇

『同伴しない女』などは、いずれも「生活描写」や「心理主義」を排斥する意図で書かれたものであったことは理解できるものの、その試みはあまり成功しているとはいえない。これに比較すると、虚構を否定し、記録性を重視した〈レフ〉の主張を受け入れたかのようなノン・フィクションのジャンルでは、ペトロフスキイ[★4]の回想録『ヴェリミール・フレーブニコフの思い出』やトレチヤコフの旅行記『モスクワ—北京』は興味深いものとなっている。

造形芸術の実験

だがしかし、〈レフ〉の「実践」を文学のジャンルのみに限定するわけにはゆかないことはいうまでもない。生産主義・構成主義の原理、「有用な事物の生産」、「芸術を生活のなかに融解」し、実用性にかなった素材の構成的な組合わせを目ざす原理は、造形性の原理そのものを否定していた造形芸術のなかにもっともよく表現されていた。すでに一九二二年十一月、〈インフク〉で実験を重ねてきたタトリン、ロドチェンコ、ラヴィンスキイ、ポポーワ、ステパーノワなどを含む二十五名のメンバーは、絵画におけるタブローを時代遅れであり、生産を目的にしていないすべての芸術活動は無益であると宣言していたが、〈レフ〉グループのなかでこの問題を理論的に追求したのはアルワートフで、彼は著書『芸術と階級』（一九二三年）や、「レフ」誌上に発表した論文「芸術の復活についてのマルクス」、「ユートピアか科学か」のなかでタブロー否定論を積極的に展開した。

〈レフ〉と関連をもちつつ構成主義を主張する美術家たちは、革命後のソヴェト社会の機械による工業化のプランにたいして激しい情熱を燃やし、労働者クラブやアパート、記念碑や電波局などのプランを作ったが、タトリンの『第三インターナショナル・モニュメント』やラヴィンスキイの未来都市のプランなどは、その代表的なものといえよう。しかし、彼らのプランはあまりにもユートピア的であったために、革命後のソヴェト社会において「実用」に転化できなかったことは、きわめて不幸であったとしかいえない。それでも、生産主義・構成主義の「実用」にたいする夢は、ユートピア的な計画だけではなく、具体的な実用を目的とするプランも生み出していて、そのいくつかが「レフ」の誌面に発表されている。

「レフ」に発表されているものを列挙すると、ラヴィンスキイの未来都市のプラン、住宅や無線アンテナのプラン、縦と横が三・五メートル、高さが五メートルほどで、一万一千冊の本を収容でき、千冊はウィンドウに展示できるような本の売店のプラン、ゴム・トラストのショーウィンドーのプラン、ポスター、売店のプラン、電気スタンドの模型、ロドチェンコの本の装幀、映画自動車のプラン、切手のデザイン、フォト・モンタージュによるポスター、布地のデザイン、ステパーノワの機能性を重視した運動着や労働着のデザイン、布地の模様、ポポーワの『逆立つ大地』の舞台プラン、布地のデザイン、ソボレフの考案した肘掛椅子を引き伸ばすとベッドになる家具やガラクチオーノフの折畳式のベッドなどとなるが、このほか、マヤコフスキイの長詩『これについて』の単行本のためのフォ

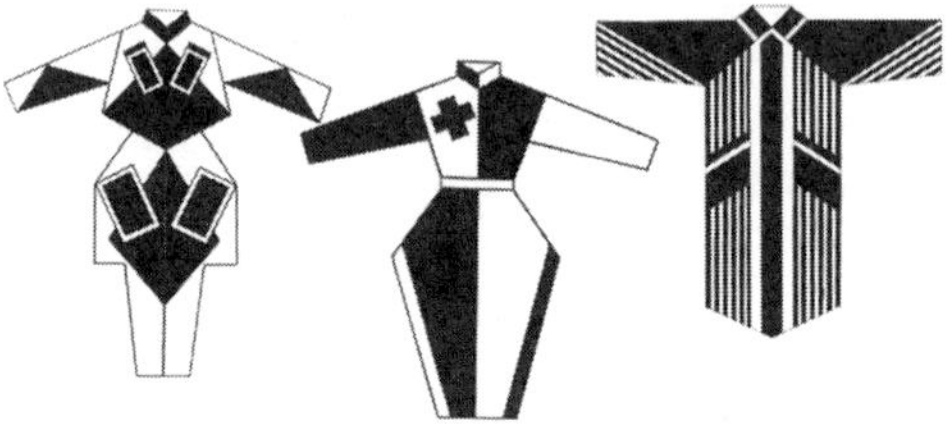

❶ステパーノワ『タレールキンの死』の衣裳デザイン 1922

❷ステパーノワ「スポーツ着のデザイン」 1922

ト・モンタージュによるロドチェンコのイラストや、同じくマヤコフスキイの詩集のためのリシツキイのデザインは今日なお新鮮な輝きを失っていない。

また、生産主義・構成主義の理念は、見世物の演劇を純粋な労働過程としてとらえてビ

❸ポポーワ『逆立つ大地』の舞台装置　1923

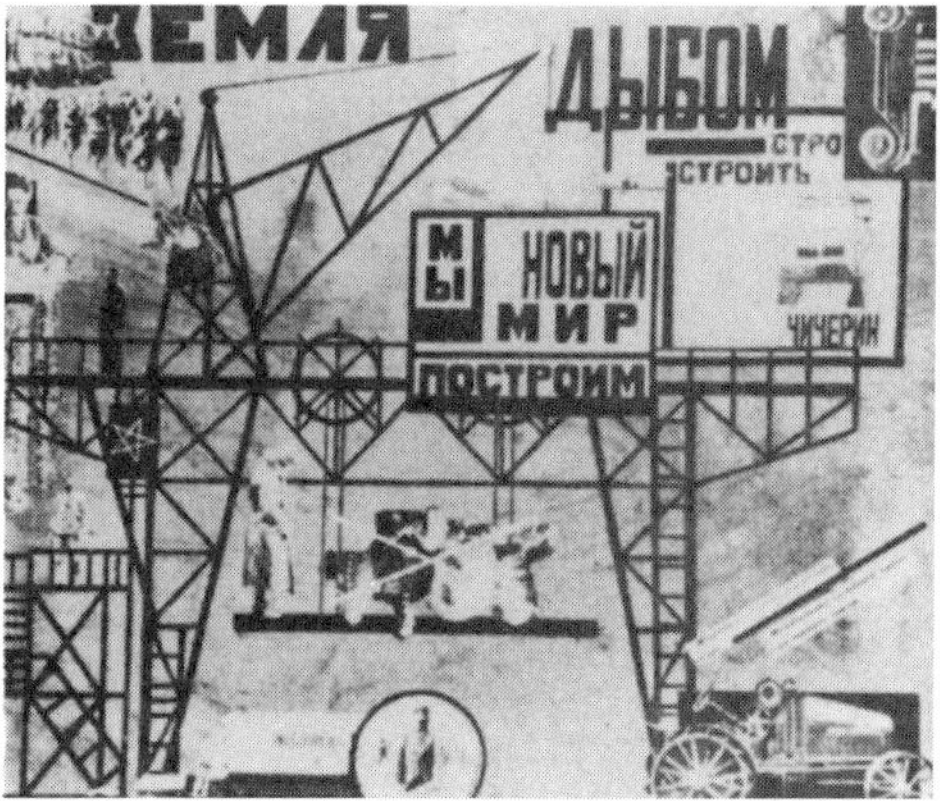

❹ポポーワ『逆立つ大地』のフォト・モンタージュ　1923

オメハニカを提唱したメイエルホリドをはじめ、舞台機構の新たな開発を目ざした当時の演劇や、機械の技術的利用による映画の実験のなかに鮮明に表現されているが、演劇や映画と〈レフ〉との結びつきも見落としてはならない。

舞台美術と映画

一九一八年、マヤコフスキイの『ミステリヤ・ブッフ』がメイエルホリドの演出によって上演されて以来、〈レフ〉につらなる人々とメイエルホリドの仕事は密接に結びついていて、たとえば、一九二二年から二三年にかけてメイエルホリドの演出した『堂々たるコキュ』（クロムランク作）、『タレールキンの死』（スホヴォ＝コブイリン作）、『木曜日の男』（チェスタートン作）、『逆立つ大地』（マルセル・マルチネ『夜』の改作）の舞台美術を担当したポポーワ、ステパーノワ、ヴェスニンがいずれも〈レフ〉の中心メンバーであったことなども、それをよく証明している。〈レフ〉は演劇の領域ではメイエルホリドの劇場とプロレトクリト劇場の仕事をなによりも注目しつづけ、演劇における伝統的なジャンルにたたかいを挑んだ。

ミハイル・レヴィドフ[★5]の論文「演劇、その顔と仮面」（「レフ」第四号）は、シェイクスピアからチェーホフにいたる世界のあらゆる演劇にたいして反心理主義的な仮面劇を対置させ、仮面劇にソヴェト演劇の歩むべき基本的な進路を見いだしていたが、これは、メイ

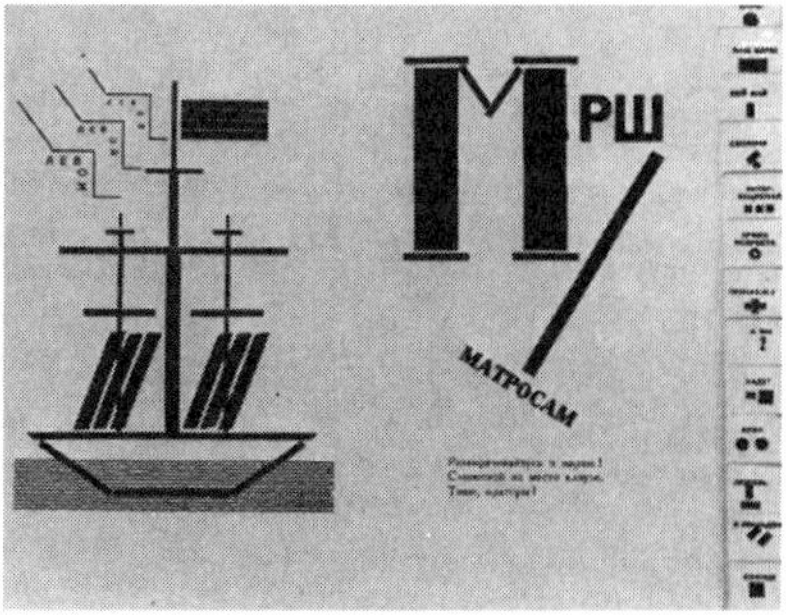

❺マヤコフスキイ『詩集』の表紙(装幀リシツキイ) 1923

❻リシツキイ『レーニンの演壇』 1920

エルホリドの実践に示唆を受けていることはいうまでもない。演劇の理論としてもっとも興味をそそられるのは、エイゼンシュテイン★6の論文「アトラクションのモンタージュ」(同、第三号)である。これはエイゼンシュテインがモスクワ・プロレトクリト劇場で上演した『賢者』(オストロフスキイ『どんな賢人にも抜かりがある』改作)と関連して発表されたものであるが、メイエルホリドからの影響と〈プロレトクリト〉の演劇運動の経験を踏まえて、演劇の新しい方向を模索したものとして画期的なものであった。

エイゼンシュテインは、〈プロレトクリト〉の劇におけるプログラムを検討したあと、演劇と観客との関係を考察し、「演劇のもつ攻撃的な契機」、「観客に感覚的ないし心理的な作用を及ぼす要素」として「アトラクション」をとりあげ、それが「一定の情動的な衝撃」を与えることで、「最終的

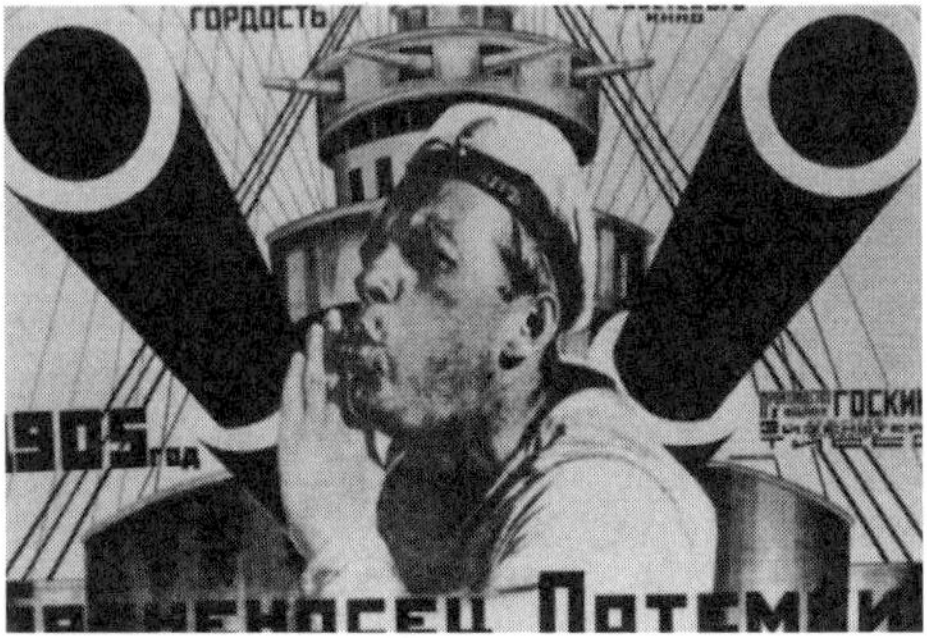

❼ラヴィンスキイ『戦艦ポチョムキン』のポスター 1925

なイデオロギー的結論を知覚的に理解させることのできる唯一の手段である」と書いた。

　そして独立したアトラクションを自由にモンタージュすることで終極的な主題効果をあげることができるとし、そのような技法を演出方法として確立することがプロレトクリト劇場の任務であると書いた。エイゼンシュテインの「アトラクションのモンタージュ」は単なる演劇の領域における問題にとどまることなく、二十世紀芸術の基本的な課題をも明らかにしたことで、〈レフ〉の「理論」のひとつの到達点を示していた。

〈レフ〉は新しい演劇のために戯曲を書くことにも努力を払ったが、そのなかでも、トレチヤコフのめざましい活躍は記録にとどめておかなければならない。彼はメイエルホリドの劇場のためにマルチネの『夜』を改作して『逆立つ大地』を書き、『吠えろ、中国』を書き、プロレトクリト劇場のために『ガス・マスク』（「レフ」第四号）を書いた。

トレチャコフの『ガス・マスク』を演出したエイゼンシュテインが舞台をプロレトクリトの劇場からモスクワのガス工場に移し、演劇を現実世界のなかにもちこむことによって「演劇」と訣別したことはよく知られている。エイゼンシュテインの言葉によるならば、

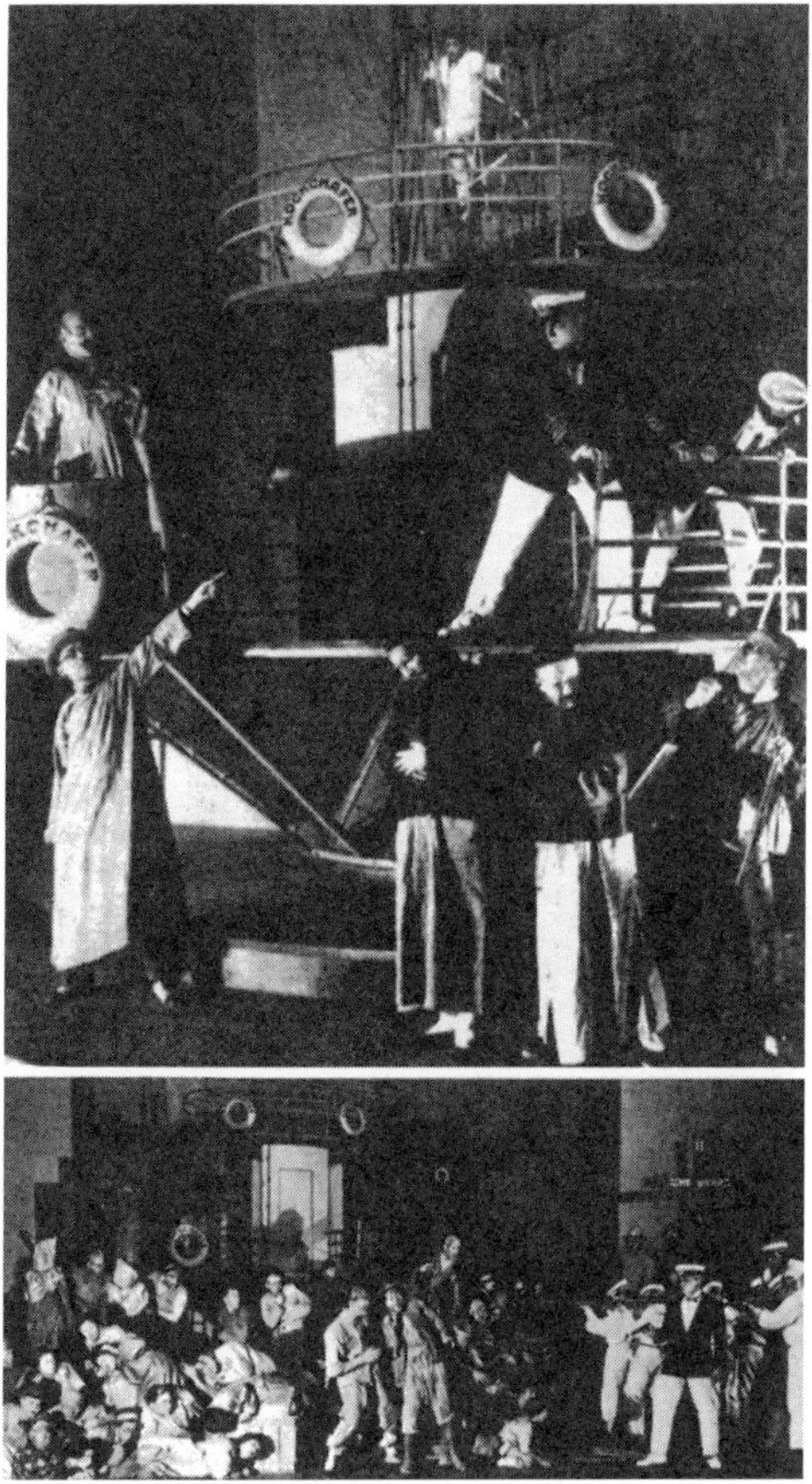

❽『吠えろ、中国』 1926

⑩ヴェルトフ『レーニンのキノ・プラウダ』 1925

⑨ヴェルトフ

「われわれの二輪馬車は墜落してばらばらになり、馭者であったわたしは、思いがけなく映画の世界に落ちこんだ」（「演劇から映画へ」）のであった。

〈レフ〉と映画の関係について述べておくならば、〈レフ〉は、ジガ・ヴェルトフ[★7]を中心とする〈キノキ〉の運動と共通の課題を追求した。ジガ・ヴェルトフはマニフェスト「キノキの転換」（同、第三号）のなかで、「文学」や「演劇」を否定し、「活動舞台は小さい。どうぞ生活のなかに入りたまえ。ここで仕事をしているのはわれわれ、いたるところで成熟しつつあるキノ・グラース（映画眼）で武装した視覚の名手たち、眼に見える生活の組織者たちである」として、「人間の眼による世界の視覚的理解に反対し、みずからの見るを提起しているキノ・グラースと、生活を構成しているものを、はじめて見たときのまま組織するキノキ的なモンタージュをする者」とが生活の混乱の

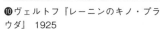

なかへ入りこむと書いているが、この文章は深い次元で〈レフ〉の主張と交響し合うといわなければならない。

革命の変質と〈ラップ〉の結成

これまで見てきたように、政治的立場を必ずしも同じくするわけではない人々が、二十世紀の芸術に共通する課題を追求し、文学、詩学、言語学、美術、演劇、映画といったジャンルを越え、芸術革命＝革命芸術を目ざしながら、対立を含みつつダイナミックに展開した芸術運動が「レフ」の誌面にも反映している。

しかし、すでに述べたように、「レフ」の創刊された一九二三年当時、革命と動乱の時代は終りを告げ、「わたしの革命」としてマヤコフスキイが歓迎したあの十月革命はすでに変質しはじめ、マルクスも革命もネップ期の人々の意識のなかで風化しはじめていた。そのときこそ、下からの文化革命が必要とされていたにもかかわらず、革命後の「革命」を行なうことはきわめて困難であった。アヴァンギャルドの芸術の革命はインターナショナルな性格をおび、つねに国境を越えてゆくのにたいし、政治革命は、いまや意識の変革を拒絶することによって革命の日常性を保存しようとする意識に支えられて国境の内側で社会主義を樹立しようとしていたからである。

革命後の文学・芸術界にあっては、〈レフ〉を中心とするアヴァンギャルドの運動、ヴ

⓫「赤い処女地」創刊号の表紙

⓬「十月」創刊号の表紙

ォロンスキイを編集長とする「赤い処女地」誌に依拠する、トロツキイの命名した「同伴者」作家の流れと並んで、〈プロレトクリト〉、〈鍛冶屋〉、〈若き親衛隊〉、〈労働者の春〉などを経て〈十月〉という文学グループに統一されていったプロレタリア文学の流れがあったが、〈十月〉グループによる〈レフ〉および「同伴者」作家たちにたいする攻撃は激烈なものであった。

一九二三年の夏、トロツキイは「人は政治のみによって生きるにあらず」と題するエッセイを「プラウダ」に発表した。そのことに関連して、アイザック・ドイッチャーは、「だれよりもトロツキイ自身が政治のみによっては生きられない人間であった。権力闘争の重大きわまる瞬間にあっても、彼は文芸や文化的な活動のために、自分の精力の大きな部分を捧げた。……政治から逃避しようとしていたのではない。文学、芸術、教育への彼の関心は、依然として広い意味での政治的関心にほかならなかった。ただ彼は、政治問題の外にあらわれた面だけにかかずらわっているのでは承知できなかった。彼は権力のための闘争を、革命の魂のための闘争に転化した」（『武力なき予言者』）と書いているが、「革命の魂のための闘争」こそ、文化革命の目ざさねばならぬ課題であったし、ロシア・アヴァンギャルド芸術の課題にほかならなかった。

トロツキイは一九二三年九月から「プラウダ」紙上に、プロレタリア文化否定論として有名な「プロレタリア文化とプロレタリア芸術」や「党の文芸政策」などの論文を連載し、文学の特殊性を無視した性急な政治主義、共産党の直接干渉によって革命後のプロレタリア文学のヘゲモニーを組織的に獲得せんとしていた〈十月〉グループの理論と行動を批判し、「同伴者作家たちの政治性には限界があり、不安定で、期待できないことをわれわれは知っている。しかしながら、ピリニャーク★8とその『裸の年』を、フセヴォロド・イワノフやチーホノフ★9やポロンスカヤ★10らをかかえるセラピオン兄弟を、さらにはマヤコフスキイを、エセーニン★11を投げ捨ててしまったら、未来のプロレタリア文学を目当てに振り込まれた不渡手形以外のなにがいったい残るのか」と書いて、アヴァンギャルド芸術や同伴者作家を擁護した。

『文学と革命』を読むと明らかなように、トロツキイは未来主義から〈レフ〉の運動に、またロシア・フォルマリズムにたいする鋭い批判論文を書いている。しかしそれらの論文は、批判的なものではあれ、未来主義やフォルマリズムの本質にたいする驚くほど深い洞察に貫かれていた。そして、世界革命にたいする情熱に支えられたトロツキイの未来の芸術の見取図は、ある程度、革命初期の日々にあってはアヴァンギャルド芸術の成果のなかに実現されていたのである。そして、トロツキイが痛烈に批判を加えながらも、アヴァンギャルド芸術を擁護していたのは、政治と芸術にたいする彼の原則性を示す以外のなにものでもなかった。

しかしこのとき、トロツキイの地位はすでに揺らぎはじめていた。一九二四年一月、レーニンの死。レーニン没後の激しい党内闘争の過程で、二四年五月の党大会では、「赤い処女地」誌編集長ヴォロンスキイを含むトロツキイ派四十六名の偏向非難決議が採用され、トロツキイは軍事人民委員を辞任せざるをえなかった。

⑬〈ラップ〉グループ

一九二五年一月、〈十月〉グループを中心とする全ソ・プロレタリア作家大会が開催され、「われわれはプロレタリアートの文化的発達の新しい段階に入った。ここではもはやプロレタリア文学の『承認』のみでは不十分であって、この文学におけるヘゲモニーの原則、勝利のためのあらゆる種類のブルジョアおよびプチ・ブルジョア文学およびその傾向を克服するための、この文学の執拗な組織的闘争の原則の承認が必要である」との決議を行ない、〈ラップ（ロシア・プロレタリア作家連盟）〉を結成した。「レフ」が七号を刊行して廃刊となったのも、一九二五年一月のことである。

〈レフ〉につらなるアヴァンギャルドの芸術家たちは、敗北に向かう困難なたたかいをつづけざるをえなかった。

iv

〈革命〉と〈芸術〉の死

メイエルホリドと演劇の十月

1 演劇の十月

『仮面舞踏会』の上演

一九一七年二月二十五日、ペトログラードのアレクサンドリンスキイ帝室劇場で、レールモントフ[★1]原作『仮面舞踏会』がメイエルホリドの演出によって初演された。レールモントフの『仮面舞踏会』の上演をメイエルホリドは長いこと夢みつづけていた。思えば、一九一二年の秋から、この作品の上演をメイエルホリドは準備していたのである。一九一一年に書かれたメイエルホリドの二つのメモが残っている。それによると、『仮面舞踏会』はグリボエードフ[★2]の『知恵の悲しみ』の精神で書かれようとしたもので、諷刺的な調子が両者に共通するものであって、劇の主人公も共通するものとして創造されていたのである。「『仮面舞踏会』の主人公アルベーニンのなかにある『現代の英雄』の主人公ペチョーリンとの共通性。ペチョーリンの自伝的な特徴。レールモントフ――ペチョーリン――アルベーニン」とメイエルホリドは書いている。

一八三五年から三六年にかけてレールモントフによって書かれたこの戯曲は、ペテルブルグの貴族アルベーニンとその妻ニーナとの愛と嫉妬を軸にして展開されるのであるが、仮面舞踏会で妻の不貞を知らされ、嫉妬に狂った夫が妻を毒殺し、やがて、その身の潔白を知って発狂するという筋立てをもつ、愛、不貞、嫉妬、毒薬の入り乱れる悲劇であった。主人公アルベーニンのような人物を出現させずにはいないのが上流社会であり、その上流社会を諷刺する意図をもってメイエルホリドはこの戯曲を演出したのであった。

美術を担当したアレクサンドル・ゴロヴィン[★3]とメイエルホリドの共同作業はこれがはじめてではなかったが、『仮面舞踏会』のときほど舞台を豪華に彩ったことはほかになかった。華麗な緞帳と装置、衣裳、仮面などはこの芝居の豪華絢爛たる雰囲気をきわめて適切に表現していた。そして帝室劇場の観客席を埋めつくしていた毛皮を着飾った貴族やブルジョアたちは、この日、何が起きるかを知るよしもなかった。

❶メイエルホリド　1922

初演の前日の深夜、つまり芝居の総稽古の終了したあと、ペトログラードの通りや公園のいたるところで焚火が燃え、そのまわりを労働者がとりかこんでいたが、警官の出動はなかった。そして初日の芝居の終演後、劇場から自宅へと急ぐ夜道を歩きはじめた観客の耳に轟いたのは機関銃の音であった。ネフスキイ通りをはじめ、首都のいたるところで市街戦がはじまり、いわゆる二月革命が起きたのである。

この夜のことについては多くの回想が残されているが、『仮面舞踏会』の初演を観客席で見ていた若い学生、セルゲイ・エイゼンシュテインという名のおとなしい青年に注目した者は誰もいなかった。

アレクサンドリンスキイ帝室劇場の支配人テリャコフスキイの日記には、『仮面舞踏会』の初演の「大成功」につづいて、首都の「暴動」についての記述もあり、二月二十六日の日記には、こう書かれている。

❷革命のペトログラード　1917年10月

二日目、ペトログラードで進行しているのは、まず最初のうちは経済的な基盤での暴動であったのが、しだいに政治的な基盤へと移っていった。パンと食糧の不足。祖国防衛のために活動している工場でさえ、ストライキが行なわれている。今日、新聞がでなかったが、明日も出ないことだろう、という話である。

その翌日、二月二十七日の日記にはこうある。

今日は朝から、ペトログラードはきわめて不穏である。軍隊内の反乱にいたるまで、さまざまな噂が流れている。……革命がはじまったのである。

メイエルホリドの演出になる『仮面舞踏会』がアレクサンドリンスキイ劇場で初演された日に、ツァーリズムは最後の日を迎えたのであった。

「メイエルホリドのこの芝居は、ツァーリ帝国の陰鬱な鎮魂歌のように、これらの日々に破滅した世界にたいする荘厳にして厳格、悲劇的にして宿命的な供養のように鳴り響いたのであった」(『演出家メイエルホリド』)とコンスタンチン・ルドニツキイ★4も書いているが、『仮面舞踏会』の演出は、二月革命にいたるまでのメイエルホリドの演劇活動のすべてを集約するものでもあった。

二月革命から八カ月が過ぎた一九一七年十月二十五日、いわゆる十月革命の起こったこの日、首都ペトログラードの劇場では何が上演されていただろうか。

マリンスキイ劇場では、チャイコフスキイの音楽による『エロス』と『シンデレラ』の二つのバレエ、アレクサンドリンスキイ劇場では、シチェプキナ゠クペールニク★5の『フラヴィヤ・テッシーニ』、ミハイロフスキイ劇場では、スクリーブの『コップ一杯の水』、音楽ドラマ劇場では『エヴゲーニイ・オネーギン』、国民会館大ホールでは、シャリャーピンの参加したヴェルディのオペラ『ドン・カルロス』が上演されていた。

いずれの劇場でも、観客の集まりがいつもより遅れ、開演時間もいくぶんくり下げられたとはいえ、すべて予定どおり幕が開けられた。

都心に通ずる街路では、革命軍による検問が行なわれ、武装した水兵や兵士、労働者はネワ河にかかる橋、駅、銀行、電信局、郵便局などを占拠し、臨時政府の支配していた冬宮への襲撃を軍事革命委員会は準備していた。巡洋艦オーロラ号はネワ河に入り、宮殿河岸の近くに錨をおろしていた。

この夜、劇場にたどり着いた人々は、たがいに話をかわし、知りえたニュースを交換しながら不安におののいていた。客席の明りが消え、舞台の幕が開いて間もなく、ネワ河から砲声がにぶく轟いた。オーロラ号からの砲声は十月革命の烽火となり、旧体制は崩壊したのである。

しかし、十月二十八日、「レーニンとルナチャルスキイの政府」に抗議して、首都の劇場は活動を停止した。十月革命後、芸術のさまざまな分野に専門の行政機関をただちに設置し、すべての劇場を国の管轄下に置こうとしたボリシェヴィキを中心とするソヴェト政権にたいする不信と敵意を抱く多くの演劇人たちの一種のサボタージュであった。このとき全ロシア中央執行委員会は、およそ百二十名の芸術家にたいして、革命政権への協力を求め、芸術の問題を討議する会議に参集するように呼びかけた。この会議は革命本部のあったスモーリヌイで開かれることになっていたが、この呼びかけに応じたのは、詩人ブロークとマヤコフスキイ、画家のアリトマンとイヴネフ、それにメイエルホリドの五人しかいなかった。この五人のほかに、ペトロフ＝ヴォトキンとラリーサ・ライスネルの二人も加わっていたという説もあるが、いずれにせよ、ごく少数であることに変わりはなかった。これらの人々のなかで、メイエルホリドは最年長者で、このとき四十三歳、しかも演劇人としては唯一の参加者であった。

「受け入れるか受け入れないか、このような問題はわたしには存在しなかった。わたしの革命なのだ。スモーリヌイに行った」と書いたマヤコフスキイと同じように、メイエルホリドも「わたしの革命」として十月革命を受け入れたのであった。

「赤衛軍兵士」メイエルホリド

舞台言語の開発と劇的空間の拡大を目ざした演劇の永久革命者メイエルホリドは、一八七四年一月二十八日、ペンザ市のユダヤ系ドイツ人の家庭に生まれた。ペンザの中学校を卒業したあとモスクワ大学法学部に入学したが、演劇を生涯の仕事にしたいという希望から、ネミローヴィチ＝ダンチェンコ[★6]の指導するモスクワ・フィルハーモニー協会付属演劇学校に入学、一八九八年、優秀な成績で同校を卒業すると同時に、スタニスラフスキイ[★7]とネミローヴィチ＝ダンチェンコによって創設されたばかりのモスクワ芸術座に入団。旗揚げげ公演のチェーホフ『かもめ』の主人公トレープレフ役を演じて注目される。

モスクワ芸術座はロシアにおける近代劇の確立を目ざし、ロシア演劇史に新しいページを切り開いたが、その自然主義的な写実主義にあき足りなくなったメイエルホリドは、一九〇二年にモスクワ芸術座を退団し、地方都市ヘルソンで自分の劇団をつくる。それ以来、メイエルホリドは絶えず新しい演劇の創造を目ざし、果敢な実験をもって試行錯誤をくり返しつつ、演劇の新たな地平を切り開こうと前進しつづけた。モスクワ芸術座に代表される自然主義にたいする痛烈な批判、現実の再現を拒否する象徴主義の芸術運動との関連のなかで制約劇の提唱、芸術座のスタジオ劇団やコミサルジェフスカヤ劇場での実験、帝室劇場での演出の仕事、メイエルホリド・スタジオの創設、「見世物小屋論」のなかで展開されたグロテスク論、演劇雑誌「三つのオレンジへの恋」の発刊とコメディア・デ・ラルテ研究にもとづく俳優論、前近代的な民衆文化にたいする深い関心、ワグナーの『トリスタンとイゾルデ』上演による全体演劇への展望などが革命までのメイエルホリドの仕事として挙げられる。

しかし、革命前のメイエルホリドの実験と模索が真に開花するのは革命後のことである。一九一七年の十月革命を、メイエルホリドもまた、マヤコフスキイをはじめとするアヴァンギャルドの多くの芸術家と同様に熱烈に歓迎したことはすでに述べた。

一九一七年十一月五日に開かれた旧帝室劇場の俳優たちの集会で、全世界の芸術の自由についてメイエルホリドは演説を行ない、芸術のインターナショナルの結成を訴えたが、それは多くの人々を憤慨させずにはおかなかった。そこでメイエルホリドは、活字にして説明する必要を認めて、こう書いた。

わたしの語ったことは、芸術が国家から独立しなければならぬということである（「世界の芸術にとってはきわめて必要なことであるし、ロシアにとっては全体としてきわめてよいことである」）。

政治から独立した芸術について、そして芸術の全世界的な共同体の創設の必要性についてわたしは語ったのだが、わたしの見るところ、これだけが芸術作品を破壊から救い、芸術の創造者に真の自由を与えることができるのである。

大多数の演劇人が革命にとまどいの色を浮かべ、革命政権との連帯を表明することをためらっていたときだけに、メイエルホリドのこの訴えに、人々は驚愕するばかりだった。このとき以来、旧帝室劇場の劇団員たちのあいだでは、メイエルホリドは「赤衛軍兵士」と呼ばれるようになった。

一九一八年一月、国内の演劇活動のすべてを指導するソヴェト政権の最初の機関となった教育人民委員会演劇評議会（のちの〈テオ＝演劇部会〉）が結成されると同時に、メイエルホリドはその活動に積極的に参加し、〈テオ〉の本部がモスクワに移ると、〈テオ〉のペトログラード支部の責任者となり、「演劇部会会報」誌を編集、刊行した。一九一八年八月には、ロシア共産党に入党している。

一九一八年十一月九日、十月革命一周年を記念して、ペトログラードの音楽ドラマ劇場で、マヤコフスキイの戯曲『ミステリヤ・ブッフ』をメイエルホリドが演出したことはここであらためてくり返すまでもないが、マレーヴィチの美術をも含めて、この劇の上演は、革命の演劇と演劇の革命を目ざす演劇の出発を飾るものであった。

今日
あらゆる劇場の埃の上に
われらの格言が輝きはじめるのだ、
「なにもかも新しく!」

『ミステリヤ・ブッフ』のプロローグの最後のセリフには、革命後のもっともラディカルな演劇の志向が鮮明に表現されている。

「革命初期におけるマヤコフスキイとメイエルホリドの探求に共通する意味は、二人が演劇=集会、演劇=見世物小屋というイメージをとおして、現に起こりつつあるものの本質を明るみに出し、思想と想像力によって革命的現実、革命の変転の力学のすべてをとらえようとすることにあった」(『演出家メイエルホリド』)とルドニツキイは書いているが、『ミステリヤ・ブッフ』はメイエルホリドとマヤコフスキイのはじめての共同作業であった。

メイエルホリドの革命にいたる道はマヤコフスキイのそれとほぼ重なり合っていた。革命のときにすでに四十三歳になっていて、これまでの演劇活動を通して長い人生の道のりを踏破してきたメイエルホリドと、それこそ革命のなかで生まれたといっても過言ではない二十四歳の青年マヤコフスキイとのこの対比は奇異に響くかもしれないが、「マヤコフスキイが一九一七年までに詩の分野で行なってきたものを、わたしは演劇の分野で行なってきた」とのちに語ったのはメイエルホリド自身である。共通の課題意識にもとづく二人の共同作業は、一九三〇年四月にマヤコフスキイが自殺するときまでつづくことになる。

〈テオ〉の強化と課題

一九一八年から一九年にかけての冬のペトログラードは食糧不足で飢餓にあえぎ、暖をとる燈油を手に入れることも困難であった。そのような状況にあって、メイエルホリドは家族をノヴォロシースクに疎開させるが、彼自身はペトログラードにとどまって、ひたすら演劇革命に心を燃やしつづけていた。そのあげく、過労のために結核をわずらったメイエルホリドは、一九一九年六月、南部のクリミヤ地方に療養に出かけ、ヤルタのサナトリウムで治療を受けながら夏を過ごした。おりしも、国内戦のさなかのことで、とりわけ首都を遠く離れた地方では革命政権の支配も及ばず、ヤルタが反革命軍に占領されると、メイエルホリドは船で脱出し、ノヴォロシースクに逃れるが、同地で、密告によってデニーキン将軍の率いる白軍に逮捕され、投獄される。一九年九月も末のことである。十一月七日には釈放されたが、二〇年三月、ノヴォロシースクが革命軍によって解放されると、メイエルホリドは、一時、同地の演劇の指導にあたっていたが、二〇年九月、教育人民委員ルナチャルスキイによってモスクワに呼び戻された。そのころすでに衰退のかげりを見せはじめていた〈テオ〉を強化するために、演劇界ではめずらしく共産党員であったメイエルホリドをルナチャルスキイは必要としていたのである。

メイエルホリドは〈テオ〉の責任者となり、その機関誌「演劇通報」の編集を引き受けた。この時期のメイエルホリドを、『人間・歳月・生活』のなかで、イリヤ・エレンブルグ★8はつぎのように回想している。

〈テオ〉はアレクサンドロフスキイ公園と向かい合った建物のなかに置かれていた。メイエルホリドは大きな部屋をとびまわっていたが、それは寒さのせいだったろうか、それとも、部長の椅子にじっとすわっていられなかったせいだろうか。わたしの『前夜の詩』が気に入ったと言ったかと思うと、不意に駈け寄ってきて、言うのだった。

「あなたのいるべき場所はここだ。芸術の十月です！　あなたには共和国の児童劇場のすべてを指導してもらいましょう……あなたは詩人でしょう、子供たちには詩が必要です。詩と革命！」

この当時、メイエルホリドは（マヤコフスキイと同じように）偶像破壊熱にとり憑かれていた。彼は『かもめ』の主人公が語っていたのと同じように、古い美学やわかりやすいモラルと戦っていたのである。

この文章のなかでエレンブルグも引いている「芸術の十月」という概念については「演劇通報」一九二一年二月八日号に掲載された「芸術の十月のスローガン」と題する論文が明確にしている。

芸術の十月とは、新しい形式にたいする拒否反応、有害きわまりない保守性、また共産主義建設の原則にたいする敵意を陰蔽する虚偽の伝統の催眠状態を克服することである。

芸術の十月とは、封建的で農奴制を支持するブルジョア・イデオロギーの枠組のなかにプロレタリアートを無理やり引きずりこもうとする紋切型で視野の狭い啓蒙主義の傾向との戦いである。

芸術の十月は、芸術にたいする真にマルクス主義的な方法を、その生産関係の領域において確立しつつある。

芸術の十月とは、噴火した火山のような現代の内容のための形式の探求である。

偉大な芸術の十月万歳!

この「芸術の十月」を、「演劇の十月」として具体化することがメイエルホリドの指導する〈テオ〉の課題にほかならなかった。そのことを明瞭に物語っているのは、「演劇通報」一九二一年一月二十七日号に発表された巻頭論文である。この文は、「演劇における市民戦争」と題され、このように主張していた。

予期されていたとおり、演劇の十月はその偉大な父、つまり一九一七年の十月革命と同様、市民戦争を生むこととなった。

瀕死の危機を前にして、昨日まで激烈な格闘をつづけていた敵同士の陣営がひとつに結集し、神聖な庇護のもと、国立劇場の連合は、「アカデミズム」の懐の上に横たわった。タイーロフとユージン[★9]たちは仲良く一緒に仕事をしている。……それも当然のことだ、接近しつつある階級の敵の脅威のもと、ブルジョア議会の意見の不一致など、どうでもよいことになるのだから。たとえば、マールイ劇場とカーメルヌイ劇場を区別していたものなど、共和国劇場の燃えあがる曙光が射しはじめるやいなや、とるにたりない、つまらぬものと思われるようになったのである。

そしてブルジョア演劇、この正真正銘の演劇の反革命は、みずからの勢力の組織化に着手し、軍を徴集し、攻撃を展開し、陣地戦を戦おうとしている。

われわれはきわめて意義深い演劇戦線をもっている。

演劇の市民戦争はいたるところで荒れ狂っているのである。

「演劇の十月」というのは、社会革命に対応する演劇革命を主張し、そのために旧帝室劇場をはじめとする既成の劇場の非政治性を攻撃し、新しい革命演劇を創造するように訴えたスローガンであったが、ここには、二十世紀の初頭から十月革命まで、一貫して追求してきたメイエルホリドの演劇革命の理論と実践が集約されていた。演劇の構成主義とでもいうべき、純粋な見世物の演劇を労働過程としてとらえ、俳優の肉体を素材とするビオメハニカの理論を提出し、カーニバル的な空間を創出することで近代的な演劇の概念そのものを変革せんとした革命後のメイエルホリドの活動こそ、「演劇の十月」のもっとも主要な内容を構成していたといえよう。

もちろん、「演劇の十月」のすべての成果をメイエルホリド個人に代表させるわけにはゆかず、〈テオ〉の訴えに応じた〈プロレトクリト〉や〈トラム（青年労働者演劇）〉に属する若い労働者を中心とするアジ・プロ演劇が「演劇の十月」に加わったりもしているが、見逃してならないのは、革命前から前衛芸術運動を展開してきた詩人や画家たちが革命後のロシアの芸術の最前線に立ち、革命政府からも支持を受けつつ、さまざまな芸術のジャンルにわたって独走していた事実で、そのような動向と関連をもちながら、「演劇の十月」もまた、豊饒な可能性をもち、アヴァンギャルド芸術運動の中核となりえたと考えられる。そして、ロシア・アヴァンギャルド芸術の一環としての「演劇の十月」も、革命の理想を求めて噴出した民衆のエネルギーに支えられていたのである。

革命初期の熱狂と嵐のような時代に、「演劇の十月」はロシア全体を劇的空間に変えた。飢えと荒廃に瀕したロシアの各地を、移動演劇は煽動列車や煽動汽船で巡回し、革命宣伝を行なう。演劇は劇場から街頭に、広場に、サーカス場に、スタジアムにと進出し、一九二〇年の十月革命記念日には、ペトログラードの冬宮広場で、エヴレイノフやアンネンコフらの共同演出による野外群衆劇『冬宮の占領』が上演され、数千名におよぶ兵士や水兵、十万の群衆が広場を埋めつくしたという。これは二年前の十月革命のときに実際に行なった冬宮占領を、同じ場所で演劇化しようとしたものであった。まさしく、シクロフスキイの語るように、「ロシアは演じ、演じつづける。生活の組織を演劇の組織に変えようとする、なにか自然発生的な過程が生まれつつある」状態であった。そしてこの渦中にあって、「演劇の十月」をだれよりも徹底して敢行したのはメイエルホリドにほかならなかった。

2　ビオメハニカ

ロシア共和国第一劇場

「演劇の十月」を実現するために、メイエルホリドはモスクワにロシア共和国第一劇場を創設した。一九二〇年秋のことである。劇場を創設したといっても、サドーワヤ通りに画する旧ゾーン劇場の荒廃した建物を借り受け、「演劇の十月」の拠点としただけのことである。暖房もなければ、すわり心地も悪い観客席は、同時代人の証言によると、劇場というよりも駅の待合室に近く、普通は集会に用いられる場所だった。冬には吹雪が楽屋や廊下にまで舞いこむので、観客の労働者や赤軍兵士は寒さのために外套にくるまり、襟を立てていなければならなかったといわれている。現在、この劇場は改造され、マヤコフスキイ広場に向かい合うチャイコフスキイ・コンサート・ホールとなっている。

ロシア共和国第一劇場は、メイエルホリドの考えによると、「革命の悲劇」と「革命の道化」といった二つのジャンルの戯曲の上演を目ざすものであった。そのためには、俳優の心理も変わらなくてはならない。メイエルホリドはこう述べている。

舞台の上でも、役づくりの過程でも、いかなる間《ま》も、心理も、〈内的体験〉も必要としない。これがわれわれの原則である。豊かな光と喜び、壮麗さと強烈な影響力、軽やかな創造、観客を劇の世界にまきこむこと、舞台づくりの集団作業、これがわれわれの劇場の綱領である。

ロシア共和国第一劇場の構成メンバーは新劇場と自由劇場を中心にして結成され、新劇場からは、のちにメイエルホリドの演劇活動ともっとも深い関係をもつようになるマリヤ・ババーノワ★1、ワシーリイ・ザイチコフ★2、イーゴリ・イリインスキイ★3といった俳優や、演出家のワレーリイ・ベブートフ★4が加わっている。

この旗揚げ公演となったのは、エミール・ヴェルハーレン★5の書いた『曙』で、一九二〇年十一月七日、十月革命三周年の記念日に初演された。ベルギー象徴派の詩人が一八九八年に書いたこの戯曲は、十月革命の理想と多くの面で共鳴し合っていた。神話的な町オピドマニを舞台に、戦争が民衆の蜂起に転化し、しかもその際、とりわけアクチュアルな意味をおびてくるのは、それまで敵対する陣営にあった兵士と民衆が団結するモチーフであった。包囲されたオピドマニの民衆は犯罪的な支配層にたいして蜂起し、町を包囲した敵軍の兵士たちが自分たちの将官に武器を向け、名もない民衆の友として、兄弟としてオピドマニに入ってくるという筋である。

このユートピア的なヴェルハーレンの戯曲の脚色と演出を担当したメイエルホリドとベブートフは、ロシア革命から国内戦にいたる状況との関連において台本を作り変え、一種の政治集会の場を創出したのであった。

❶『曙』 1920

たとえば、『曙』のこの公演のときに劇中の伝令兵の役を演じていた俳優フリサンフ・ヘルソンスキイ★6の回想によると、一九二〇年十一月十一日、赤軍がペレコープを占領したその日に、このニュースを劇中のセリフに変えて報告したとある。ペレコープというのはクリミヤ半島に通ずる町で、国内戦当時の激戦地区、赤軍は数度にわたる激戦ののち、ウランゲリ将軍の率いる自衛軍をペレコープで破り、これを契機にクリミヤの戦況が一転したことで知られている。このニュースを電報で知らされたメイエルホリドは、急拠、伝令兵のセリフを変更して、舞台で俳優に戦況報告を行なわせたわけである。赤軍によるペレコープ占領のニュースが政府機関紙「イズヴェスチヤ」に正式に発表されたのは十一月十七日のことである。なにしろ、首都から遠く離れた地方での出来事にほかならなかった。もっとも、ヘルソンスキイの回想の信憑性を史料的に実証するものはなにもなく、舞台でこのような戦況報告が行なわれたことがはじめて活字になったのは十一月十八日のことである。

演劇批評家で、当時、ロシア共和国第一劇場の文芸部長であったミハイル・ザゴールスキイ[★7]は、つぎのように回想している。

ロスタ（ロシア通信社）との連絡はわたしの管轄下にあって、前線からの報告はただちに劇場の廊下に掲示されることになっていた。ウランゲリ軍にたいする赤軍の決定的な勝利を告げる電報がメイエルホリドに手渡された。するとすぐさま、天才的なインスピレーションの衝動にかられて、戯曲の途中で、敵にたいする勝利を報告する伝令兵のセリフを電報にとってかえることをメイエルホリドは決心したのだった。

この歴史的な電報が読みあげられたとき、劇場でどのような事態が発生したかを伝えるのは困難である。あれほどまでの叫喚と拍手の爆発、あれほどまでの全員一致の歓喜と憤怒のどよめきを劇場のなかで聞いたことは一度としてなかった。

このとき以来、『曙』の上演のたびに、前線からの戦況報告が舞台から観客に読みあげられることになり、こうして、劇は政治集会の観を呈するようになったのである。

ちなみに、この劇の美術を担当したのは、ペトロフ・ヴォトキンの弟子で、いまは未来派の影響を強く受けている画家ウラジーミル・ドミートリエフ★8であった。ドミートリエフは、なにもないがらんとした舞台に、銀灰色の立方体、円筒、三角柱、三角形を設置し、赤と金色のベニヤでできた円形をその背景にした。これらの装置は、いずれもブリキ、木、縄、針金でつくられていて、タトリンのカウンター・レリーフを彷彿させるものだったといわれている。その舞台から、装置と同じ銀灰色の麻布をまとった俳優たちが、メーキャップもせずに、観客に向かってメッセージを訴えていた。観客席の明かりは上演中も消されぬままで、いかにも政治集会にふさわしい雰囲気であった。

❷ドミートリエフ『曙』の舞台装置　1919

しかし、この劇の上演は、教育人民委員ルナチャルスキイやレーニンの妻ナジェージダ・クループスカヤ★9をはじめ多くの人々からの批判を受けざるをえなかった。それでも、この芝居は盛況裡に百回以上も上演を重ねたのであった。

やがて国内戦は終結し、革命の勝利が確実なもの

❸ラヴィンスキイ『ミステリヤ・ブッフ』の衣裳 1922

となった。この革命の勝利の歓喜を表現しようとしたマヤコフスキイは、『ミステリヤ・ブッフ』の第二版をメイエルホリドに提供した。

『ミステリヤ・ブッフ』新版の上演にはいくつかの障害が待ち受けていた。〈リト（教育人民委員会文学部会）〉の責任者であったプロレタリア作家のアレクサンドル・セラフィモーヴィチ[★10]はロシア共産党中央委員会に手紙を送り、この戯曲が労働者には理解できないものであると書いて、その上演に反対した。このような意見を打ち消すために、マヤコフスキイは何度となく労働者の集会でこの戯曲を朗読したが、そのたびに、労働者の支持を得ていた。一月三十日には、ロシア共和国劇場で、「『ミステリヤ・ブッフ』を上演すべきか否か」と題する公開討論会まで開かれたほどである。もっとも、この劇の稽古はメイエルホリドによってすでに進められていて、五月一日には初演が行なわれた。劇は大成功を収め、この演劇シーズンの終わる七月七日まで、毎晩のように上演された。

『ミステリヤ・ブッフ』第二版の上演に際して、メイエルホリドは幕の使用を否定し、そ

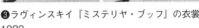

れと同時に、未来派や立体派の舞台美術をも含め、俳優の「背景」となる装置そのものをも否定したのだった。ヴィクトル・キセリョフ[★11]、アントン・ラヴィンスキイ[★12]、ウラジーミル・フラコフスキイ[★13]の三人の画家の担当した舞台美術は、従来の装置にかわる構成物をつくり出し、舞台と観客席との一体化を目ざしたのであった。ここから、構成主義につながるメイエルホリドとのへだたりはほんの一歩しかなかった。

このように、ロシア共和国第一劇場で、メイエルホリドは『曙』と『ミステリヤ・ブッフ』二版を上演して、アカデミー劇場に叛旗をひるがえしつつ、「演劇における市民戦争」を展開しつづけた。しかし、国内戦は終結し、短かったとはいえ英雄的な戦時共産主義の時代にも終止符が打たれた。時代は変わりつつあった。「演劇の十月」の陣営のなかで、そのことを理解していたのはほとんど誰もいなかった。

構成主義との結合

一九二一年二月二十六日には、メイエルホリドはすでに〈テオ〉責任者の地位を解任され、五月には、〈テオ〉との関係を絶ってしまっていた。「演劇の十月」の理念の伝達者であった「演劇通報」紙は二一年八月に廃刊となり、九月六日には、ロシア共和国第一劇場もついに閉鎖されることとなった。

ルナチャルスキイはつぎのように書いているが、この文章は、この間の経緯を説明する資料となろう。
熱狂的になったメイエルホリドは未来派の軍馬にまたがり、「演劇の十月」の支持者に、「反革命的な」アカデミズムの砦を襲撃させた。メイエルホリドにたいして深い愛情を抱いていたにもかかわらず、わたしが彼と訣別しなければならなかったのは、このような一面的な政策が、わたしの観点のみならず党の観点とも鋭く対立していたためである。……国家の行政面からすると、メイエルホリドの極端な路線を受け入れがたいものとみなさないわけにはゆかなかったのである。

こうして、ロシア共和国第一劇場は閉鎖され、二年間の「演劇の十月」の実験は、『曙』と『ミステリヤ・ブッフ』の二作を上演し、勝利のこだまを響かせただけで、突如として休息の時間をもつことになった。

「ロシア共和国第一劇場が演劇戦線から撤退したあと、いったい誰が、記念碑のような芸術的な原理を実質的に継続できるであろうか」とメイエルホリドは書いていたが、英雄的で革命的な時代精神は、〈ネップ〉の施行とともに急速に失われはじめていた。大きな舞台を奪われたメイエルホリドは、ふたたび、演劇の実験室ともいうべきスタジオに回帰せざるをえなくなったのである。

このようなスタジオとなったのは、モスクワに設立された〈国立高等演出工房〉であった。メイエルホリドはこの工房の指導者となったが、〈演出工房〉は一九二一年秋に〈演劇工房〉となり、最後には、〈国立演劇研究所〉と名称を変えた。わずかの歳月のうちに名称はこのように変わったものの、本質的には、メイエルホリドの志向した演劇理念に変わりはなく、メイエルホリドのほか、ベブートフ、イワン・アクショーノフ[★14]などを指導者にして、演劇革命に心を燃やす若い弟子たちのメンバーも変わりはなかった。この弟子たちの名前を挙げるなら、イリインスキイ、ザイチコフ、ババーノワといった旧ロシア共和国第一劇場の俳優たちをはじめ、未来の映画作家セルゲイ・エイゼンシュテインとセルゲイ・ユトケーヴィチ[★15]、そして詩人セルゲイ・エセーニンの前夫人で、のちにメイエルホリドと結婚する女優ジナイーダ・ライフ[★16]などである。いずれも、その後のメイエルホリドと運命を共にした人々にほかならなかった。この〈工房〉には、マヤコフスキイをはじめ、トレチヤコフ[★18]、アンドレイ・ベールイ[★19]、ニコライ・エルドマン[★17]、フセヴォロド・ヴィシネフスキイ、イリヤ・セリビンスキイなどの詩人や作家が自作を朗読するためにやってきていた。そしてここでは、リズムをもった体操、ダンス、アクロバットなどの授業が行なわれていた。

〈演出工房〉から〈演劇研究所〉にいたる実験室で、メイエルホリドの開発した演劇理論の中核となるのはビオメハニカであり、その実現のために演劇の共同作業に引きずりこんだのは、当時の美術の最先端の問題を提起していた構成主義につらなる画家たちであった。演劇に構成主義を導入しようという考えがメイエルホリドに浮かんだのは、一九二一年の秋、「5×5＝25」と題するモスクワの構成派の展覧会を見たときのことと想像される。この展覧会には、ロドチェンコ、ポポーワ、シュテレンベルグ兄弟、コンスタンチン・メドゥネツキイの五人の画家が五点ずつ出品していた。この展覧会に出品していたポポーワは、メイエルホリドの招きで〈演劇工房〉の教授スタッフに加わった。

構成主義者の宣言においては、芸術は本質的に否定されていた。

われわれ構成主義者が芸術を否定するのは、それが目的にかなっていないからである。芸術は本質的には受身であって、それは現実を反映するにすぎない。構成主義は能動的なものであって、それは現実を反映するだけではなくて、それ自身が行動するものである。

われわれは芸術にたいする妥協せぬ戦いを宣言する。

一九二〇年の「構成主義宣言」はこのように述べていた。このような構成主義の概念からすれば、同時代の演劇とは理論的にはまったく共存しえないものであった。しかし、メイエルホリドのビオメハニカの理論の根底には、構成主義の理論とも共通するものがあったことを否定するわけにはゆかない。〈演劇工房〉の責任者であったイワン・アクショーノフはこう書いている。

大きな形式のなかで自己を表現し、輝きをもって人々のなかに入ってゆく可能性を構成主義にはじめて与えたのは演劇である。

もっと具体的にいうなら、この可能性を構成主義に与えたのはメイエルホリドにほかならなかった。

どうしてそれが起こったのか。

構成派は、ほかのいかなる現実的な展望ももっていなかった。塔や摩天楼、ガラスの宮殿やねじの立方体などを建てるには、若いロシア共和国はあまりにも貧しすぎた。新しいものを建設する時期はまだ訪れていなかった。劇場のなかにおいてのみ、ごく普通の板と釘（これも当時は不足していたのだが）の助けを借りて構成派の理念は実現されたのである。

そして、メイエルホリドの唱えるビオメハニカと構成主義が結合して最初に成功を収めたのが、一九二二年四月二十五日、〈演劇工房〉★20の生徒を中心とする〈俳優劇場〉によって初演されたフェルナン・クロムランクの『堂々たるコキュ』であった。

ポポーワの舞台装置

この『堂々たるコキュ』の舞台美術を担当したのがリュボーフィ・ポポーワであったが、ポポーワの舞台装置は演劇史上はじめてあらわれた純粋な構成主義の成果であった。

ポポーワは舞台の状況にかかわるクロムランクのト書きを注意深く検討し、その指示をことごとく否定することにした。メイエルホリドにしてみれば、花の咲く庭も、豪華な村の屋敷も、光り輝く新しい家具も、陶器の食器も必要なかった。不必要なものをすべて除いてしまうと、ドアと階段、窓と踊り場といった実際の劇中の行為の細部を意味するものはなにも残らなかった。このような制約的な要素をもとにして構成物が作られたのである。壁も必要としなかったことはいうまでもない。

この舞台の構成は、基本的には舞台前面に平行に置かれた木製の二つの足場から成り、この二つの足場は橋によって結びつけられている。高いほうの足場には回転扉がある。上手と下手にも二つの階段があり、それぞれ傾斜していて、舞台の両端に達している。どういうわけか、二つの足場のあいだに、それぞれ大きさの異なる黒、白、赤の三つの車輪が回転している。この車輪はあるときは速く、あるときはゆっくりと、俳優の演技のリズムとテンポに応じて回転する。このほか、舞台左手の上方には、製粉所の風車を思わせる、格子のような不完全な翼をもつ風車があった。そして、足場からは傾斜した板も渡されて

❹ポポーワ『堂々たるコキュ』の舞台装置 1922

❺ポポーワ『堂々たるコキュ』の作業着 1922

❻『堂々たるコキュ』 1922

いて、俳優たちはそれをつたって滑り台のように一瞬のうちに下まで滑りおりることができた。

このようにして、俳優の演技の実現の場を目的としつつも、突拍子もない連想を起こさせる奇妙な構成物ができあがったのである。

ポポーワの装置は、煉瓦の背壁をむき出しにした旧ゾーン劇場の舞台に作成されたものであったが、アレクサンドル・グヴォーズジェフ[★21]の言葉によると、「サーカスのアクロバットの装置や小道具にも比較できるような俳優のためのトランポリンであった。サーカスのブランコがそれだけでは美的価値をもたず、曲芸師にしてみれば、自分の仕事の目的に適ったものであるなら、それが見た目に美しかろうがなかろうがどうでもよいように、『堂々たるコキュ』の構成物もまた、装飾的意義などは無視して、ただひたすら俳優の演技の拡大のためにつくられた」のであった。確かに、ポポーワによってつくられた「俳優のための鍵盤」はダイナミックな感覚にみちあふれていた。

それでも、構成主義＝生産主義を志向するポポーワは、演劇の仕事も「芸術性」や「美学性」を完全に拒否するときにのみ可能であると考えていた。そして、舞台の制約のために観客席から見て正面に構成物を設置せねばならなかったこと、本来、目ざしていた実用性がやはり「美学的性格」の効果のために弱められたことを後悔していた。実際、演劇における構成主義の試みは、構成主義の理念でもあった実用性を犠牲にしてしか獲得できなかったのかもしれない。
ニコライ・タラブーキンはこう書いている。

リュボーフィ・ポポーワの仕事には、非対象絵画であるとはいえ、やはり絵画の伝統の反映がみられる。『堂々たるコキュ』の構成においては、意識的に平面性が強調されていることが目につく。風車の車、黒地に白の文字、黄色と黒と組合わされた赤などはすべて絵画的であり、装飾的である。装置には平面性とシュプレマティズムが強調されている。

このように、構成主義者の目から見れば、実用性の視点の欠落が批判されるのであろうが、それでも、ポポーワが長いこと苦しみ、動揺したあげく、初演の前夜になってはじめてポスターに美術担当者としての自分の名前を発表する決意をした事実も無視するわけにはゆかない。しかし、ポポーワの言葉を引くなら、サーチライトに照らされた『堂々たるコキュ』の構成物を劇場の二階正面の桟敷席から見た日は、彼女の生涯でもっとも幸福な一日であった、とのことである。
メイエルホリドにしても、ポポーワの仕事には満足していたし、『堂々たるコキュ』の上演は彼の演劇活動のなかでも決定的な意味をもつものであった。一九二六年に、メイエルホリドはこう書いていた。

ロシア共和国第一劇場の閉鎖後、劇場を失ったわれわれは、舞台を用いない芝居作りという問題を研究しはじめた。

この仕事が、そのころから少しずつ準備をしてきたこの『堂々たるコキュ』の性格に強い影響を及ぼしている。われわれはいつだって金欠病に悩まされていたものだが、あのときは、それこそ一文なしといってよかった。『堂々たるコキュ』の上演のためには、いまの金にして二百ルーブルですべてをまかなわなければならなかったのである。

この劇は、舞台の袖やプロセニアム・アーチといった演技の場の枠組と絶縁した新しい舞台装置における新しい演技に基礎を与えねばならなかった。それは新しい原則を基礎づけつつ、あらゆる構成物の線という線を露わにし、この技法を図式化という極端な結論にまで導かずにはいなかったはずである。この原則はこのうえなく完璧に実現された。

この劇の成功は、新しい演劇観の根拠そのものの成功にほかならなかった。

この上演を通して示された極端なまでの様式性が、たとえ一部の批評家たちに恐怖を与えたとしても、広範な観客に歓迎されたという事情は、演劇もまた革命によって獲得された文化の達成のひとつであるとみなす新しい観客に、このような演劇活動の様式が渇望されていたことを証明している。この劇の上演によってわれわれが望んだことは、虚妄な舞台装置も複雑な小道具なども必要としない新しい演劇活動のための基礎を確立することだった。（『堂々たるコキュはいかに上演されたか』）

ビオメハニカ――新しい俳優の原理

ところで、メイエルホリドによって上演された『堂々たるコキュ』とは、どのような芝居だったのだろうか。ベルギーの劇作家で、フランスの舞台で活躍したフェルナン・クロムランクによって一九二〇年に書かれた戯曲『堂々たるコキュ』は、中世のファルスの陽気な粗暴さで構成され、嫉妬を主題とした作品であった。この主題はまったく不合理なまでに誇大化されていて、きわめて単純なものである。村の代書屋で詩人でもある主人公ブルーノは、美しく貞淑な新妻ステラを熱愛するあまり、世のすべての男たちが彼女を愛さずにはいられないはずだ、妻の不貞の相手は誰なのだ、と嫉妬にかきむしられる。黙りこくっている書記のエストラルゴ、夫を愛し、従順で、なにひとつとして異論もはさまぬステラを前にして、「おれに必要なのは、彼女のところにやってくるすべての男たちのなかで、やってこない男を知ることなのだ」とブルーノは泣きわめく。彼は裏返されたオセロであると同時に、イヤゴーでもあった。そこで、彼は村の男を一人残らず自宅に招待し、妻とベッドを共にさせようと仕向ける。結局、粗野で、べつに愛しているわけでもないヴ

❼『堂々たるコキュ』

❽『堂々たるコキュ』右から
ババーノワ、イリインスキイ

ォロパスのもとにステラは去る。だが、ステラを失ったブルーノは、それでも、これはもしかしたら、本当の愛人を隠すための妻の企みではないかと疑惑にかられ、嫉妬にさいなまれる。

このように、一見、他愛のない、それでいて刺激的な戯曲を、メイエルホリドは一種の悲喜劇に仕立てあげたのだが、俳優たちにも、それぞれ悲喜劇役者になることを要求した。たとえば、イリインスキイの演じたブルーノは「愚鈍な男」、ババーノワの演ずるステラは「恋する女」、ザイチコフの演ずるエストラルゴは「道化」、ニコライ・ローセフの演ずるヴォロパスは「高慢な若者」といった型にはまった役割を与え、それらの役を単純に典型化すると同時に、劇全体の構成要素としたのであった。

そして、この劇全体を統一する技法として注目されるのは、ビオメハニカという呼び名で評判となったメイエルホリドの演出方法にほかならなかった。ここでは、舞台美術をはじめとする劇の外面的な形式と俳優たちの演技とのあいだにある有機的な対応関係が示されている。メイエルホリドの指導を受けた俳優たちの演技は、ビオメハニカの原理の上に成立していたが、それは『堂々たるコキュ』において、はじめて観客の前でその成果が問われたのであった。

この劇の上演に関連して一九二二年に書かれたスチンフのつぎのような文章がある。

人間の身体の研究を基礎に置くビオメハニカは、身体の構成部分のメカニズムを研究し、それを理想的なかたちで駆使し、磨きをかけることのできる人間を創造しようとしている。

機械化された条件のなかで生きている現代の人間は、自己の身体の運動の要素を機械化せずにはいられない。

ビオメハニカによって、ひとつひとつの動きを正確に分析しつつ遂行する原理が確立されようとしており、なによりも正確な模範となることを目的にしたひとつひとつの動き、つまり視覚的な動きのテーラー・システムの微分が成立するのである。現代の俳優は、現代の自動車のように舞台から自分を示さなければならないのである。

(『ビオメハニカ』)

ここには、ビオメハニカと美学上の構成主義、時代精神とのかかわりのなかで詩的に表現され、讃美された目的にかなった機械との直接的な関係を樹立しようとする試みが明らかに見てとれる。さらには、俳優のみならず、普通の人間をも改良せんとするビオメハニカの理念も表現されている。機械化の原理にもとづいて「組織される」人間、「機械化された日常生活」に理想的に適応できる人間についての夢は、当時の時代精神のひとつの現象であった芸術否定の理念とビオメハニカとを架橋するものでもあった。

ビオメハニカについては、メイエルホリド自身、一九二二年六月十二日に、「未来の俳優とビオメハニカ」と題する講演を行なっている。メイエルホリドの声に耳を傾けようではないか。

過去の俳優は、芸術創造において、みずからの創造を必要とする社会にいつでも順応してきた。未来の俳優はそれ以上に、みずからの演技を生産の状況に合致させねばならないであろう。労働が呪わしいものとしてではなくて、喜びにみちた生活に不可欠なものとして実感されるような状況のなかで仕事をするようになるのだから。このように理想的な労働条件のもとでは、芸術が新しい基盤をもたねばならないことはいうまでもない。

メイエルホリドはこのように語りはじめ、労働と休息との関係を考察し、最小の時間で最大の生産性をあげようとするアメリカのテーラー・システムに注目しながら、芸術が単なる娯楽ではなく、労働過程に役立ち、本質的に不可欠なものとして新しい階級に利用されねばならない、と言う。そして労働過程と芸術創造の類似性を指摘して、こう語る。

芸術において、われわれはつねに素材の組織化という問題とかかわっている。技師にならなければならない、と構成主義は芸術家に要求した。芸術は科学的な根拠にもとづかねばならず、芸術家の創造はすべて意識的なものでなければならない。俳優の芸術は自己の素材を組織すること、つまり自己の身体という表現手段を正しく駆使する能力をもつことになる。

一人の俳優のなかには、組織する者と組織される者（つまり芸術家と素材）が共存している。俳優の公式は、$N=A_1+A_2$というかたちで表わされるが、ここで、Nというのは俳優、A_1は構想し、その構想を実現するために指示を与える構成者、A_2は俳優、つまり構成者（A_1）の課題を実現する演技者の身体である。

俳優が自己の素材ともいうべき身体を訓練しなければならないのは、外部（俳優あるいは演出者）から与えられた課題をただちに遂行できるようにするためである。

このように考察したあと、メイエルホリドはテーラー・システムを俳優の仕事、演劇の現場に取り入れることを主張する。そして、「俳優の創造が空間における造型的な創造であるからには、俳優は自分の身体のメカニズムを研究しなければならない」として、「現代の俳優の基本的な欠陥は、ビオメハニカの法則をまったく知らないということである」、「体操、アクロバット、舞踊、リズム体操、ボクシング、フェンシングなどは有効な科目ではあるが、いかなる俳優にとっても基本となり、不可欠な科目であるビオメハニカの補

❾『堂々たるコキュ』

助手段として取り入れられるときにのみ、はじめて有効なものとなりうる」と結論する。

ビオメハニカについて、メイエルホリドはこのように述べているが、ビオメハニカは、いかなる複雑な演技の課題をも遂行できる新しい劇場の「喜劇役者」を技術的に育成する任務をおびていた。メイエルホリドの求めていた俳優はなにもかもできなければならなかった。メイエルホリドがビオメハニカを提唱したのは、モスクワ芸術座の俳優養成の基本としていたスタニスラフスキイのシステムにそれを鋭く対置するためだった。

スタニスラフスキイのシステムを含めて、従来の演技システムでは、「インスピレーション」や「直観」にもとづく演技、あるいは「役を再度生きる」ことを求めた演技が中心を占め、いずれにせよ俳優の情緒に縛られていたのにたいして、内面から外面へではなく、反対に外面から内面へと役をとらえる役づくりの原則に立ち、訓練された身体の機構をメカニックなリズムで動かすことのできる俳優の演技をビオメハニカは目ざしたのである。

ビオメハニカの可能性をはじめて観客の前に示した『堂々たるコキュ』の上演について、パーヴェル・マルコフはこう書いている。

『堂々たるコキュ』は俳優の技術がなによりも純粋で絶対的なものであることを確証した。メイエルホリドはきめこまかなメーキャップの重荷から、凝った衣裳から俳優を解放し、登場人物全員に共通する同じ作業衣を俳優に着せ、ほとんどメーキャップなしで、不細工なドーランなどつけない素顔のままで演技させた。抽象的で見せかけの美しさといった唯美主義を背景にするのではなくて、個々の断片の内容をもっとも目的にかなうように鮮明に表現するものとしての動作を彼は検討していたのである。……しかし、メイエルホリドのこのような傾向は、彼の内面的な輪郭を絶滅させることを意味したのではなかった。……イメージの展開にとって本質的で純粋な線をメイエルホリドは救出しようとしたのである。

ルドニツキイの『演出家メイエルホリド』のなかでは、『堂々たるコキュ』がどのように上演されたかを示す資料が豊富に示されている。それによると、第一幕でもっとも効果的な場面のひとつは、ブルーノが自分の妻ステラの魅力を彼女の従兄ピョートルの前で賞讃し、妻の服を脱がせるのだが、やがて不意に、その肉体を見た従兄の目に情欲の炎が燃えあがるのに気づくと、その顔に強烈な平手打を浴びせかける。この平手打の音と同時に、三つの車輪がいっせいに回転しはじめるという。そして、第一幕の最後で、ブルーノが興奮のあまり、絶望にかられて、「おれはコキュだ!」と叫ぶなり、またしても、すべての車輪が回転しはじめるのである。ブルーノの嫉妬や憂愁といった心理的な状態が記号化されるわけである。

舞台での俳優たちの演技はほとんどアクロバットのような機敏さが要求されていた。たとえば、メイエルホリドはこのような構成を考えていた。別れの挨拶をかわしながら町長は回転扉の右半分を尻で押したため、扉の左半分が従兄のピョートルを押し出し、舞台前面のベンチに突きとばしてしまう。「失礼しました」と町長が言うなり、思わず扉の右半分を押してしまい、その勢いで左側の扉に鼻をぶつける。やがて、扉が反対方向に回転し、扉と左側の空間に町長はとばされてしまう。

このような動作が車輪や風車の翼の動きと連動し、この芝居の全体にスポーツのような見世物の性格を与えずにはおかない。すべての演技者が青い作業衣を身につけ、ブルーノの胸には赤い玉房、ステラの脚には薄い絹のストッキングといった差異があったものの、全体としては、メイエルホリドの望んでいた新鮮さ、健康さ、若さの感覚がみごとに表現されていた。

この『堂々たるコキュ』においては、メイエルホリドの三人の弟子、イリインスキイ、ババーノワ、ザイチコフの三人組の圧倒的な演技が注目を浴びた。彼らの頭文字をとって、〈イリ・バ・ザイ〉という呼び名が、当時、評判となったのである。

「〈イリ・バ・ザイ〉はなによりもまず、メイエルホリドの俳優が一定の登場人物のなかに入りこみ、これまでわれわれの知らなかったグループの構成に従っていることが注目される。俳優はみずからの個性を保持しつつ、相手役のきわめて驚嘆すべき感情を挑発し、自分の相手役のあらゆる身体の動きと対応させる能力をもっているので、実際、従来の俳優の演技の批評基準が不十分であることがわかり、通常の批評用語を破壊しつつ、三つの身体をもった人物について語らなければならないのである」とグヴォーズジェフは述べている。

また、ボリス・アルペルスは、『堂々たるコキュ』が俳優の新しいタイプを創造したものとして高く評価しつつ、「メイエルホリド劇場の俳優は新しく自分の家を建て、人間の身体のもっとも単純に目的にかなない、陽気な動作のなかから自己の芸術を新たに創造した。これは、その芸術が革命を目ざすあらゆる芸術と同様に、ダイナミックなものであった。俳優は自分の周囲をながめまわしている。人生に喜びを見いだした機敏な俳優は、『堂々たるコキュ』の構成物の急な階段を駈け昇ろうとするが、滑り落ちてしまう」(『社会的仮面の劇場』)と書いている。

『堂々たるコキュ』の上演は圧倒的な成功を収めた。この劇の成功に勇気づけられたメイエルホリドは、構成主義とビオメハニカを適用したつぎの仕事に着手し、一九二二年十一月二十四日、アレクサンドル・スホヴォ＝コブイリン[★22]の『タレールキンの死』を初演した。一八六九年に完成されたこの戯曲は、ツァーリズム体制にたいする辛辣な諷刺にみち、絶望をはらむ悲劇的なファルスであったが、この喜劇を定期市の茶番、道化芝居に変換することは、メイエルホリドにとってはきわめて誘惑的なものであった。

『タレールキンの死』の美術・衣裳を担当したのは、ポポーワと同じ構成主義の美術家ワ

⑩『タレールキンの死』 1922

⑫ステパーノワ『タレールキンの死』の舞台装置のブランコ 1922

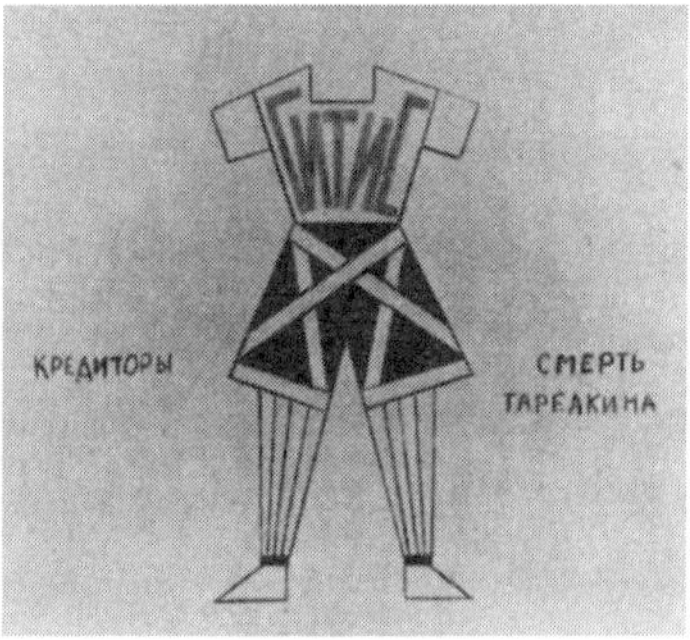

⑪ステパーノワ『タレールキンの死』の衣裳 1922

ルワーラ・ステパーノワであった。ステパーノワは装飾性とは完全に絶縁した複雑な構成物、巨大な挽肉機械を完成した。この挽肉機械を通って、囚人たちは監獄の独房を思わせる檻のなかに送りこまれるのである。やはり、ステパーノワの考案した青い縞の入った囚人服のような作業衣を着た俳優たちは、テーブルのバネがはずれたり、椅子の脚が折れたりといったように仕掛けのある家具と絶えず取組み合いを演じ、サーカスの道化やドタバタ芝居の芸を拡大する演技の道具が舞台に寄せ集められていた。

なお、一九二一年に「演劇工房」に加わったエイゼンシュテインが、この劇の上演に際して実験助手を勤め、メイエルホリドの演出に協力したのも、記憶されねばならないことであろう。

3 メイエルホリド劇場の命運

トロツキイの演説

一九二三年のはじめから、これまでメイエルホリドの指導を受け、その仕事を実質的に担ってきた俳優劇場を中心とする旧ロシア第一共和国劇場は、ソヴェト政権によって正式にメイエルホリド劇場と改められた。この劇場が国立メイエルホリド劇場と改名されるのは一九二六年末のことである。

一九二三年三月四日、メイエルホリド劇場で初演されたセルゲイ・トレチヤコフの『大地は逆立つ』は、メイエルホリドの演出活動のひとつの頂点をきわめたものと考えられる。これは一九二一年に発表されたマルセル・マルチネの詩劇★1『夜』の翻訳を、トレチヤコフが自由に脚色したものである。原作は第一次大戦に参加した軍隊の未完に終わった反乱を主題としていたが、脚色にあたって、舞台はロシア革命後の国内戦の時期に移され、セリフはアジビラのように書きかえられ、具体的な歴史上の事件が挿入されるのは、『曙』のときと同様であった。

『大地は逆立つ』の装置を担当したポポーワは巨大なクレーンの木製の模型を舞台中央に置き、客席の中央にある通路に、後方から舞台につながる軽い勾配をもった幅の広い道路を通し、そこを通って、本物の自転車やオートバイ、それに自動車までがうなりをあげながら疾走するのだった。まさしく劇場も「逆立つ」ものであったらしい。舞台には、タイトルやスローガンを映写する二枚の大きなスクリーンが吊るされている。

この芝居を劇場で観たユーリイ・アンネンコフのつぎのような回想は、この劇の主題と雰囲気を生き生きと描き出している。

❶『大地は逆立つ』 1923

『大地は逆立つ』の初日だったか、それともそれに続く何日目だったか、もう憶えていない。観客席は超満員だった。わたしのところからほど遠からぬ桟敷のひとつに、数人の赤軍司令官にまじって、軍事人民委員にして共和国革命軍事ソヴェト議長のレフ・トロツキイが軍服姿で腰をおろし、このうえなく熱心に舞台を注視していた。

いつものとおり、メイエルホリドの演出はさまざまな新機軸を披露した。戯曲の主題は国内戦、ツァーリズムの崩壊、白軍の壊滅だった。リユボーフイ・ポポーワの構成主義的舞台装置にはスクリーンが導入され、それに政治的スローガンが映写された。そこに写し出された「軍事人民委員レフ・ダヴィドヴィチ・トロツキイにこの上演は捧げられる」という文字を読むや、観客は起立して拍手を送り、ついで「インターナショナル」の歌声が起こった。トロツキイも起立して、これらすべてを受け入れた。さらにその先では、本物の装甲車、オートバイ、トラックなどが観客席を横切って舞台へ乗りあげ、これもまた拍手と歓呼を浴びた。

「赤軍万歳！　プロレタリア独裁を目ざして前進！」

ある幕の途中、たまたまわたしがトロツキイの桟敷をふり向いてみると、もはやそこに彼の姿はなかった。おそらく芝居が彼の好みに合わなかったので、そっと立ち去ったのだろう、とわたしは思った。ところが、二、三分後、思いもかけぬことに、トロツキイが舞台に現われたのだ。そして、さっと道をあけた俳優たちのまんなかに進み出ると、赤軍創設五周年を記念する、とはいえ進行中の場面に合った短い演説を行なった。嵐のような喝采のあと、舞台はなにごともなかったかのように進行し、トロツキイはふたたび自分の席にもどった。

（『同時代人の回想』）

アンネンコフの回想するこのエピソードは、ロシア革命の指導者トロツキイと演劇の永久革命者メイエルホリドが、いずれも革命の理想の実現の可能性を確信しつつ劇場の舞台で出会った稀有な歴史的な瞬間を証言するものではないだろうか。革命といい、芸術といい、未知の境界を絶えず越えようとする絶望的なまでに困難な試みをみずからに課したこの二人の出会いも、やはり昂揚した時代精神の表現を抜きにしては考えられなかったに相違ない。

一九二三年三月二十八日、政府機関紙「イズヴェスチヤ」は、演劇生活二五周年を迎えたメイエルホリドに「ロシア共和国人民芸術家」という称号が贈られたことを報じた。メイエルホリド劇場で『大地は逆立つ』の上演中のことである。このような称号を与えられたのは、メイエルホリドが演出家としてははじめてのことであった。

このような栄誉を受け、しかも自分の名前をつけた劇場をもつことのできたメイエルホリドは、長年にわたる苦難にみちた演劇活動の成果が革命政府によって公認されると同時に、革命後のロシア演劇の旗手として圧倒的な多数の観客によって承認されたのでもあった。このとき、メイエルホリドは四十九歳になっていた。

メイエルホリド劇場はモスクワの演劇界の中心であったばかりでなく、ロシア共和国の演劇の拠点でもあり、ロシアの演劇に関心をもつすべての人々の視線はことごとくメイエルホリド劇場に向けられていた。しかし、このようなメイエルホリドの勝利もまた、つかの間の輝きにすぎず、いずれ光沢を失う運命を迎えねばならぬことなど、当時、誰ひとりとして知る者はなかった。

アヴァンギャルド芸術の試練

メイエルホリド劇場で、彼の演出によって上演された芝居を時代順に列挙すると、こうつづく。

アレクサンドル・オストロフスキイ[★2]『森林』（一九二四年一月九日初演、美術ワシーリイ・フョードロフ）、エレンブルグ原作『Ｄ・Ｅ』（二四年六月十五日初演、美術イリヤ・シレピャーノフ）、アレクセイ・ファイコ[★3]『ブブス先生』（二五年一月二十九日初演、美術シレピャーノフ）、ニコライ・エルドマン『委任状』（二五年四月二十日初演、美術シレピャーノフ）、ゴーゴリ原作『検察官』（二六年十二月九日初演、美術ヴィクトル・キセリョフ、音楽ミハイル・グネーシン）、クロムランク『堂々たるコキュ』（第二版）（二八年一月二十六日初演、美術ポポーワ）、アレクサンドル・グリボエードフ原作『知恵の悲しみ』（二八年三月十一日初演、美術ヴィクトル・シェスタコフ）。

このようなレパートリイをふり返ってみると、メイエルホリド劇場で上演された作品のなかで、同時代の作品がきわめて少ないことに気づかずにはいられない。エレンブルグ、ファイコ、エルドマンの作品を除くと、いずれもロシアの古典作家の作品ばかりである。オストロフスキイ、ゴーゴリ、クロムランク、グリボエードフ。いうまでもなく、これらの劇作家はロシアの演劇史に残るもっともすぐれた人々にほかならなかった。しかし、すぐれた同時代の劇作品が乏しかったことのみに、この原因を求めてはなるまい。古典をいかに現代に復活させるかという課題こそ、メイエルホリド劇場の課題にほかならなかったからである。

すでに述べたように、スホヴォ＝コブイリンの『タレールキンの死』の演出は、古典劇にも構成主義とビオメハニカを適用できるとみるメイエルホリドの最初の試みであったが、それ以降の古典劇の演出にも、その試みは一貫して持続されていた。

❷『森林』のポスター　1924

たとえば、オストロフスキイの『森林』では、五幕からなる原作を二十三のエピソードに分割し、それを新たに並べかえ、映画のように急速なリズムで展開させたし、ゴーゴリの『検察官』でも、原作をもとに十五のエピソードからなる台本を作り、そのなかに、『結婚』、『賭博者』、『死せる魂』などゴーゴリのほかの作品の断片や主題を挿入し、『知恵の悲しみ』でも、グリボエードフの原作を削除したり、ほかの素材をつけ加えたりして、要するに、古典作家のもつ時代にたいする批判精神を強調しながら、それらの作品を革命後のロシアの精神と対決させ、挑発しようとしたのである。

❸『森林』 1924

メイエルホリドの演出と、彼の率いる劇場の俳優たちの演技は、それこそ未知の境界を越えようとする意欲にみちあふれていて、帝政時代のロシアが革命前の過去のものではないのではないかという疑惑を想像力の豊かな観客に抱かせずにはおかなかった。このことは、演劇によって無限に解き放たれる感受性と想像力を、ある者には確信させると同時に、ある者には、これが危険きわまりないものではないかという危惧を抱かせたのである。

『知恵の悲しみ』がメイエルホリド劇場で上演されたのは一九二八年のことである。一九二八年といえば、第一次五カ年計画による社会主義建設期のはじまる年にあたり、この前年、二七年十二月のソ連共産党第十五回大会では、トロツキイ、ジノヴィエフ[★4]らスターリン反対派九十八名の除名が決定されていて、党大会で勝利を収めたスターリンの時代のはじまる年でもあった。

❹『検察官』 1926

❺『検察官』のポスター　1926

アヴァンギャルド芸術は試練に立たされていた。だが、これはなにもはじめてのことではなかった。ロシア革命直後から、詩学と言語学を含めた文学、美術、演劇、映画といったジャンルを越えた芸術革命を志向し、インターナショナルな革命精神に燃え、世界感覚や意識、魂の革命を敢行することで人間の全的な解放を目ざしたアヴァンギャルドにたいする攻撃は、すでにくり返しつづけられてきたのである。たとえば、文学の領域でその攻撃を行なってきたのは、アヴァンギャルドと同伴者がソヴェト文学の支配的な位置を占めたことに反撥し、みずからの手に文学の主導権を奪い返そうとしたプロレタリア作家たちにほかならなかった。

メイエルホリドが『大地は逆立つ』の上演を捧げ、また革命直後の政治と文化の最高指導者の一人であったトロツキイは、一九二三年九月から、「プラウダ」紙上にプロレタリア文化否定論として有名な「プロレタリア文化とプロレタリア芸術」や「党の文芸政策」などの論文を掲載し、プロレタリア文学派の文学の特殊性を無視した性急な政治主義、共産党の直接干渉によって革命後の文芸分野におけるプロレタリア文学の主導権を組織的に獲得せんとした理論と行動を批判し、アヴァンギャルド芸術や同伴者作家を条件づきではあるが擁護したことはすでに述べたが、トロツキイは『文学と革命』のなかで、こう書いていた。

過渡期の芸術の領域におけるわれわれの政策は、革命という基盤の上に立つ各種の芸術グループや芸術潮流にたいして、革命の歴史的意義の真の摂取を容易ならしめるように仕向けるし、また仕向けなければならない。そして彼らすべてのうえに、革命に味方するのか、それとも反革命の側に立つのかという至上の基準を打ち立て、芸術自決の面において、彼らに完全な自由を提供することである。

また、当時の共産党中央委員会も、芸術の領域に直接的に介入することは慎重に避け、一九二四年五月、芸術潮流の対立を踏まえて召集された党の文芸政策をめぐる討論会は、自由で活気にみちた文学論争の場になっていた。トロツキイ、ヴォロンスキイ、ルナチャルスキイ、ブハーリンなども参加したこの討論会は、党としての性急な結論を出すことを避け、二五年七月一日、「文学、芸術の領域における党の政策について」と題する決議が、「プラウダ」にようやく発表された。これは文学、芸術における党の政策に関する中央委員会の態度決定であった。その決議は、「文学的潮流の社会的階級的内容を正確に識別しつつも、党は全体としてはけっして文学形式におけるあるひとつの傾向にみずからを結びつけることはできない。……それゆえ、この領域におけるあらゆる異なった団体および潮流の自由競争を党は宣告せざるをえない。そのほかのいかなる解決も役所的官僚的な虚像の解決となるであろう」と書いていた。しかし、「プロレタリア作家のヘゲモニーは現在まだ確立されていない。プロレタリア作家がこのヘゲモニーへの歴史的権利をみずから作り出すことを党は支援しなければならない」という項目をつけ加えることを忘れなかった。

　そのために、ここに謳われた「自由競争」の原理、あるいはトロツキイのいう「芸術自決」の原則は、それ以降貫徹されず、むしろ反対に、プロレタリア文学の中心にあった〈ラップ〉の性急で偏狭な政治主義はいっそう強まり、「前衛の世界観」をもつ「唯物弁証法的創作方法」を要求して、「敵か味方か」と非プロレタリア文学系の文学者に迫り、文学状況も沈滞したものになっていった。

Цена отдельного номера в Москве, в провинции и на ст. жел. дор.

Российская Коммунистическая Партия (больш.).

ПРАВДА

Орг. Центральн. Ком. и Московск. Ком. Р. К. П. (больш.).

№ 147 (3078). Среда, 1 июля 1925 г.

О политике партии в области художественной литературы.

(Резолюция ЦК РКП(б).

❻「文学芸術の領域における党の政策について」を発表する「プラウダ」紙　1925年7月1日

『南京虫』の上演

このような状況のもとで、メイエルホリドはどのようにして自分の劇場を演劇の革命の磁場にしえただろうか。

一九二八年五月四日、メイエルホリドは巡業先のスヴェルドフスクからマヤコフスキイに電報を打った。

これが最後のお願いだ。劇場は危機に瀕している。戯曲がないのだ。レパートリイの水準を落としたくはない。夏の終りまでに、きみの戯曲をもらえるものと期待してよいかどうか、真面目に回答してほしい。

『ミステリヤ・ブッフ』の上演ではじめて共同作業を行なったメイエルホリドとマヤコフスキイは、ここでふたたび出会うことになる。メイエルホリドにしても、マヤコフスキイにしても、革命直後の昂揚した時代精神を共有し、それを自己の芸術革命の出発点にした者にしてみれば、革命の原像が遠い闇のなかにかき消されてゆくかに見える状況を、もどかしく思わずにはいられなかったはずである。そしていま、芸術のアヴァンギャルドたらんとしたために、時代から孤立せざるをえない苦悩をにがい思いとともにたがいに嚙みしめていた二人は、最後の共通の課題を追求することになる。

一九二八年十月から十二月にかけて、マヤコフスキイはベルリンとパリを旅行しているが、その間に戯曲『南京虫』を書きあげ、十二月二十六日に、メイエルホリドの自宅で数人の友人たちに戯曲を読んで聞かせ、その二日後の二十八日には、メイエルホリド劇場の劇団員の前で戯曲を朗読した。

「この戯曲はわれわれの劇場のレパートリイとしてのみならず、現代のレパートリイ全体のなかでも特別な位置を占めるものである」とメイエルホリドは語り、十二月三十日の劇団の会議で、『南京虫』が「イデオロギーの面からみても、芸術面からみても、ソヴェトのドラマトゥルギーのもっとも注目すべき現象であり、これを劇団のレパートリイに加えることを歓迎する」と認められた。ただちに稽古がはじまり、わずか六週間の稽古のあと、二九年二月十三日に、メイエルホリド劇場で『南京虫』は上演のはこびとなった。

戯曲『南京虫』は二部九場から成り、第一部は〈ネップ〉以後の同時代、そして第二部は五〇年後の一九七九年という未来社会に場面を設定した「夢幻喜劇」である。革命から国内戦にかけての窮乏生活ののち、ネップ期を迎えて、豊かで平穏な生活を夢みる党員ではあるが、貧しく、教養もない労働者プリスイプキンが主人公である。主人公は詩人バカンの忠告に従い、出自を偽り、ピエール・スクリープキンと名前を変え、これまでの仲間を裏切り、彼を深く愛していたゾーヤ・ベリョースキナを捨てて、金持ではあるが、党員証をもっていないために肩身の狭い思いをしている美容院の娘、マニキュア美容師で現金出納係のエルゼヴィラ・ルネサンスと結婚して、ネップ・マンの仲間入りをしようとする。そのために、かつての恋人は自殺を試みる。スクリープキンとエルゼヴィラとの結婚式はルネサンス美容院で厳粛に挙行されるが、式の終り近くに火事が発生し、主人公を除いて一人残らず死んでしまう。消防夫の放水で氷漬けになって生き残ったスクリープキンは、

❼『南京虫』の稽古　後列左からマヤコフスキイ、ロドチェンコ、前列左からショスタコーヴィチ、メイエルホリド　1929

❽『南京虫』のポスター　1929

五十年後に洞穴のなかで発見される。スクリープキンは結婚式の祝い酒に酔って寝こんでしまい、翌日に目をさましたものと思うのだが、カレンダーの日付が一九七九年五月十二日となっているのに気づいて驚く。未来社会にあっては南京虫にもひとしい前近代的な遺物として、スクリープキンは南京虫と同じ檻に入れられて、動物園で一般公開されるという話である。

第一部の「現代」の舞台装置と衣裳を担当したのは、諷刺画家のグループ〈ククルイニクスイ〉[★5]で、第二部の「想像」の舞台装置と衣裳を担当したのはロドチェンコ、そして音楽を担当したのは若いドミートリイ・ショスタコーヴィチ[★6]であった。この前半と後半の舞台はきわめて対照的なもので、第一部では、〈ネップ〉の時代の雰囲気を可能なかぎり再現しようとしていた。〈ククルイニクスイ〉はこう語っている。

❾『南京虫』　1929

> 百貨店、客の購入する商品、寮の一隅といったものはすべて、プチ・ブル的な俗物性の恐るべき趣味の悪さを暴露する材料をわれわれに与えてくれる。……舞台には、国営百貨店や市場で買うことのできる品物が品質の悪い見本として示される。『南京虫』の仕事で、プチ・ブル的な住居や、いまわしいまでに無気力の支配する施設、街角、パーティーなどで目にしたものを、われわれは利用したのである。

これも、メイエルホリドの指示に従ったものではあるが、たとえば、主人公プリスイプキンが、未来の花嫁の母親ロザーリヤと新婚生活のために必要なものを買いに出かける冒頭の場面では、モスクワのペトロフカ通りに相違ないと誰もが推測できる街角の百貨店の入口が現われる。ここでは、本や風船、香水など、さまざまな商品を売っている何十人という奇妙な服装を着た売子が、舞台裏から、あるいは客席から、百貨店のショーウィンドーの背後から登場するのだが、民警が姿を現わすや、ただちに四散するかと思うと、民警が姿を消すと同時に、いたるところから這い出てくる。要するに、当局の取締りと闇屋の駆け引きを象徴しつつ、ネップ期の風俗を表現しているわけであるが、クライマックスとなるのは、第三場の「赤い結婚式」の場面である。ここでは、いっさいのものが「赤」によって象徴されている。優雅な生活を夢みる主人公と花嫁の結婚式は、マルクス主義にかなない、しかも階級的な儀式とされている。まっかな衣裳を身にまとい、頰を赤く染めた花嫁、赤ら顔の介添人は、いずれもどぎつい赤のドーランを顔に塗りたくっている。テーブルに並べられているのも赤いハムと赤い栓のついた酒壜。そして最後に火事が起こり、消防車のサイレンとともに赤い炎が舞台をおおいつくす。

一九一八年にメイエルホリドの演出によって初演されたマヤコフスキイの戯曲『ミステリヤ・ブッフ』においては革命と情熱を象徴していた「赤」が、ここでは、革命すら風俗と化したネップ期の通俗的なものと変わってしまっているのである。

ネップ期の風俗・生活の諷刺

ロシア革命の風化現象にたいする諷刺は、マヤコフスキイもすでに何度となく詩のなかで表現してきた。アンジェロ・リペッリーノは『マヤコフスキイとロシア・アヴァンギャルド演劇』のなかで、マヤコフスキイの長詩『これについて』と『南京虫』との比較を詳細に行なっている。

一九二三年に、「レフ」創刊号に発表された『これについて』の主人公はマヤコフスキイという名の詩人。彼は恋人と別れて、自分の部屋に閉じこもっているが、自分を囚人のようにみなしている。机の上には電話機が置かれている。恋人が病気になったのを知った主人公は電話をかける。詩人と恋人は電話線で結ばれるが、電話での会話は成立しない。主人公は嫉妬に苦しみ、白熊に変身する。熊は身悶えして泣きわめき、涙が部屋じゅうにみちあふれ、やがて部屋が流れだし、涙は大きな河となる。白熊となった詩人は氷の塊に乗ってネワ河を漂流し、ある橋の下まで来たとき、長詩『人間』の主人公、やはり愛に苦しんでネワ河にかかる橋の欄干にもたれて七年間も立ちつづけている男と出会う。この男を救い出すことは人間の尊厳を俗物的な現実の世界に復活させることを意味する。幻想的な事件、現実と虚構が奇妙に交錯するなかで、「橋の上の男」を助けてくれと主人公は人々に訴えるが、誰からも相手にされない。ネップ時代のモスクワにいる肉親たちにも、パリのカフェ・ロトンドに出入りする人々にも、やはり日常生活のなかに埋没している恋人にも、詩人は違和感しか覚えられない。幻想的なエピローグで、詩人は、自分を復活させてくれ、と三十世紀の科学者に向かって訴える。そして未来社会での自由な愛の実現を希望しつつ、この長詩は終わるのだが、「クリスマス・イヴ」と題する第二部では、ネップ期の「生活一般」がきわめて諷刺的に描かれていた。

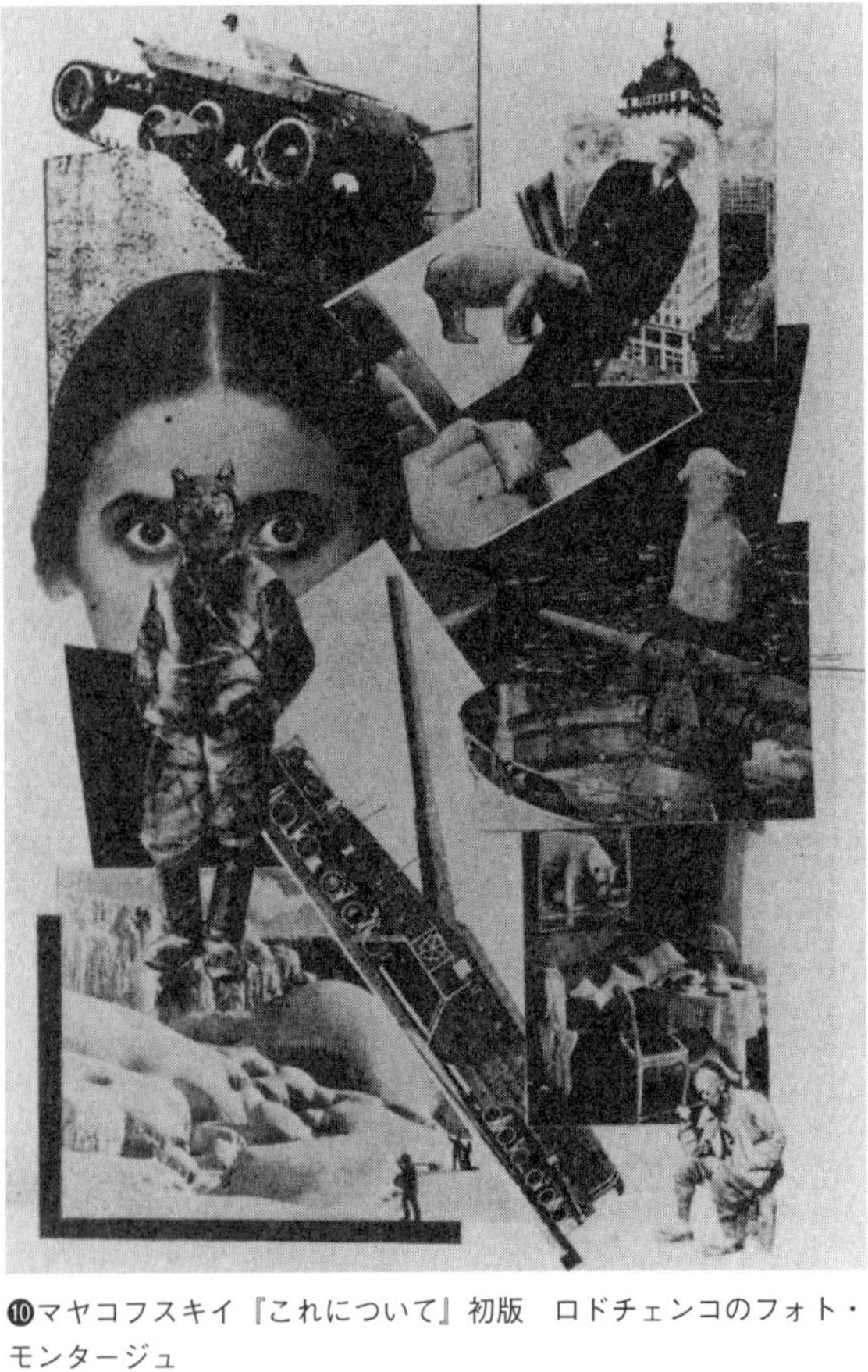

⑩マヤコフスキイ『これについて』初版　ロドチェンコのフォト・モンタージュ

詩人がモスクワの実家を訪れたときのことは、こう書かれている。

あなたが悪いんじゃない、
　　ママ、アリサンドラ・アリセーエヴナ。
世界じゅうが家庭だらけなのです。
……
あなたは羽布団で
　　意志や
　　　石を押しつぶそうとするのですね。
コミューンまでが
　　小さくなってしまった。
数世紀にわたる歳月は
　　小さな家で暮らしてきたが、
いまは、住居委員会で暮らしはじめた。
十月は轟きわたった。
　　罰する革命、
　　　裁く革命。

あなたは
　火の羽毛を生やした翼の下で
食器を
　並べつづけていた。
蜘蛛の巣のような髪はいくら梳かしても梳かしきれない。
消えろ、家よ、
　なつかしい場所よ！
さようなら！
　ぼくは最後の階段をあとにした。
日常生活に充足した俗物的なフョークラ・ダヴィドヴナの住居のことはこう書かれている。

マットレスのなかから、
　ベッドのぼろ布をもちあげて、
南京虫が足をあげて挨拶する。
サモワールまでがぴかぴか光りだし、
把手をひろげて抱擁しようとする。

蝿の斑点のついた壁紙の花環が
自分で頭に冠をかぶせる。
聖像画の小天使は
ばら色に磨きあげたラッパを吹きはじめる。
キリストは
　　　茨の冠を
　　　　　ちょっと持ちあげて
愛想よくお辞儀をする。
赤い額ぶちに入った
　　　　　マルクスさえも
くだらぬ仕事をはじめたぞ。

長詩『これについて』のほかにも、マヤコフスキイはネップ期の風俗・生活を諷刺する作品をいくつか書き、たとえば、『あなたはネップが好きですか、とたずねられると、ネップが不合理なものにならないかぎり好きである、とぼくは答えた』という長い題名をもつ詩を書いたりもしているが、詩『屑について』のなかには、つぎのような痛烈な一節がある。

マルクスは壁から眺めていた、眺めていた……
そしていきなり
口を開いて
大声で吠えだした。
「革命はありきたりの生活の糸に縛られてしまった。
ウランゲリよりも恐ろしいのは平凡な生活。
さあ、早く
カナリヤの頸をひねるのだ
コミュニズムが
カナリヤに殺されてしまわないうちに！」

『南京虫』の第一部には、これと同様の諷刺がいたるところに出てくる。

このような詩句をマヤコフスキイが書いたのは、まさにネップ期のさなかにおいてであったが、革命も〈ネップ〉も過去のものとなり、いまや「社会主義建設」の時期であった。スターリンによる第一次五カ年計画が共産党第十五回大会で承認されたのは、一九二七年十二月のことである。

マルクスも革命思想も風化し、非日常的な事件や事象も日常性のなかに埋没していく時期にあって、「南京虫」のイメージを提出するのはきわめて挑発的なことであった。

五十年後の一九七九年の未来社会で、氷漬けになったプリスイプキンを生き返らせるべきか否かを検討する人間蘇生研究所の出てくる第五場以降はロドチェンコの装置によるものだが、ガラスと金属の結合、スクリーン、拡声器、圧力計など機械文明を象徴するメカニズムに支えられた構成主義風の装置を通して表現される世界は、厳格で冷酷な合理主義に貫通される喜びのない退屈な未来社会にほかならなかった。プリスイプキンのほうは、五十年の時間の経過の意味も知らずに、ネップ期の俗物根性をもったまま未来社会に入りこむのだが、煙草やウォトカも禁じられている禁欲的な社会に生きねばならぬことに絶望して、「おまえたちも、おまえたちの社会も糞くらえだ！　生き返らせてくれなんて、おれは頼んだ覚えもない。もう一度、おれを凍らせてくれ！」と叫ぶ。

この上演のためにマヤコフスキイの書いたビラの詩句に、つぎのようなものがあった。

だが、
　昆虫の冗談に
　　腹を立ててはいけない。
これはあなたのことではなく、
　　　あなたの隣人のことなのだから。

しかし、この芝居を見て、これが「あなたのことではなく」、「あなたの隣人のこと」と思った観客が、はたしてどれほどいただろうか。

一九二九年一月十二日の共産青年同盟中央会館での演説で、『南京虫』について、メイエルホリドはこう述べている。

きわめて明瞭で主要な目的は、今日のかかえる欠陥を批判することである。われわれを一九七九年に投げこんだのは、マヤコフスキイが世界の変容ではなくて、今日もなお存続する病気を見させようとするためである。現在よりももっと大きなエネルギーをもつ弊害とたたかわなければならない。一九七九年には、一九二九年にあるのと同じような弊害の名残りがふたたび現われることだろう。

五十年後であれ、あるいは七十五年後であれ、同じことである。

この病根は深く、これを根絶するためには長い時間と大きな努力が必要だということをマヤコフスキイは示したいと望んだのである。

すでに解決ずみのように思われる多くのことを、マヤコフスキイは人々に考えさせようと仕向けるのである。

メイエルホリド劇場で上演された『南京虫』は、プリスイプキンを演じたイリインスキイの絶妙な演技が圧倒的な成功を収めたのをはじめ、観客には好評で、マヤコフスキイやメイエルホリドもこれにおおいに元気づけられはしたものの、当時の劇評は、必ずしもすべてが好意的なものではなかった。とりわけ、マヤコフスキイとメイエルホリドの辛辣な諷刺を体制批判と受けとった〈ラップ〉を中心とする批評家たちの攻撃は激烈をきわめたものであった。

ついでに述べておくなら、ショスタコーヴィチの音楽もまた、不協和音が多すぎることを理由に、批判の対象となっていた。これもまた、すでに述べたように、アヴァンギャルド芸術を抹殺することで芸術の領域における自己のヘゲモニーを奪還しようとする〈ラップ〉の性急なまでの政治主義と結びついているのだが、それと同時に、一九二八年からはじまった第一次五カ年計画による社会主義建設期に対応し、閉塞した時代状況のなかで、トロツキイをはじめとする政治の左翼を排除することでスターリン体制を確立しようとする動きと軌を一にして、しだいに体制の要請に順応してゆく芸術家たちの転向現象と無縁ではなかった。

この時期、芸術のアヴァンギャルドは深刻な危機を迎えていた。それでも、一九二九年から三〇年にかけて、マヤコフスキイとメイエルホリドは結束して、さまざまな攻撃に耐え、それに反撃を加えようと試みていた。

⑪「風呂」

メイエルホリドの依頼を受けて、マヤコフスキイは戯曲『風呂』を書きあげた。一九二九年九月のことである。「サーカスと花火つきの六幕のドラマ」と銘打たれたこの戯曲は、一九三〇年三月十六日に、メイエルホリド劇場でメイエルホリドの演出によって上演された。

メイエルホリド劇場の上演に先立って、三〇年一月三十日、レニングラードの国立人民会館で『風呂』は初演されたが、この戯曲も、前年に上演された『南京虫』と同じく、世界革命の観点を放棄し、官僚主義に支配される管理社会にたいする鋭い諷刺による痛烈な批判を浴びせかけた作品であった。新聞、雑誌はこれを酷評した。タイム・マシンを導入することで未来社会のユートピア、時間の停止と遡行、死者の復活など、想像力に富む戯曲にこめられた時代批判は誰の目にも明らかだったのである。批評はほとんど例外なく、否定的なものばかりであった。★7

たとえば、ウラジーミル・エルミーロフが「プラウダ」紙に書いた批評もそのひとつで、これはメイエルホリド劇場での初演の一週間前、三月九日に発表された。エルミーロフは戯曲の抜粋しか読んではいないがと断わりつつ、前もって批判を加えたわけである。これにたいしてマヤコフスキイは、メイエルホリド劇場での『風呂』の上演のとき、劇場の内

⑫「風呂」

部にさまざまなスローガンを吊るしたが、そのなかに、エルミーロフの批評に抗議したつぎのようなスローガンもあった。

すぐには
落ちない
官僚の垢。
きみらには
風呂も足りない
石鹸も足りない。
そのうえ
官僚を助けるのは
批評家のペン、
たとえばエルミーロフの。

しかし、このスローガンがメイエルホリド劇場に掲げられたのは初日だけだった。〈ラップ〉指導部の圧力のもとに、二日目からはこれをはずさなければならなかったからである。エルミーロフは当時の〈ラップ〉の有力な指導者の一人であった。この屈辱をマヤコフスキイはけっして忘れなかった。

これは大衆のための演劇ではない、労働者にも、農民にも、こんな芝居は理解できない、理解できないのもよいことだ、わざわざ説明する必要もない。

これは『風呂』の主人公ポベドノーシコフが第三幕で述べるセリフで、マヤコフスキイは自作にたいする批判を予測し、それを先取りしていたわけでもあるのだが、この劇場にたいする公的な批評は、ほぼこのセリフをくり返していたにすぎない。

ここで、マヤコフスキイの詩の一節を思い浮かべずにはいられない。

ぼくは自分の祖国から理解されたい、
だが、理解されないだろう、
　　　　それでいいじゃないか⁉
愛する祖国を
　　　異国の地を踏むように通り過ぎてゆくのだ、
まるで雨が
　斜めから降るように。

この詩句は、「レフ」誌を引き継ぐ「新レフ」誌一九二八年六月号に発表されたものであった。これを最後に、マヤコフスキイは「新レフ」誌の編集長を辞任している。『風呂』の上演は不入りで、途中で、劇場は上演を打切らざるを得なくなった。メイエルホリド劇場の初演からほぼ一カ月後の四月十四日、マヤコフスキイはつぎのような遺書を残して、ピストル自殺した。

これでいわゆる
　　「一巻の終り」
愛の小舟は生活に打ち砕かれ、
　　　粉々になってしまった。
いま、ぼくは人生を清算する、
　　　　かぞえあげてもむだなことだ、
おたがいの痛みを
　　　不幸を
　　　　侮辱を。
いつまでもご幸福に。

この遺書には、「エルミーロフに伝えてください、スローガンを取りさげたのは残念だ、たたかうべきだったのだ、と」という一節が書きこまれていた。

⑬メイエルホリドと妻ライフ

十月革命を「わたしの革命」として受け入れ、芸術革命の先頭に立っていたマヤコフスキイの自殺は、形式化された「革命」にたいする自律した芸術のたたかいの過程での敗北ともみられるが、ひとつの時代が確実に終わってしまい、一九三〇年代のソヴェト芸術の悲劇のはじまりを鮮やかに象徴する事件でもあった。

ソヴェト作家同盟の成立

マヤコフスキイの死を越えて、スターリン主義の確立してゆく過程で弾圧されるアヴァンギャルド芸術を推進しようとしていたのはメイエルホリドしかいなかった。メイエルホリド劇場だけが孤立したアヴァンギャルドの残された最後の砦の観があった。一九三〇年代においても、メイエルホリドはくり返されるありとあらゆる非難、攻撃にもひるまず、非妥協的なたたかいを展開しつづけた。それだけに、体制側からのメイエルホリド批判はすさまじかった。

一九三二年四月、共産党中央委員会は「文学、芸術団体の再編成について」の決議を発表し、〈ラップ〉の解散とすべての作家を単一のソヴェト作家同盟に統一する方向を明らかにし、三四年八月、マクシム・ゴーリキイらの指導のもとに第一回全ソ作家大会が開かれてソヴェト作家同盟が成立し、社会主義リアリズムが基本的な創作方法として承認された。社会主義リアリズムは、「ソヴェト芸術文学と文学批評の基本的方法であって、それは芸術家に、その革命的発展における現実の正しい歴史的、具体的な描写を要求する。その際、芸術的描写の正しさと歴史的具体性は、社会主義の精神における勤労者の思想的改造および教育の課題と結びつかねばならない」と規定されている。ここには、芸術上のリアリズム概念と文学・芸術による人民の教育の機能とが結合されていて、一九二八年にはじまった第一次五カ年計画による社会主義建設の基盤にともなうスターリン体制の政治の要請に文学・芸術を方向づけてゆく意図がこめられていた。

もちろん、〈ラップ〉解散にともなう一種の自由な解放感がこの時期に見られたことは否定できないが、しかし、「自由競争」、「芸術自決」の原則が主張されていた二五年以降、作家同盟が成立し、社会主義リアリズムが提唱される過程は、二四年のレーニンの死以来の激しい党内闘争を経てのスターリンの勝利と、それにもとづくスターリン主義による芸術の再編成の過程の反映にほかならなかった。

共産党の直接干渉による単一の作家同盟に文学者を組織し、社会主義リアリズムを唯一の基本的創作方法として文学を束縛し、「革命」が「党」へ、「党」が「党指導部」へと集約され、「党指導部」への忠節が文学・芸術評価の基準と変わってゆくとき、アヴァンギャルド芸術を含めて、一九二〇年代に花開いたソヴェト文学・芸術の成果はことごとく絞殺され、窒息させられてゆくのである。しかも三〇年代後半に入ると、血の粛清の恐怖のもとで文学・芸術にたいする露骨な政治的干渉が行なわれ、文学・芸術は自律性を失い、社会主義リアリズムはドグマと化した。

粛清というのは、本来、共産党内における不純分子の一掃を目的にし、一九二〇年代のはじめから行なわれていたのだが、政治上の反対派から自己の政治体制に順応しない者を肉体的にも抹殺していったスターリンの血の粛清がもっとも時代の悲劇性を浮彫りにしている。一九三四年のキーロフ暗殺[★8]にはじまり、三六年、ジノヴィエフ、カーメネフらの「合同本部事件」[★9]、三七年の「並行本部事件」とトゥハチェフスキイ事件[★10]、三八年、ブハーリンらの「右翼トロツキスト・ブロック事件」と、ロシア革命の指導者たちにたいするモスクワ裁判がつづくなかで、粛清の嵐は加速度的に拡大し、やがて一般市民、芸術家たちにも及んだ。このような粛清の波は、当然のことながらメイエルホリドの身辺にも及ばずにはいなかった。

アヴァンギャルドの死

一九三六年一月二十六日の「プラウダ」紙に、「音楽のかわりの荒唐無稽――オペラ『ムツェンスク郡のマクベス夫人』について」と題する論文が発表された。これはショスタコーヴィチのオペラにたいする批判であると同時に、メイエルホリドにもその批判の矢は向けられていた。「……左翼的なポーズをとっている芸術は、劇場における単純さ、写実主義、イメージのわかりやすさ、言葉の自然な響きを全面的に否定している。〈メイエルホリド主義〉のもっとも否定的な特徴がオペラや音楽のなかにもちこまれているのである」と「プラウダ」論文は述べている。

さらに、二月六日付の「プラウダ」は、ショスタコーヴィチの音楽によるバレエ『明るい小川』をも批判していた。『南京虫』の音楽を担当したり、メイエルホリド劇場とも深いかかわりをもっていた作曲家ショスタコーヴィチは、のちにつぎのように書いている。

⓮メイエルホリドとショスタコーヴィチ 1928

「プラウダ」論文はわたしの全存在を変えてしまった。それは社説のように無署名で発表されていた。つまり、それは党の意見を表明したものだった。しかし実際は、スターリンの意見を表明したもので、それがはるかに重要なことであった。

わずか十日たらずのあいだに「プラウダ」に二つの攻撃的な論文が現われたのは、一人の人間にしてみれば、じゅうぶんすぎるくらいではないか。いまや、わたしの破滅を誰もが正確に知るにいたった。そして、少なくとも無関心ではいられないこの事件の今後の予測が、わたしをとらえて離さなかった。

このときから、「人民の敵」というレッテルがわたしに貼られたが、あの日々にあってこのレッテルが何を意味するか、ここで説明するまでもない。それはすべての人々の記憶に残っているのだから。


（『ショスタコーヴィチの証言』）


あの当時、「人民の敵」、「トロツキスト」あるいは「形式主義者」というレッテルを貼られて、どれほど多くの作家、芸術家が逮捕され、粛清の犠牲となったことか。

ショスタコーヴィチのオペラ『ムツェンスク郡のマクベス夫人』にたいする批判は、「形式主義」批判キャンペーンの口火を切るものであった。オペラ『ムツェンスク郡のマクベス夫人』とバレエ『明るい小川』は、ただちに劇場のレパートリーからはずされて上演禁止となった。二月の終りには、国外に亡命したミハイル・チェーホフ[★11]のいた第二モスクワ芸術座とレニングラードの〈トラム（青年労働者劇場）〉が閉鎖され、わずかな例外を除いて、多数の演出家は自己批判し、社会主義リアリズムへの忠誠を誓った。

メイエルホリドはどうだったか。

一九三六年の三月十四日、「メイエルホリド主義に反対する」と題する演説をレニングラードで行ない、そのなかで、メイエルホリドは自分の過ちを否認し、彼の形式上の実験を表面的に模倣するエピゴーネンを「メイエルホリド主義者」として非難すると同時に、ショスタコーヴィチを全面的に擁護し、「芸術家が形式を失うこともありうるが、それは芸術家にとって死を意味するのである」と語っていた。しかし、このような発言をするメイエルホリドを権力が容認し、放置しておくはずもなかった。

一九三七年十二月十七日、「プラウダ」紙には、ケルジェンツェフ★12の署名入りの「異質な演劇」という論文が発表されたが、それはメイエルホリドの実験と活動のすべてを全面的に否定する告発文にほかならなかった。そして一九三八年一月七日、「ソヴェト芸術とは無縁で、ひたすらブルジョア的な形式主義的な見解から自由になれなかった」という理由で、メイエルホリド劇場は閉鎖された。

一九三九年六月十三日から、第一回全ソ演出家会議がモスクワで開かれた。これはメイエルホリドに自己批判を求めるための会議でもあり、これまでの創作活動のすべてを否定し、体制に忠誠を誓うならば、あるいは今後の活動も許されるかもしれない最後の機会だった。しかし、会議の席上で、メイエルホリドは自己批判を拒否し、「若い演出家を堕落させた」とか「古典を冒瀆し、歪曲した」とかいった不当な批判に反論を加え、こう語った。

芸術家は創造の理念がたとえ破局に陥ろうとも、実験することの道徳的な正当さをもつに違いないのであります。わたしの努力のすべては、内容にふさわしい有機的スタイルの発見に向けられていたのです。それはわたしの創造的個性のすべての特徴を含んでいるメイエルホリド様式であったのであります。なぜ、これが形式主義と呼ばれなければならないのでしょうか、諸君の形式主義の定義はどういうものでしょうか。わたしのほうこそ質問したいのであります。

形式主義とは何か。社会主義リアリズムとは何か。

最近のソヴェトの劇場で行なわれたものが反形式主義であるとするならば、そして今日、最良のモスクワの劇場で行なわれつつあるものがソヴェト演劇の到達点であるとするならば、わたしはむしろ形式主義者とみなされることを選ぶものであります。今日のわが国の演劇の仕事を、哀れな恐るべきものと考えています。

この社会主義リアリズムという肩書きを切望している、とるに足りない内容の貧しい演劇は、芸術になんら共通するところはありません。

形式主義を根絶しようという諸君の努力は、芸術を破壊しているのであります。

この全国演出家会議の直後、メイエルホリドは逮捕され、一九四〇年二月に銃殺され、粛清による死を遂げた。

こうして、ロシア・アヴァンギャルドは死んだ。時代は底知れぬ深みをもちつつ、一路、闇のなかに突入してゆくのである。

V　結び

未完の芸術革命

未完の芸術革命

わが国でも、ロシア・アヴァンギャルドにたいする関心がようやく高まりつつある。芸術が、文化が、あらためてその根拠を問われるようになっている今日、ロシア・アヴァンギャルドの探求のもつ意義はますますアクチュアルなものとなっている。その契機となったのが、一九八三年の秋から冬にかけて、東京・池袋の西武美術館で開かれた「芸術と革命・ロシア・アヴァンギャルド芸術の流れ」と題する展覧会にあったことは否定できない。この展覧会は、絵画、デザイン、建築など三八〇点の作品群を一堂に集め、これまでわが国では見ることのできなかった試みとして注目された。

同展の関連企画で、エイゼンシュテインやジガ・ヴェルトフをはじめとする一九二〇年代のソ連映画十本の上映、ロシア・アヴァンギャルドに関する講演やシンポジウムがスタジオ200で行なわれ、クルチョーヌイフの台本、マレーヴィチの衣裳・美術、マチューシンの音楽によって一九一三年に初演された未来派パフォーマンス『太陽の征服』まで千田是也の再構成によって上演された。雑誌では、「アール・ヴィヴァン」(八二年七・八号)

が「ロシアン・アート・一九〇〇―一九三〇」を編集し、「ユリイカ」（八三年一月号）が「ロシア・アヴァンギャルド・二十世紀芸術の誕生」を、「グラフィック・デザイン」（八三年春季号）が「ロシア構成主義のポスター」をそれぞれ特集し、個々の雑誌論文は枚挙に暇がない。

また、ロシア・アヴァンギャルドに関連する単行本もわが国で相次いで刊行された。列挙するなら、ステファニー・バロン、モーリス・タックマン編『ロシア・アヴァンギャルド』（リブロポート）、エドワード・ブローン『メイエルホリドの全体像』（晶文社）、篠田正浩『エイゼンシュテイン』（岩波書店）、西武美術館編、中原佑介監修『ロシア・アヴァンギャルド芸術』（リブロポート）、水野忠夫編『ロシア・フォルマリズム文学論集2』（せりか書房）、桑野隆編訳『ロシア・アヴァンギャルドを読む』（勁草書房）、ユーリイ・トゥイニャーノフ『詩的言語とはなにか・ロシア・フォルマリズムの詩的理論』（せりか書房）などとなる。

これに、東京画廊での「ロシア構成主義展」（八三年二月二十一日―三月五日）をつけ加えるなら、ロシア・アヴァンギャルドにたいする関心はかつてない高まりを示しているといっても過言ではない。

マヤコフスキイを手がかりに、ロシア・アヴァンギャルドに興味を抱いたのは学生時代のことで、それ以来、二十年以上もこの芸術運動に関心をもちつづけ、ささやかながら、この運動をわが国に紹介しようと努力してきたわたしにしてみれば、このような現象を歓迎せずにはいられないはずなのだが、どういうわけか、手放しで喜ぶわけにはゆかない思いがある。それはどういうことだろうか。

たとえば、「芸術と革命・ロシア・アヴァンギャルド芸術の流れ」の展覧会を観て、展示されているさまざまな作品たちの語りかけてくる言葉に耳を傾けながら、わたしは大いに共鳴しつつ、失望も覚えずにはいられなかった。

共鳴したことは何か。玉石混淆とでもいうべきか、ともすれば、芸術の意味のとらえかたや方法意識の自覚において落差があまりにも大きすぎるために、迷路に陥ったかのような錯覚を観る者に与えてしまうとはいえ、夾雑物を排するなら、この展覧会全体を貫くモチーフは、それぞれの頂点を示す作品たちによって明確になる。つまり、二十世紀ロシア芸術史にとって決定的な転換を示す一九一〇年以降の芸術表現の冒険の軌跡をたどることができたのである。

ゴンチャローワ『農民』、『工場』、ラリオーノフ『孔雀』、『ヴィーナス』、『光線主義的風景』、マレーヴィチ『クリュンの肖像』、『黒い円』、タトリン『詩人の肖像』、『女性モデル』、『素材の組合せ（反レリーフ）』といった一九一〇年から一六年までの作品を見るなら、〈ダイヤのジャック〉グループから出発し、〈ろばの尻尾〉グループを結成した画家たちが、立体主義や表現主義の洗礼を受けつつ、伝統的な聖像画や古い農民の木版画などに注目し、プリミティヴなものへの傾斜を示しながら、形態の問題を重視することで非具象絵画に向かった道をあらためて確認することができた。ゴンチャローワのプリミティヴィズム、ラリオーノフのレーヨニズムを否定して、いわば絶対の探求とでもいうべき、対象を欠落させた形態を確立しようとしたマレーヴィチのシュプレマティズムと、木材と亜鉛メッキの鉄といった異質な素材を組合わせて新しい造型空間を作ったタトリンの反レリーフのなかに、革命前のロシア美術の到達点が集約的に表現されていたのである。これらに比較するならば、けっして悪い作品が展示されていたわけではないにもかかわらず、カンディンスキイやシャガールの仕事も色褪せてしまうほど、マレーヴィチやタトリンの実験は根源的なものであった。

タトリン『第三インターナショナル・モニュメント』の模型をはじめ、ヴェスニン、レオニードフ、メーリニコフなどの建築の構想は、まさしく実現不可能ともみられるユートピア的な壮大な夢であり、ロドチェンコ、リシツキイ、ポポーワ、ラヴィンスキイ、ステパーノワといった人々のポスター、舞台装置や衣裳、家具、湯わかしや食器にいたるデザインは、実現された夢であった。両極に引き裂かれそうになるこの夢の空間に充満するエネルギーこそ、革命期の時代精神の表現であって、ここに、世界を獲得せんとしていたロシア革命が本来もっていた躍動する原像を見いだすことに抵抗はない。このことは、けっして忘れてはならない始源的体験とでも呼ばれるものであろう。これらを目のあたりに見て、わたしは深い感動を覚えたものである。
いってみれば、これらの作品と出会うためだけに、わたしは会場に足を運んだみたいなものだった。それだけでも、わたしはかなり満足したのだが、それで展覧会全体を評価してはならなかったのであろう。三八〇点ほどの作品群のなかで、これらはほんの少数派で、残りの圧倒的多数は、アヴァンギャルドの実験や経験とは無縁な、通り過ぎるべき風景にすぎなかったのだから。

もうひとつ、つけ加えるならば、これらの事物が革命と切り結びつつダイナミックに展開された芸術運動の渦中から生み出されたことも記憶すべきであろう。このような運動意識がことさらに無視されたのがあの展覧会ではなかっただろうか。そのおかげで、革命精神が喪失してゆく過程で、額縁に収められた、非具象から具象に変わる「芸術」が復活し、それこそ社会主義リアリズムまであと一歩の形骸化した光景に立ち会うことになるのだが、この寒々とした光景は、一九三〇年代以降、今日にいたるまでのソヴェト芸術のたどった道にほかならなかった。

だが、これはいったいどこからくるのだろうか。この疑問はずっと心に残った。

バロン、タックマン編『ロシア・アヴァンギャルド』を読んだとき、わたしの疑問は解消された。本書は一九八〇年、ロサンジェルス・カウンティー美術館で開催され、ワシントンのハーシュホーン美術館に巡回した展覧会のカタログのなかから十九篇の論文を訳出したものであるが、本書の冒頭に収められたバロンの「ロシア・アヴァンギャルド——西側からの一考察」に、このような文章がある。

四〇年間というもの、ロシア・アヴァンギャルドの目覚しい仕事は人々の目から遠去けられ、大半が秘匿されたままであった。

ロシア・アヴァンギャルドの作品がもっとも多く所蔵されているのはソ連邦である。美術館の地下や収蔵庫に、私室に、あるいは人目を避けるために巻かれてベッドの下にあり、一般の人間はこの時代の美術に接することができないようになっている。

作品がときおり国外の展覧会に送られることもあるが、しかしそのために美的にも政治的にもいたく妥協を強いられるのが通例なのである。この貴重な宝庫からの作品で展覧会を組織しようとする西側の試みはなんであれ、ソヴェトの堅持する政策と官僚的体質に躓かされる。作品が展示される文脈が改竄されることなしにはすまないのだ。

そしてバロンは、ここ十年間に国外で開催されたロシア芸術展でのソ連当局の干渉の例を挙げたあと、ロサンジェルスの展覧会がソ連から作品を借りずに企画され、そのためにロシア・アヴァンギャルドの成しとげた仕事だけに焦点が絞られている、と強調していた。バロンの文章の指摘どおり、ロサンジェルスの展覧会の基本理念とは正反対に、ソ連側の作品だけで企画された「芸術と革命」展は、「ロシア・アヴァンギャルドの流れ」と銘打たれていたとはいえ、アヴァンギャルドも含む、革命六五周年を記念するロシア芸術展にすぎなかったわけで、これで納得がゆくのである。

これにたいして、東京画廊で開かれた「ロシア構成主義」展は、ロンドンのアンリ・ジュダ画廊所有のリシツキイ、マレーヴィチ、ロドチェンコなど八人の作家の作品を展示し、数は少ないものの、企画の意図が明確に伝わり、これもバロンの言葉を例証するものであった。

これは、なにもわが国だけのことではない。

一九七九年にパリのポンピドゥー・センターで開かれた「パリ＝モスクワ・一九〇〇—一九三〇」と銘を打った展覧会は、美術を中心に、建築、演劇、バレエ、文学、音楽といったジャンルを越えて、二十世紀に入ってからのロシア革命をはさむ三〇年間に展開されたロシア・ソヴェトの芸術の動向を跡づけるものとなっているが、入手できた五八〇ページにおよぶこの展覧会のカタログを眺めていると、わたしは大きな感動を覚えずにはいられなかった。この時期のロシア・ソヴェトの芸術がどれほど多彩で、豊饒な可能性をはらんでいたかをあらためて痛感させられたのである。

十九世紀末以来、従来のロシア固有の近代芸術に訣別し、国際的な芸術交流を積み重ねながら、ジャンルの枠を越えて二十世紀芸術の理念と方法を模索し、革命という磁場を跳躍台として新しい芸術を創造したこの三〇年間を、「ロシア・ルネサンス」、「ロシアの白銀時代」と呼ぶことも可能であろうが、二十世紀芸術の基本的なプログラムがほぼ網羅的に提出されていたことを考えるならば、この時期のロシア・ソヴェトほど果敢な芸術的探求が行なわれた時代は、おそらくほかに例のないことだったのではないだろうか。

しかし、「パリ＝モスクワ」展のカタログを少し注意深く見ていくと、深い感慨とともに、いくつかの疑問も抱かずにはいられなくなるのは、たぶん、わたしひとりではないだろう。ソ連政府も協力して開催されたこの展覧会のカタログは、二十世紀はじめの三〇年間のロシア・ソヴェトの芸術を展望させてくれるものではあるにせよ、それはあまりにも理想に近く、一九三〇年以降の政治と芸術の葛藤などなにもなかったかのように、なだらかな秩序を保ちすぎている。一九三〇年以降のソヴェト芸術のたどった運命の悲劇性は、たとえば三〇年のマヤコフスキイの自殺に端を発し、メイエルホリドをはじめとする三〇年代末の芸術家たちの相次ぐ粛清に象徴されるごとく、ここであらためてくり返すまでもなく、よく知られている。それにもかかわらず、このカタログでは、さまざまなイズムの競合と交替、革命と芸術の幸福な蜜月、そして多様な芸術の発展の過程が、わずかばかりの陰影すらなく、みごとに透視できるのである。

だが、はたしてそれは、今日のソ連の文化状況と照らし合わせてみるとき、事実といえるのであろうか。確かに、一九五六年のスターリン批判以後、たとえ制限つきではあれ、

「ブルジョア・イデオロギー」とか「形式主義」としてかつて抹殺されていた象徴主義をはじめ、粛清された芸術家たちにいたるまで「名誉回復」が行なわれ、従来にくらべるなら、はるかに広い視野のもとに二十世紀ロシアの芸術の状況を展望できるようになってきてはいる。

美術の状況についていうならば、ベヌアを中心とする〈芸術の世界〉につらなる象徴主義の潮流はほぼ復権されている。ナターリヤ・ラプシナの本格的なモノグラフィー『芸術の世界』がソ連で刊行されたのは一九七七年のことだし、〈青い薔薇〉グループに属したパーヴェル・クズネツォフの生誕百年を記念して大規模な個展がモスクワで開かれ、大きな関心を集めたのは七九年のことである。

それでも、「パリ＝モスクワ」展に出品されていたトレチヤコフ美術館、プーシキン美術館、ロシア美術館所蔵のゴンチャローワ、ラリオーノフ、レントゥーロフ、マレーヴィチなどの作品の多くは、ソ連では公開されていない。わたしはたまたま、一九七八年九月から七九年六月まで、モスクワを中心にソ連に滞在する機会に恵まれたが、いまここに名前を挙げた画家たちの作品を、モスクワやレニングラードの美術館で見ることはほとんど不可能であった。

文学の領域を見るなら、この三〇年間の文学の歴史を考えるものとしてパリで展示されていたベルジャーエフやシェストフといった思想家の著作、アクメイズム運動の指導者で、革命直後に「反革命」として銃殺された詩人グミリョフ、革命後の文壇に強烈な影響を与え、のちにパリに亡命したザミャーチンの『われら』をはじめとするすべての作品、ブルガーコフの一九二〇年代の作品『悪魔物語』や『犬の心臓』、そしてナボコフの作品などは今日のソ連では禁書となっている。

つまり、美術にせよ文学にせよ、パリでは公開され、モスクワでは公開されていないものがあるという事実に、この「パリ＝モスクワ」展のひとつの問題が秘められていたと考えないわけにはゆかないのである。そして、その焦点となっているのは、一九一〇年から革命を経て二〇年代前半までの芸術の問題、もっと具体的にいうならば、ロシア未来派を中心とするアヴァンギャルド芸術の問題にほかならない。

ロシア未来派の運動が発行した文集、詩集のうち、パリで展示されていたものの多くは、たとえばモスクワのレーニン図書館の蔵書目録をいくら探しても、見つけることはできないのである。

要するに、ソ連においては今日にいたるまでアヴァンギャルドは危険視され、部分的に解禁されているとはいえ、全体としては芸術史に正当な位置を与えられていないのである。ロシア・アヴァンギャルドの運動の全体像を明らかにしようとするには、絶望的なまでの困難がともなうゆえんである。

ロシア・アヴァンギャルドの可能性を発見し、再評価の仕事を精力的に持続してきたのはソ連以外の研究者であった。たとえば、ヴィクトル・エールリッヒ『ロシア・フォルマリズム』(一九五五年、ハーグ)、カミラ・グレイ『偉大な実験・ロシア美術・一八六三―一九二二』(一九六二年、ロンドン)、ウラジーミル・マルコフ『ロシア未来主義』(一九六八年、ロサンジェルス)などは、世界ではじめて書かれた、それぞれの領域でもっとも基本的な著作である。それ以降、とりわけここ十年ほどのあいだに、アメリカ、ヨーロッパを中心に、アヴァンギャルド研究書が相次いで刊行されている。しかし、そのような作業も、限界がないわけではない。

たとえば、エドワード・ブローン『メイエルホリドの全体像』は、本国以外でのメイエルホリド研究の高い水準を示すものであり、本書によって、この演劇の永久革命者の仕事の意味がわが国ではじめて知られるようになった。そのことを高く評価しながらも、問題がないわけではない。

一九三九年六月、全ソ演出家会議でのメイエルホリドの最後の発言に関する記述はどういうものだろうか。これまで、ユーリイ・エラーギンの評伝『黒い天才』(一九五五年、ニューヨーク)に付けられた発言要旨から、メイエルホリドが最後まで自己の過ちを認めず、そのために逮捕、粛清されたという文脈をわれわれは考えてきていたのだが、ブローンはこれを否定し、メイエルホリドが自己批判し、権力に屈服したという説をとっているが、それを裏づける資料は提出されていない。

もちろん、これはブローンの責任ではない。一九六七年以来、ソ連でも、メイエルホリドの論文や書簡、同時代人の回想、研究書が多量に刊行されながら、最後の発言が正確なかたちで公表されていないことこそ問題だからである。つまり、決定的な資料すら、ソ連では今日にいたるまで公開されていないのである。

しかし、資料不足を嘆いてもはじまるまい。ロシア・アヴァンギャルド復権の作業がすでに開始された以上、それを強力に推進するしかないのである。ただし、ブローンは別としても、アメリカ、ヨーロッパの研究者の多くが、革命とは切り離して、アヴァンギャルドの芸術革命を論ずる傾向があることには同意しかねる。ロシア・アヴァンギャルドのもった革命性と実験精神を探ることは、今日のわれわれの文化や芸術のありようをあらためて問い直すことと深くかかわっているはずである。

いま、東京の若い人々の風俗としてのファッションに、一九二〇年代のポポーワやステパーノワがメイエルホリドの舞台のために制作した衣裳、あるいは労働着やスポーツ・ウェアーに端を発するモードが流行しているのも興味深い現象かもしれない。今日の日本の美術やデザインの領域、あるいはポスト・モダンを喧伝する文化の状況のなかに、かつては語るべき熱いメッセージのこめられていたロシア・アヴァンギャルドの冒険の形骸化したかたちでの再現を見せつけられているのも、よく知られている。「ロシア・フォルマリズムについてわたしと話しませんか」と二枚目の俳優が語りかける自動車のテレビ・コマーシャルも、あながち否定すべきものでもないことであろう。

しかし、ようやくわが国でも関心の高まりつつあるロシア・アヴァンギャルドの問題を、過ぎゆく季節のように、単なる流行に終わらせては断じてなるまい。

注

i〈革命〉まで　ロシア未来主義とフォルマリズムの成立

i－1　ロシア未来主義の出発

★1フレーブニコフ　ヴェリミール（本名ヴィクトル・ウラジーミロヴィチ）В. В. Хлебников（1885―1922）詩的言語の可能性を追求し、既成の言語の破壊と、新たな言語実験を大胆に行なった未来派の詩人。

★2イワーノフ　ヴャチェスラフ・イワノヴィチ　В. И. Иванов（1866―1949）象徴派の詩人、理論家。詩集『導きの星』、『透明』。一九二四年にローマに亡命。

★3リフシツ　ベネディクト・コンスタンチノヴィチ　Б. К. Лифшиц（1887―1939）詩人、未来派の運動に参加。粛清される。回想録『一つ目半の射手』。

★4ブローク　アレクサンドル・アレクサンドロヴィチ　А. А. Блок（1880―1921）象徴派の代表的詩人。詩集『美しい婦人を歌う詩』、戯曲『見世物小屋』、叙事詩『報復』、『十二』。

★5ソログープ　フョードル・クズミチ　Ф. К. Сологуб（1863―1927）象徴派の詩人、作家。美と死を讃美し、代表作は『小悪魔』、『死の勝利』、『毒の園』。

★6クズミン　ミハイル・アレクサンドロヴィチ　М. А. Кузмин（1875―1936）象徴派の流れを汲

む詩人として登場。やがて、それに反旗を翻し、クラリズム、アクメイズムを主張。詩集『ここではない所の夜』。

★7レーミゾフ　アレクセイ・ミハイロヴィチ　А. М. Ремизов（1877―1957）象徴派に近いところから文学的出発を行ない、革命後、パリに亡命。代表作『十字架の姉妹』、『燃えるロシア』。

★8ゴロデツキイ　セルゲイ・ミトロファノヴィチ　С. М. Городецкий（1884―1967）詩人。象徴派から出発し、アクメイズムの理論的指導者。雑誌「アポロン」を発行。

★9カメンスキイ　ワシーリイ・ワシーリエヴィチ　В. В. Каменский（1884―1961）詩人。未来派の芸術運動に参加。代表作『ステパン・ラージン』。

★10ブルリューク　ダヴィド・ダヴィドヴィチ　Д. Д. Бурлюк（1882―1967）詩人、画家。未来派をはじめ、アヴァンギャルド芸術運動の組織者として活躍。革命後、アメリカに亡命。

★11グロー　エレーナ・ゲンリホヴナ　Е. Г. Гуро（1877―1913）女流詩人、画家。未来派の運動に参加。詩集『秋の夢』。マチューシンの妻。

★12マチューシン　ミハイル・ワシーリエヴィチ　М. В. Матюшин（1861―1934）未来派の運動に参加した画家、作曲家。クルチョーヌイフのオペラ『太陽への勝利』の作曲を行なう。

★13マヤコフスキイ　ウラジーミル・ウラジーミロヴィチ　В. В. Маяковский（1893―1930）未来派を代表する詩人。愛と革命を歌い、自殺。

★14ヤコブソン　ロマン・オシポヴィチ　Р. О. Якобсон（1896―1983）言語学者。〈モスクワ言語学サークル〉の組織者。未来派の運動と関係をもち、『もっとも新しいロシア詩』を書く。革命後、プラハに移住。〈プラハ言語学サークル〉を創設。やがてアメリカに移る。主著『一般言語学』。

★15ハルジエフ　ニコライ・イワーノヴィチ　Н. И. Харджиев（1903―96）文芸学者。マヤコフスキイに関する卓越した論文を書いた。トレニンとの共著『マヤコフスキイと詩の文化』が主著。

★16クルチョーヌイフ　アレクセイ・エリセーエヴィチ　А. Е. Крученых（1886—1968）詩人。未来派の中心人物で、超意味言語による詩的実験を行なう。〈レフ〉にも参加。

★17ラリオーノフ　ミハイル・フョードロヴィチ　М. Ф. Ларионов（1881—1964）画家。光線主義の創設者。未来派の運動にも加わったが、一四年、ディヤーギレフのロシア・バレエ団の舞台装置を担当するためにパリに行き、ロシアを永遠に去る。

★18ゴンチャローワ　ナターリヤ・セルゲーエヴナ　Н. С. Гончарова（1881—1962）画家。〈ダイヤのジャック〉グループに属し、聖像画の影響を受け、プリミティヴなものを求めつつ抽象絵画を目ざした。ラリオーノフとともに、一四年、ロシア・バレエ団の装置を担当するためにパリに行き、ロシアを去る。

★19マレーヴィチ　カジミール・セヴェリーノヴィチ　К. С. Малевич（1878—1935）画家。シュプレマティズムの創始者。その理論と実践で二〇世紀絵画に強烈な刺激を与えた。

i―2　立体未来派グループの登場

★1シェルシェネーヴィチ　ワジム・ガヴリエレヴィチ　В. Г. Шершеневич（1893—1942）詩人。自我未来主義のグループに参加し、革命後、イマジニストのグループに加わる。

★2チュコフスキイ　コルネイ・イワノヴィチ　К. И. Чуковский（1882—1969）批評家、作家。未来派の運動に加わったあと、児童文学の領域でも活躍した。

★3セヴェリャーニン　イーゴリ・ワシーリエヴィチ　И. В. Северянин（1887—1941）詩人、自我未来主義グループの指導者。革命後亡命した。

★4オリムポフ　コンスタンチン・コンスタンチノヴィチ　К. К. Олимпов（1889―1948）自我未来主義のグループに参加した詩人。

★5イグナーチエフ　イワン・ワシリエヴィチ　И. В. Игнатьев（1892―1914）詩人。自我未来派グループ〈自我未来派連合〉に参加。

★6カンディンスキイ　ワシーリイ・ワシーリエヴィチ　В. В. Кандинский（1866―1944）画家。ミュンヘンで〈青騎士〉グループを結成。第一次大戦の開始とともに帰国。革命後、ロシアの美術界で活躍、〈インフク〉を設立。二二年、〈バウハウス〉の教授となり、ロシアを去る。主著『芸術における精神的なものについて』。

★7コンチャロフスキイ　ピョートル・ペトロヴィチ　П. П. Кончаловский（1876―1956）画家。〈ダイヤのジャック〉グループに参加したが、革命後、作風を変え、写実的な絵画を描くようになった。

★8タトリン　ウラジーミル・エヴグラーフォヴィチ　В. Е. Татлин（1885―1953）画家、彫刻家、舞台美術家。ロシアにおける構成主義運動の創始者。

★9プーシキン　アレクサンドル・セルゲーエヴィチ　А. С. Пушкин（1799―1837）詩人。ロシア近代文学の確立者。代表作『エヴゲーニイ・オネーギン』。

★10ドストエフスキイ　フョードル・ミハイロヴィチ　Ф. М. Достоевский（1821―1881）作家。代表作『罪と罰』、『カラマーゾフの兄弟』。

★11トルストイ　レフ・ニコラエヴィチ　Л. Н. Толстой（1828―1910）作家。代表作『戦争と平和』、『アンナ・カレーニナ』。

★12バリモント　コンスタンチン・ドミトリエヴィチ　К. Д. Бальмонт（1867―1942）象徴派の代

表的詩人。詩集『北方の空の下で』、『太陽のようになろう』。二一年に亡命。

★13ブリューソフ　ワレーリイ・ヤコヴレヴィチ　В. Я. Брюсов（1873—1924）詩人、批評家。象徴派の指導的理論家。詩集『傑作』、『それは私だ』、主著『詩学の諸問題』。

★14アンドレーエフ　レオニード・ニコラエヴィチ　Л. Н. Андреев（1871—1919）作家。戯曲『人間の一生』、小説『七死刑囚物語』が代表作。

★15ゴーリキイ　マクシム　М. Горький（1868—1936）本名、アレクセイ・マクシモヴィチ・ペシコフ。作家。代表作『どん底』、『母』。

★16クプリーン　アレクサンドル・イワノヴィチ　А. И. Куприн（1870—1938）作家。『ヤーマ』、『決闘』。

★17アヴェルチェンコ　アルカージイ・チモフェーヴィチ　А. Т. Аверченко（1881—1925）ユーモア作家。諷刺雑誌「サチリコン」、「新サチリコン」同人として活躍。

★18チョールヌイ　サーシャ　С. Черный（1880—1932）諷刺詩人として「サチリコン」、「新サチリコン」に詩を発表。

★19ブーニン　イワン・アレクセーヴィチ　И. А. Бунин（1870—1953）作家。十月革命後に亡命。ノーベル賞受賞。代表作『村』。

★20フリサンフ　Л. Хрисанф（1892—1980）本名レフ・ワシーリエヴィチ・ザック。〈詩の中二階〉グループに所属した詩人。ロシアンスキイというペンネームで批評を書いた。

★21イブネフ　リューリク　Р. Ивнев（1893—）本名ミハイル・アレクサンドロヴィチ・コワリョフ。自我未来派の詩人。

★22ボブロフ　セルゲイ・パーヴロヴィチ　С. П. Бобров（1889—1971）詩人、作家。一二年に、パステルナーク、アセーエフとともに〈リリカ〉グループを結成し、未来派グループ〈遠心分離器〉の指導者となる。

★23パステルナーク　ボリス・レオニードヴィチ　Б. Л. Пастернак（1890—1960）詩人。未来派グループ〈遠心分離器〉に参加。代表作『わが妹・人生』、『ドクトル・ジバゴ』、五八年、ノーベル文学賞受賞。

★24アセーエフ　ニコライ・ニコラエヴィチ　Н. Н. Асеев（1899—1963）詩人。〈遠心分離器〉〈レフ〉に参加。長詩『セミヨン・プロスカコフ』、『マヤコフスキイはじまる』。

★25シクロフスキイ　ヴィクトル・ボリーソヴィチ　В. Б. Шкловский（1893—1984）批評家。〈オポヤズ〉を結成、フォルマリズムの批評運動の中心メンバー、未来派から〈レフ〉にいたる芸術運動にも参加。主著『散文の理論』、『感傷旅行』、『マヤコフスキイ論』、『自伝』。

★26ブリーク　オシップ・マクシーモヴィチ　О. М. Брик（1888—1945）マヤコフスキイ、シクロフスキイの親友で、〈オポヤズ〉〈レフ〉などに参加。主論文『音反復』『リズムとシンタクシス』。

★27デニケ　ボリス・ペトローヴィチ　Б. П. Денике（1885—1941）芸術学者として知られる。モスクワ大学教授となる。

★28メレジコフスキイ　ドミートリイ・セルゲーエヴィチ　Д. С. Мережковский（1865—1941）詩人、作家、批評家。象徴派の指導者の一人。代表作『シンボル』、『現代ロシア文学の頽廃の原因と新しい潮流について』、三部作『キリストと反キリスト』。革命後パリに亡命。

★29ゴーゴリ　ニコライ・ワシーリエヴィチ　Н. В. Гоголь（1809—52）作家、劇作家。代表作『外套』、『検察官』、『死せる魂』。

★30ソロヴィヨフ　ウラジーミル・セルゲーエヴィチ　В. С. Соловьёв（1853—1900）哲学者、詩人。

神秘主義の思想家としてブローク、ベールイなどに強い影響を与えた。

★31ベールイ　アンドレイ　А. А. Белый（1880—1934）象徴派の代表的な詩人、作家、批評家。詩集『るり色のなかの黄金』、『灰』、小説『ペテルブルグ』、『モスクワ』、『銀の鳩』。評論『象徴主義』は象徴派、未来派、二〇年代散文に大きな影響を与えた。

★32ベルジャーエフ　ニコライ・アレクサンドロヴィチ　Н. А. Бердяев（1874—1948）哲学者。革命後亡命。主著『歴史の意味』、『ロシア共産主義の源泉と意味』。

★33シェストフ　レフ・イサーキエヴィチ　Л. И. Шестов（1866—1938）哲学者、思想家。革命後亡命。主著『ドストエフスキイとニーチェ、悲劇の哲学』、『虚無よりの創造』。

★34グミリョーフ　ニコライ・ステパーノヴィチ　Н. С. Гумилев（1886—1921）詩人、アクメイズム運動の指導者。詩集『征服者の道』、『真珠』、『かがり火』。反革命陰謀に荷担したとして銃殺される。

★35アフマートワ　アンナ・アンドレーエヴナ　А. А. Ахматова（1889—1966）女流詩人。アクメイズムの運動に参加。詩集『夕べ』、『白鳥の群れ』。

★36マンデリシュターム　オシップ・エミリエヴィチ　О. Е. Мандельштам（1891—1938）詩人。アクメイズム運動に参加。血の粛清の犠牲となる。代表詩集『石』。

★37ベヌア　アレクサンドル・ニコラエヴィチ　А. Н. Бенуа（1870—1960）画家、美術批評家。〈芸術の世界〉グループの指導者。革命後亡命。主著『回想録』。

★38ソーモフ　コンスタンチン・アンドレーヴィチ　К. А. Сомов（1869—1939）画家。〈芸術の世界〉に参加。

★39フィロソーホフ　ドミートリイ・ウラジーミロヴィチ　Д. В. Философов（1872—1940）批評家、

哲学者。〈芸術の世界〉の中心的イデオローグとして雑誌の文芸欄を担当。のちに〈宗教・哲学協会〉の機関誌「新しい道」を編集、宗教哲学および文学の批評論文を書く。

★40バクスト　レオン・サモイロヴィチ　Л. С. Бакст（1866―1924）画家、舞台美術家。〈芸術の世界〉グループに参加。象徴派演劇の反自然主義風の舞台美術を担当。

★41ディャーギレフ　セルゲイ・パーヴロヴィチ　С. П. Дягилев（1872―1929）雑誌「芸術の世界」の発行、展覧会の開催、ロシア・バレエやオペラをヨーロッパ、アメリカに紹介するなど、ロシア芸術と西欧芸術の交流に貢献した。

i―3　「絵画そのもの」の探求へ

★1ヤヴレンスキイ　アレクセイ　А. Явленский（1864―1941）ロシア生まれの画家。ドイツに定住。カンディンスキイとともに〈新芸術家同盟〉をミュンヘンに設立。

★2シャガール　マルク・ザハーロヴィチ　М. З. Шагал（1887―1985）ロシア生まれの画家。ドイツ表現派の運動に参加、ベルリンで活躍し、第一次大戦の開始とともに帰国。革命後、ヴィテブスクに美術学校を設立、美術界に大きな影響を与えたが、二二年に亡命。エコール・ド・パリの作家として活躍。

★3スーチン　カイム　C. Soutine（1894―1943）ロシア生まれの画家。一九一三年にパリに行き、帰国せず、パリで活躍。

★4クズネツォフ　パーヴェル・ワルフォロメーヴィチ　П. В. Кузнецов（1878―1968）画家。〈芸術の世界〉グループを経て〈青い薔薇〉グループを創設する。

★5サリヤン　マルチロス・セルゲーエヴィチ　М. С. Сарьян（1880―1972）アルメニア生まれの

画家、舞台美術家。〈青い薔薇〉グループに参加。

★6ヤクーロフ　ゲオルギイ・ボグダーノヴィチ　Г. Б. Якулов（1884―1928）画家、舞台美術家。〈青い薔薇〉グループに参加。革命後は、カーメルヌイ劇場の舞台美術を手がける。

★7ブルリューク　ニコライ・ダヴィドヴィチ　Н. Д. Бурлюк（1890―1920）詩人、画家。兄ダヴィドとともに未来派の運動に参加。

★8ヴルーベリ　ミハイル・アレクサンドロヴィチ　М. А. Врубель（1856―1910）画家。世紀末の雰囲気のもとで、反自然主義的な絵画独自の表現を求めた最初の画家。〈芸術の世界〉に参加。

★9ボリーソフ＝ムサートフ　ヴィクトル・エルビジフォロヴィチ　В. Э. Борисов-Мусатов（1870―1905）画家。〈芸術の世界〉にも参加。ヴルーベリと並んで、ロシアにおける二〇世紀美術の出発を準備した。

★10マコフスキイ　セルゲイ・コンスタンチノヴィチ　С. К. Маковский（1877―1962）画家。象徴派の流れを汲む「アポロン」誌編集長。

★11レントゥーロフ　アリスタルフ・ワシーリエヴィチ　А. В. Лентулов（1878―1948）画家、舞台美術家。キュビズム、構成主義の潮流のなかで実験的な舞台装置を制作した。

★12ファリク　ロベルト　Р. Фальк（1886―1958）画家。〈ダイヤのジャック〉グループに参加。革命後、肖像画と静物画を書きつづけた。

★13マシコフ　イリヤ・イワーノヴィチ　И. И. Машков（1881―1944）〈ダイヤのジャック〉グループに所属した画家。革命後、画風を変えた。

★14フィローノフ　パーヴェル・ニコラエヴィチ　П. Н. Филонов（1883―1941）〈青年同盟〉に所属、未来派の画家。シュルレアリスムを先取りする画風を示す。悲劇『ウラジーミル・マヤコフスキイ』の舞台装置を担当。

★15ローザノワ　オリガ・ウラジーミロヴナ　О. В. Розанова（1886―1918）女流画家。〈青年同盟〉グループに属し、未来派の運動に参加。革命後、〈イゾ〉で精力的に活動したが、事故死する。

★16ピロスマニシヴィリ　ニコ　Н. Пиросманишвили（1862―1918）グルジアの画家。グルジアの自然や動物を子供のように素朴に描いた。

i―4　詩的言語と絵画の冒険

★1トレニン　ウラジーミル・ウラジーミロヴィチ　В. В. Тренин（1904―41）文芸学者。ハルジエフと共同執筆で、マヤコフスキイに関するすぐれた研究論文を書いた。

★2レーピン　イリヤ・エフィーモヴィチ　И. Е. Репин（1844―1930）画家。〈移動派〉グループに加わり、絵画を民衆のなかに入れようと試みる。典型的なリアリスト。

★3シーシキン　イワン・イワノヴィチ　И. И. Шишкин（1832―1898）画家。〈移動派〉グループの自然主義画家。

★4ポポーワ　リュボーフイ・セルゲーエヴナ　Л. С. Попова（1889―1924）ロシアの抽象絵画で重要な位置を占める女流画家。構成主義者として家具のデザインのほか、メイエルホリドの演劇のために舞台美術の面でも協力した。

★5ウダリツォーワ　ナジェージダ　Н. удальцова（1886―1961）女流画家。一九一二年にポポーワとともにパリに行き、キュビズムの洗礼を受ける。一九一四年に帰国後、前衛美術運動に加わる。

★6プーニ　イワン・アリベルトヴィチ　И. А. Пуни（1894―1956）画家。パリに留学した前衛画家。第一次大戦とともに帰国し、「未来派絵画展」を組織する。

★7アリトマン　ナタン・イサーエヴィチ　Н. И. Альтман（1889―1966）画家、舞台美術家。革命後、〈イゾ〉のペトログラード支部の責任者として活躍。

★8ボグスラーフスカヤ　クセーニヤ・レオニードヴナ　К. Л. Богуславская（1892―1972）女流画家。

★9リシツキイ　ラーザリ・マルコヴィチ　Л. М. Лисицкий（1890―1941）画家、建築家、デザイナー。革命後、マレーヴィチに協力して、新しい美術運動を展開。〈バウハウス〉〈デ・スティル〉とも関係をもち、ブックデザインやポスターなど、グラフィック・アートの分野で先駆的な仕事をした。

★10ヴェスニン　アレクサンドル・アレクサンドロヴィチ　А. А. Веснин（1883―1959）建築家、画家。革命後、「5×5＝25」展に参加し、画家として登場するが、カーメルヌイ劇場の舞台美術を担当したあと、構成主義建築のリーダーの一人となる。

i―5　〈モスクワ言語学サークル〉と〈オポヤズ〉

★1ヴェンゲロフ　セミョン・アファナーシエヴィチ　С. А. Венгеров（1855―1920）ペテルブルグ大学教授。文学史家。主著『二〇世紀ロシア文学史』。

★2エイヘンバウム　ボリス・ミハイロヴィチ　Б. М. Эйхенбаум（1886―1959）文芸学者。〈オポヤズ〉のメンバーとしてフォルマリズム運動に参加。主著『若きトルストイ』。

★3トゥイニャーノフ　ユーリイ・ニコラエヴィチ　Ю. Н. Тынянов（1894―1943）文芸学者、作家。〈オポヤズ〉を通して〈レフ〉グループに参加。歴史小説も書いた。主著『詩の言葉の問題』、『擬古典主義者と改新者』。

★4アレクセーエフ　ワシーリイ・ミハイロヴィチ　В. М. Алексеев（1881―1951）中国文学研究者。ペテルブルグ大学教授。

★5ゼリンスキイ　ファジェイ・フランツェヴィチ　Ф. Ф. Зелинский（1859―1944）古典学者。ペテルブルグ大学教授。一九二一年以後、ポーランドに移住。

★6ボードワン・ド・クルトネ　イワン・アレクサンドロヴィチ　И. А. Бодуэн-де-Куртенэ（1845―1929）ポーランド生まれの言語学者。比較言語学、一般言語学の領域ですぐれた業績を残し、ソシュールとともに二〇世紀の言語学に強烈な刺激を与えた。

★7ポリワーノフ　エヴゲーニイ・ドミートリエヴィチ　Е. Д. Поливанов（1891―1938）言語学者、東洋学者。〈オポヤズ〉に参加。血の粛清の犠牲となる。

★8ボガトゥイリョフ　ピョートル・グリゴーリエヴィチ　П. Г. Богатырев（1893―1971）フォークロア研究者。ヤコブソンとともに〈モスクワ言語学サークル〉を結成、二一年から四〇年までチェコに滞在。〈プラハ言語学サークル〉にもかかわり、フォルマリズムから構造主義にいたる潮流のなかで活躍。

★9ヤクビンスキイ　レフ・ペトローヴィチ　Л. П. Якубинский（1892―1946）言語学者。〈オポヤズ〉に参加。

★10ベルンシュテイン　セルゲイ・イグナーチエヴィチ　С. И. Бернштейн（1892―1970）言語学者。〈オポヤズ〉に参加。

★11ズダネヴィチ　イリヤ・ミハイロヴィチ　И. М. Зданевич（1894―1975）未来派の詩人、批評家。ラリオーノフとゴンチャローワにも強い影響を与えた。

★12ヴィノクール　グリゴーリイ・オシポヴィチ　Г. О. Винокур（1896―1947）言語学者。〈モスクワ言語学サークル〉に属し、フォルマリズムから〈レフ〉の運動に参加。主著『言語の文化』、『マヤコフスキイ・言語の革新者』。

★13トマシェフスキイ　ボリス・ヴィクトロヴィチ　Б. В. Томашевский（1890―1957）文芸学者。フォルマリズムの批評運動に参加。主著『文学の理論』。

i―6　方法としての芸術

★1ポテブニャ　アレクサンドル・アファナーシェヴィチ　А. А. Потебня（1838―1906）言語学者。イメージの理論によって詩を解明しようとしたため、フォルマリストによって批判の対象となる。

★2ベリンスキイ　ヴィサリオン・グリゴリエヴィチ　В. Г. Белиский（1811―48）批評家。文学における現実反映としてのリアリズム論を主張。主著『一八四七年のロシア文学観』、『ゴーゴリへの手紙』。

ii十月革命と芸術　ロシアの赤い宴

★1メイエルホリド　フセヴォロド・エミリエヴィチ　В. Э. Мейерхольд（1874―1940）演出家。制約劇、様式劇を主張したあと、「演劇の十月」を提唱、大胆な舞台言語の開発を行なった。粛清の犠牲となる。

★2タイーロフ　アレクサンドル・ヤーコヴレヴィチ　А. Я. Таиров（1885―1950）俳優、演出家。カーメルヌイ劇場を設立。劇形式における音楽、装置、衣装、照明などの役割を強調し、総合的な演劇を主張した。

★3エヴレイノフ　ニコライ・ニコラエヴィチ　Н. Н. Евреинов（1879—1953）演出家、劇作家。「モノドラマ」の理論を提唱、演劇概念の変革を目ざした。二〇年代に亡命。主著『演劇そのもの』、『ロシア演劇史』。

★4ルナチャルスキイ　アナトーリイ・ワシーリエヴィチ　А. В. Луначарский（1875—1933）批評家、文芸学者。革命直後から一九二九年まで教育人民委員を勤め、革命後の文化界に大きな役割を演じた。

★5シュテレンベルグ　ダヴィド・ペトローヴィチ　Д. П. Штеренберг（1881—1948）画家。パリでキュビズムの運動に参加し、革命後、〈イゾ〉の責任者となる。

★6ロドチェンコ　アレクサンドル・ミハイロヴィチ　А. М. Родченко（1891—1956）画家、デザイナー。〈レフ〉に参加、ブック・デザイン、ポスターなどで新しい地平を切りひらいた。

★7ペトロフ＝ヴォトキン　クジマ・セルゲーエヴィチ　К. С. Петров-Водкин（1878—1939）画家。モスクワ絵画・彫刻・建築学校を卒業。革命後、〈スヴォマス〉で教鞭をとる。

★8ボグダーノフ　アレクサンドル・アレクサンドロヴィチ　А. А. Богданов（1873—1978）思想家。〈プロレトクリト〉の理論的指導者。

★9アンネンコフ　ユーリイ・パーヴロヴィチ　Ю. П. Анненков（1890—1974）画家、舞台美術家。一九一三年頃から舞台美術家として活動をはじめ、革命後は演出家としても活躍。二四年、亡命。

★10ラヴィンスキイ　アントン・ミハイロヴィチ　А. М. Лавинский（1893—1968）画家。〈レフ〉の運動に参加。マヤコフスキイ『ミステリヤ・ブッフ』の美術を担当。

★11ステパーノワ　ワルワーラ・フョードロヴナ　В. Ф. Степанова（1894—1958）女流画家。構成主義者として〈レフ〉の運動に参加。舞台美術、デザインの分野でも活躍。

iii〈革命〉以後　レフは何を目指したか

iii-1 「レフ」のプログラム

★1アルワートフ　ボリス・イグナチェヴィチ　Б. И. Арватов（1896―1940）文芸学者、〈レフ〉同人。主著『芸術と階級』、『芸術と生産』。

★2クシネル　ボリス・アニシモヴィチ　Б. А. Кушнер（1888―1937）詩人、作家。未来派から〈レフ〉の芸術運動に参加。

★3トレチヤコフ　セルゲイ・ミハイロヴィチ　С. М. Третьяков（1892―1939）詩人、劇作家。〈レフ〉の中心メンバーで理論的指導者の一人。代表作『吠えろ、中国』。粛清される。

★4チュジャク　Чужак（1876-1937）本名ニコライ・フョードロヴィチ・ナシーモヴィチ。文芸批評家。極東で「創造」誌を編集・発行したあと〈レフ〉グループに参加。「生活建設の芸術」を主張。

★5チュルコフ　ゲオルギイ・イワノヴィチ　Г. И. Чулков（1879―1939）象徴派の批評家、作家。

★6ギッピウス　ジナイーダ・ニコラヴナ　З. Н. Гиппиус（1867―1945）象徴派運動に参加した女流詩人、作家。メレジコフスキイの夫人。二〇年に亡命。代表作『悪魔の人形』。

★7ローザノフ　ワシーリイ・ワシーリエヴィチ　В. В. Розанов（1856―1919）作家、哲学者。主著『ドストエフスキイの大審問官伝説』。

iii−2 「生産主義者」の理論

★1ヴォロンスキイ　アレクサンドル・コンスタンチノヴィチ　А. К. Воронский（1884―1943）批評家。「赤い処女地」誌編集長。トロツキストとして粛清される。評論集『芸術と生活』、『文学的タイプ』。

iii−3 十月革命後の〈オポヤズ〉

★1ジルムンスキイ　ヴィクトル・マクシーモヴィチ　В. М. Жирмунский（1891―1971）文芸学者。詩の研究で名高い。主著『詩の理論』。

★2バルハートゥイ　セルゲイ・ドミートリエヴィチ　С. Д. Балухатый（1890―1945）文芸学者。一七世紀から一八世紀にかけてのフォークロアの研究者。

★3ヴィノグラードフ　ヴィクトル・ウラジーミロヴィチ　В. В. Виноградов（1895―1969）言語学者。ボードワン・ド・クルトネやソシュールの影響を受ける。主著『ロシア詩文法』。

★4ゲラーシモフ　ミハイル・プロコフィエヴィチ　М. П. Герасимов（1889―1939）プロレタリア詩人。〈プロレトクリト〉〈鍛冶屋〉グループに所属。代表作『鉄の花』。粛清される。

★5アレクサンドロフスキイ　ワシーリイ・ドミートリエヴィチ　В. Д. Александровский（1897―1934）〈鍛冶屋グループ〉に属するプロレタリア詩人。

★6キリーロフ　ウラジーミル・チモフェーエヴィチ　В. Т. Кириллов（1890―1943）プロレタリア詩人。〈鍛冶屋〉グループに参加。

★7カザンスキイ　ボリス・ワシーリエヴィチ　Б. В. Казанский（1889―）〈オポヤズ〉から〈レ

フ〉グループにかかわった文芸学者、言語学者。

★8チェルヌイシェフスキイ　ニコライ・ガヴリーロヴィチ　**Н. Г. Чернышевский**（1828—89）批評家。革命的民主主義思想の発展に寄与。小説『何をすべきか』、評論『現実にたいする芸術の美術的関係』。

★9ルンツ・レフ・ナタノヴィチ　**Л. Н. Лунц**（1901—24）作家。〈セラピオン兄弟〉グループに所属。

★10ゾーシチェンコ　ミハイル・ミハイロヴィチ　**М. М. Зощенко**（1895—1958）作家。〈セラピオン兄弟〉グループに属し、同伴者作家として出発、グロテスクな諷刺的作品を書いた。代表作『ナザール・イリイチ・シュネブリーホフの物語』。

★11カヴェーリン　ヴェニアミン・アレクサンドロヴィチ　**В. А. Каверин**（1902—89）作家。〈セラピオン兄弟〉グループに属する同伴者作家として出発。『巣窟の崩壊』ほか。

★12フェージン　コンスタンチン・アレクサンドロヴィチ　**К. А. Федин**（1892—1977）作家。〈セラピオン兄弟〉グループに参加。代表作『都市と歳月』。

★13イワノフ　フセヴォロド・ヴャチェスラヴォヴィチ　**В. В. Иванов**（1895—1963）作家。〈セラピオン兄弟〉グループに属し、同伴者作家として出発。『装甲列車一四—六九』、『パルチザン物語』。

★14トロツキイ　レフ・ダヴィドヴィチ　**Л. Д. Троцкий**（1879—1940）本名ブロンシュテイン。革命家。十月革命当時のペトログラード・ソヴェト議長。レーニンの死後、党内闘争でスターリンに敗れ、二七年に共産党を除名、二九年には国外に追放され、四〇年にメキシコで暗殺された。革命後の文化問題にも強い関心を示し、『文学と革命』を書いた。

★15ブハーリン　ニコライ・イワノヴィチ　**Н. И. Бухарин**（1888—1938）革命家。一九二〇年代の共産党の文芸政策の決定に重要な影響を与えた。スターリンにより粛清される。

★16サクーリン　パーヴェル・ニオーチッチ　П. Н. Сакулин（1868―1930）文芸学者。芸術社会学の観点から文学研究を行なった。主著『文学の様式の歴史』。

★17コーガン　ピョートル・セミョーノヴィチ　П. С. Коган（1872―1932）文学史家、批評家。『西欧文学史概論』、『古代文学史概論』、『近代ロシア文学史概論』など多数の著作がある。

★18ポリャンスキイ　ワレリヤン　В. Полянский（1881―1948）本名パーヴェル・イワノヴィチ・レーベジェフ。批評家。〈プロレトクリト〉創設以来のプロレタリア文学運動の理論的指導者。

ⅲ-4　〈レフ〉の実践

★1バーベリ　イサーク・エマヌイロヴィチ　И. Э. Бабель（1894―1941）作家。「レフ」に短篇を発表。代表作『騎兵隊』、『オデッサ物語』。粛清される。

★2ヴェショールイ　アルチョム　А. Весёлый（1899―1939）作家。「レフ」に作品を発表。粛清の犠牲となり、獄死。長篇『血で洗われたロシア』が代表作。

★3ネズナーモフ　ピョートル・ワシーリエヴィチ　П. В. Незнамов（1889―1941）本名レジャンキン。詩人。極東の「創造」誌でデビューして以来、〈レフ〉の運動に参加。

★4ペトロフスキイ　ドミートリイ・ワシーリエヴィチ　Д. В. Петровский（1892―1955）作家、詩人。〈レフ〉に参加。『フレーブニコフの思い出』、『黒海の手帖』。

★5レヴィドフ　ミハイル・ユーリエヴィチ　М. Ю. Левидов（1891―1942）作家。革命前には「年代記」誌、「新生活」紙の編集に携わり、革命後はジャーナリストとして活躍。

★6エイゼンシュテイン　セルゲイ・ミハイロヴィチ　С. М. Эйзенштейн（1898―1948）映画作家。〈プロレトクリト〉の運動を経て演劇から映画に移る。モンタージュ論を「レフ」に発表。『戦艦ポチョムキン』など傑作を残す。
★7ヴェルトフ　ジガ　Д. Вертов（1897—1954）映画作家。キノ・グラース（映画眼）に関する宣言を発表、映画の記録の概念を提出。〈キノキ〉の運動の指導者。
★8ピリニャーク　ボリス・アンドレーヴィチ　Б. А. Пильняк（1894—1937）本名ボガウ。作家。同伴者作家のなかでも特異な才能をもつ。代表作『裸の年』、『消されない月の話』。粛清される。
★9チーホノフ　ニコライ・セミョーノヴィチ　Н. С. Тихонов（1896—1979）詩人。〈セラピオン兄弟〉グループの一員として出発したが、のちに思想的立場を変え、ソ連公認の代表的詩人となる。
★10ポロンスカヤ　エリザヴェータ・グリゴーリエヴナ　Е. Г. Полонская（1890—1969）女流詩人。〈セラピオン兄弟〉グループに所属。
★11エセーニン　セルゲイ・アレクサンドロヴィチ　С. А. Есенин（1895—1925）詩人。イマジニズムの運動に参加。革命を熱烈に受け入れたが、失意と幻滅のうちに自殺。

iv〈革命〉と〈芸術〉の死　メイエルホリドと演劇の十月

iv-1　演劇の十月

★1レールモントフ　ミハイル・ユーリエヴィチ　М. Ю. Лермонтов（1814—41）詩人、作家。代表作『現代の英雄』。
★2グリボエードフ　アレクサンドル・セルゲーエヴィチ　А. С. Грибоедов（1795—1829）詩人、劇作家。代表作『知恵の悲しみ』。

★3ゴロヴィン　アレクサンドル・ヤーコヴレヴィチ　А. Я. Головин（1863—1930）画家。舞台美術家。〈芸術の世界〉グループに属し、マリインスキイ劇場、アレクサンドリンスキイ劇場の舞台美術を担当。

★4ルドニツキイ　コンスタンチン・ラザレヴィチ　К. Л. Рудницкий（1920—）批評家、演劇学者。主著『演出家メイエルホリド』。

★5シチェプキナ＝クペールニク　タチヤーナ・リヴォーヴナ　Т. Л. Щепкина-Куперник（1874—1952）女流作家、翻訳家。チェーホフ、スタニスラフスキイと親交を結び演劇の分野で活躍。

★6ネミローヴィチ＝ダンチェンコ　ウラジーミル・イワーノヴィチ　В. И. Немирович-Данченко（1858—1943）劇作家、演出家。スタニスラフスキイとともにモスクワ芸術座を創設。

★7スタニスラフスキイ　コンスタンチン・セルゲーヴィチ　К. С. Станиславский（1863—1938）俳優、演出家。モスクワ芸術座の創設者の一人。ロシアにおける演劇運動の展開に貢献した。

★8エレンブルグ　イリヤ・グリゴーリエヴィチ　И. Г. Эренбург（1891—1967）作家。『フリオ・フレニトの遍歴』、『雪どけ』、回想録『人間・歳月・生活』などがある。

★9ユージン　アレクサンドル・イワノヴィチ　А. И. Южин（1857—1927）本名スムバートフ。俳優、劇作家。

iv-2　ビオメハニカ

★1ババーノワ　マリヤ・イワーノヴナ　М. И. Бабанова（1900—83）女優、メイエルホリド劇場で活躍。ソ連邦人民芸術家。

★2ザイチコフ　ワシーリイ・フョードロヴィチ　Б. Ф. Зайчков（1888—1947）俳優。メイエルホリド劇場で活躍。

★3イリインスキイ　イーゴリ・ウラジーミロヴィチ　И. В. Ильинский（1901―87）舞台俳優、演出家。ソ連邦人民芸術家。

★4ベブートフ　ワレーリイ・ミハイロヴィチ　В. М. Бебутов（1885―1961）演出家。ロシア共和国功労芸術家。

★5ヴェルハーレン　エミール　Emile Verharen（1855―1916）ベルギーの詩人、劇作家。メーテルランクらと「若きベルギー」を創刊。象徴主義の影響を受ける。

★6ヘルソンスキイ　フリサンフ・ニコラエヴィチ　Х. Н. Херсонский（1897―）演劇学者で批評家。

★7ザゴールスキイ　ミハイル・ボソーソヴィチ　М. Б. Загорский（1885―1951）演劇批評家。

★8ドミートリエフ　ウラジーミル・ウラジーミロヴィチ　В. В. Дмитриев（1900―48）画家、舞台美術家。メイエルホリドの指導のもとに劇場で働きはじめる。ロシア共和国第一劇場での『曙』の舞台美術を担当。

★9クループスカヤ　ナジェージダ・コンスタンチノヴナ　Н. К. Крупская（1869―1939）教育学者、政治家。レーニンの妻。

★10セラフィモーヴィチ　アレクサンドル・セラフィモーヴィチ　А. С. Серафимович（1863―1949）本名ポポフ。作家。ゴーリキイと親交を結ぶ。プロレタリア文学の代表者。『鉄の流れ』が代表作。

★11キセリョフ　ヴィクトル・ペトローヴィチ　В. П. Киселев（1895―）画家。『ミステリヤ・ブッフ』の舞台美術を担当。

★12ラヴィンスキイ　アントン・ミハイロヴィチ　А. М. Лавинский（1893―1968）彫刻家、画家、デザイナー。〈ブフテマス〉教授、〈インフク〉研究所員。〈レフ〉の運動にも参加、舞台美術、映画ポスター、ブックデザインの分野でも活躍。

★13 フラコフスキイ　ウラジーミル・リヴォヴィチ　В. Л. Храковский（1893—）画家。ラヴインスキイなどとともに『ミステリヤ・ブッフ』の舞台美術を担当。

★14 アクショーノフ　イワン・アレクサンドロヴィチ　И. А. Аксёнов（1884—1935）詩人、芸術学者、批評家。

★15 ユトケーヴィチ　セルゲイ・ヨシフォヴィチ　С. И. Юткевич（1904—85）演出家、映画作家。メイエルホリドの演劇学校で学ぶ。

★16 ライフ　ジナイーダ・ニコラエヴナ　З. Н. Райх（1894—1939）女優。メイエルホリド夫人。

★17 エルドマン　ニコライ・ロベルトヴィチ　Н. Р. Эрдман（1902—70）詩人、劇作家。戯曲『委任状』はメイエルホリド劇場で上演される。

★18 ヴィシネフスキイ　フセヴォロド・ヴィタリエヴィチ　В. В. Вишневский（1900—51）劇作家。戯曲『第一騎兵隊』、『楽天的悲劇』などがある。

★19 セリビンスキイ　イリヤ・リヴォヴィチ　И. Л. Сельвинский（1899—1968）詩人。二六年から三〇年にかけて、構成派詩人群の指導者として活躍した。

★20 クロムランク　フェルナン　Fernand Crommelynck（1886—1970）ベルギーの劇作家。フランスの舞台で活躍。代表作『堂々たるコキュ』。

★21 グヴォーズジェフ　アレクセイ・アレクサンドロヴィチ　А. А. Гвоздев（1887—1939）演劇研究者。文芸学者、批評家。

★22 スホヴォ＝コブイリン　アレクサンドル・ワシーリエヴィチ　А. В. Сухово-Кобылин（1817—

1903）劇作家。喜劇三部作『クレチンスキイの婚礼』、『事件』、『タレールキンの死』が代表作。

iv-3 メイエルホリド劇場の命運

★1マルチネ　マルセル Marcel Martinet（1887—1944）フランスの作家。『夜』はトレチヤコフによって改作され、『逆立つ大地』としてメイエルホリド劇場で上演された。

★2オストロフスキイ　アレクサンドル・ニコラエヴィチ А. Н. Островский（1823—86）劇作家。50篇近い作品を書いて、一九世紀ロシアの国民演劇の中心となった。代表作『雷雨』、『森林』。

★3ファイコ　アレクセイ・ミハイロヴィチ А. М. Файко（1893—1978）劇作家。戯曲『リューリの湖』と『ブブス先生』はメイエルホリドによって上演された。

★4ジノヴィエフ　グリゴーリイ・エフセーヴィチ Г. Е. Зиновьев（1883—1936）政治家。革命後、コミンテルン議長となる。レーニン死後、スターリンと対立し、党を除名される。処刑される。

★5ククルイニクスイ Кукрыниксы クプリヤーノフ、ミハイル・ワシーリエヴィチ М. В. Куприянов（1903—91）、クルイロフ、ポルフィーリイ・ニキーチッチ П. Н. Крылов（1902—90）、ソコロフ、ニコライ・アレクサンドロヴィチ Н. А. Соколов（1903—2000）の三人の画家の姓と名をとって作されたペンネーム。諷刺画、プラカード、挿絵などを共同で制作した。

★6ショスタコーヴィチ　ドミートリイ・ドミートリエヴィチ Д. Д. Шостакович（1906—75）作曲家。交響曲一四曲、オペラ、オラトリオ、弦楽四重奏曲などを多数作曲。

★7エルミーロフ　ウラジーミル・ウラジーミロヴィチ В. В. Ермилов（1904—65）文芸批評家。〈ラップ〉の指導的理論家。『チェーホフ論』、『ゴーゴリ論』などが主著。

★8キーロフ　セルゲイ・ミロノヴィチ С. М. Киров（1886—1934）政治家。党活動家。レニングラード党組織の書記長。暗殺される。

★9カーメネフ　Л. Б. Каменев（1883―1936）政治家、革命家。ジノヴィエフとともにスターリンに反対し、処刑される。

★10トゥハチェフスキイ　ミハイル・ニコラエヴィチ　М. Н. Тухачевский（1893―1937）軍人。陸軍元帥となり、「赤いナポレオン」と呼ばれたが、粛清される。

★11チェーホフ　ミハイル・アレクサンドロヴィチ　М. А. Чехов（1891―1955）俳優、演出家。

★12ケルジェンツェフ　プラトン・ミハイロヴィチ　П. М. Керженцев（1881―1940）ジャーナリスト、社会運動家。「ロスタの窓」の責任者もつとめた。

あとがき

「ロシア・アヴァンギャルド」という言葉は、二十世紀の芸術運動の一翼をになう普通名詞として、今日、さほど大きな抵抗もなく受け入れられているように思われる。ところが、いまから二十五年以上も前、この芸術運動にわたしが関心を抱きはじめた学生時代には、この言葉はまだ市民権をもたぬ主観的な用語にすぎなかった。「ロシア」と「アヴァンギャルド」がどのように結びつくのかという疑問が頻発するほど、「ロシア」と「アヴァンギャルド」とは、あまりにもかけ離れすぎ、永遠に結びつくことのないもののように理解されていた。「未来主義」や「フォルマリズム」、「レフ」や「メイエルホリド」を二十世紀芸術の遺産として語る人は、当時、ほとんどいなかった。もちろん、この運動を生んだソ連本国では、「アヴァンギャルド」など歴史に存在しなかったみたいに暗い過去の闇のなかに埋葬されたままで、「社会主義リアリズム」が唯一の芸術の基本的理念として信奉されていた時代のことである。

「アヴァンギャルドとは大衆のエネルギーの集中的表現である」という文章をはじめて読んだのは花田清輝のエッセイのなかでであったが、そのころのわたしは、この命題が分極化する過程に二十世紀前半の芸術の歴史の一面を見ないわけにはゆかなかった。ヨーロッパの芸術のアヴァンギャルドが大衆から切り離されることで純粋化するとともに衰弱していった歴史と、ロシアのアヴァンギャルドが「人民とは縁のない形式主義」として政治権力の側から排除されていった過程とを複眼的に凝視すること。学生時代からのわたしの主題のひとつを追求する作業は、しかし、資料不足を含めて困難をきわめ、遅々として進まなかった。

ロシア・アヴァンギャルドを復権しようとするわたしの最初のささやかな試みとなった『マヤコフスキイ・ノート』(中央公論社刊)を出版してから、すでに十年以上の歳月が流れている。その後、わたしは早稲田大学文学部の学部と大学院で「ロシア・アヴァンギャルド」の問題を講義する機会に恵まれ、その準備のためにあれこれと文献を読みあさっていくうちに、この過去の芸術運動のもつ可能性と時代精神の爆発的な表現に、めくるめくような感動を覚えたものである。そして、学生や大学院生たちの若々しい感受性との対話は、わたしにとっては疑いもなく挑発的なもので、かつ幸福なものであったといえる。いつの間にか、「ロシア・アヴァンギャルド」について一冊の本をまとめてみたいと思うようになった。

本書を書きあげる直接的な契機となったのは、西武百貨店文化事業部の桜井精一氏の企画による池袋コミュニティ・カレッジでの連続講義「ロシア・アヴァンギャルド」であった。一九八二年秋のこの講義をもとに一冊の本として出版することをすすめてくださったのが、パルコ出版編集部の山村武善氏である。思い起こせば、『マヤコフスキイ・ノート』を発表したときに、「日本読書新聞」編集部のインタビュアーとしてはじめてわたしの前に現われたのが、山村氏であった。こんな出会いにも、深い因縁を思わせる。

執筆依頼を受けてから、すでに三年近くが経ってしまった。「岩波講座『文学』」、「歴史と人物」、「文学界」、「芸術倶楽部」、「美術手帖」、「朝日ジャーナル」、「ユリイカ」、「ロシア手帖」などにすでに発表した文章を部分的に使用したとはいえ、ほとんど書きおろしといってよい本書を完成した現在、ロシア・アヴァンギャルドの見取図ぐらいはせめて作成したいと思ってはいたものの、あらゆるジャンルの問題を総括するには、わたし自身、あまりに非力であったと痛感するばかりである。これからの課題とするしかない。せめて、ロシア・アヴァンギャルドに関心を抱く人々の今後の踏台にでも本書がなってくれれば、幸いである。それにしても、残された問題はあまりにも多すぎる。とりわけ、本書ではほとんど言及できなかった構成主義建築については、わが国の建築家の若い才能の発言を待ちたいと思う。

最後に、本書の刊行に際してたいへんお世話になったパルコ出版編集部の山村武善と師岡昭廣の両氏、それに、ブック・デザインを担当された東幸見氏にも心から感謝の意を表したい。

一九八五年十月

水野忠夫

文庫版解説　政治革命に先駆けた芸術革命

河村　彩

本書のテーマは政治と芸術のふたつの革命の関係である。一九一七年ロシアで生じた世界初の社会主義革命に共鳴した芸術家たちは、詩、文学理論、絵画、演劇といった分野で芸術の刷新を起こすことで、未曾有の社会転換に呼応した。著者は個性的な芸術家たちの活動をたどりながら、激動の時代のロシア・ソヴィエトの芸術を生き生きと描きだしている。

本書の構成を見てみると、第一章では革命以前の芸術の状況が描かれ、続く二つの章では十月革命と芸術家たちとの関係および革命後の芸術の動向が考察され、第四章では革命と芸術の衰退が語られる。このように時系列的に革命期の芸術の動向が語られてはいるものの、その内容は本書刊行以前の著者の仕事の集大成となっている。

著者は本書の刊行以前に、名著として名高い『マヤコフスキイ・ノート』（一九七三年、新装版は二〇〇六年に平凡社ライブラリーより出版）を執筆しており、またロシア・フォルマリズムの代表的な論文を編訳した二巻にわたる『ロシア・フォルマリズム文学論集』（せりか書房、一九八二年）や、ヴィクトル・シクロフスキー『革命のペテルブルグ』（晶文社、一九七二年）等の翻訳を出版している。

これらの仕事を受けて執筆された本書は、未来派およびロシア・フォルマリズムを中心としたロシア・アヴァンギャルド論となっている。第一章と第二章では、マヤコフスキーを中心とするロシア未来派の詩の実践とマレーヴィチを中心とする無対象絵画の実践、そして未来派の詩を理論面から評価した「モスクワ言語学サークル」およびシクロフスキーが参加した「オポヤズ（詩的言語研究会）」が論述の中心となり、第三章ではマヤコフスキーが編集責任者となって出版された雑誌『レフ』の分析をもとに、構成主義や生産主義、映画や演劇の動向が考察されている。さらに演劇を扱った第四章では、芸術の問題を討議する革命政府の呼びかけにいち早く呼応したメイエルホリドが、マヤコフスキーとの共通性を持つ演劇人として、中心人物としての役割を果たしている。

イタリア未来派、ダダイズム、シュルレアリスムに代表されるように、二〇世紀初頭の前衛芸術の多くは、過去を否定し、人間の認識の革命を主張した。だがロシア・アヴァンギャルドが特異だったのは、芸術の革命を構想しているうちに、現実の社会主義革命が起こってしまったことにある。著者の指摘する「ロシアでは芸術革命が政治革命に先行していたという事実」（一〇頁）と、ロシア・アヴァンギャルドが「現実の革命の枠内に収まることを望まなかった」点（一四頁）は極めて重要である。本書でも語られているように、「言葉そのもの文字そのもの」を前景化させ、言葉の最大の特徴である意味を不問にした未来派の「超意味言語《ザーウミ》」と、色彩や形態といった絵画を成り立たせる要素のみで構成され、対象描写抜きで成立する「無対象絵画」のふたつの発明は、当時のヨーロッパの芸術全体を見ても、ひとつの到達点を示している。

いったいなぜロシアの芸術はここまでラディカルになれたのか。抽象画を発明した画家として、モンドリアン、カンディンスキー、マレーヴィチの名前がしばしば挙げられるが、後者二人は帝政期のロシア出身である。この事実に見られるように、芸術文化の周縁であるロシアという場所は、二〇世紀初頭に一飛びに芸術文化の先端へと躍り出た。この事実にはいくつかの説明の仕方があるが、レーニンの思想と関連づけることができるのではないかと、筆者は考える。ボリシェヴィキの活動家たちは、革命運動の際に矛盾に突き当たっていた。マルクスの理論によれば、資本主義が成熟すると社会主義の段階に移行する。だが、工業の発達も資本主義も遅れているロシアが、西側に先駆けて革命を成し遂げることをいったいどのように正当化すれば良いのか。そこでレーニンによって主張され、トロツキーによって支持されたのが、「鎖の輪」理論である。鎖を引っ張ると一番弱い輪の部分で切れるように、資本主義が不均等に発展したために後進資本主義国となったロシアでこそ最初に社会主義革命が起こるのだ。

この現象は芸術の分野でも同様に起こりうる。「西側」に対して遅れをとっていると考えた芸術家たちが最先端の動向に追いつこうと、フォービズム、プリミティビズム、セザンヌ主義、そしてキュビズムと、独自解釈をまじえながら貪欲に取り入れているうちに、あるときに「西側」を追い越してしまったのである。芸術家たちは必ずしもマルクス主義の理論に通じていたわけではないが、少なくとも当時の社会思想やそれを支持する社会の雰囲気は、彼らの芸術実践を加速させたに違いない。

本書には著者による未来派の詩の見事な翻訳が掲載され、壮大なヴィジョンのもとに言語の実験を試みたフレーブニコフや、愛と革命に生きたマヤコフスキーなど、強烈な個性の持ち主である未来派の詩人たちに著者が強く魅了されていることがうかがえる。さらにフォルマリズムの理論が参照されることで、彼らの詩の斬新さと、そこに現れた時代に対する意識が際立たせられている。たとえば著者は、二人の詩に見られる事物の変容というメタファーの技法をヤコブソンの詩の分析から説明し、そこに、事物と人間との関係が逆転し、前者によって後者が脅かされるという、時代の不安に対する防御反応を見出している。また、フォルマリズムは詩と絵画という異なるジャンルを共通の理論によって考察する可能性を開くものとしても参照されている。著者は言語学の理論をもとに、世紀転換期に事物と人間との調和的な関係が崩壊し、意味するものと意味されるものとの間の裂け目が生じたことを指摘するが、そのような認識が詩のみならず絵画のジャンルでも認められることを明らかにしている。

さらにフォルマリズムの理論は、時代の変化を考える上でも重要な参照項となっている。革命期のドラマティックなロシア文化の展開を捉える際に、著者の念頭にあるのはシクロフスキーの異化の理論である。つまり、超意味言語や無対象絵画といった革命前後の前衛芸術は、認識を刷新し、世界をいきいきとしたものとして新たに捉え直す異化の運動だった。また、革命直後には装飾されスローガンが書かれた列車や路面電車が走り、記念日には革命を再現する演劇がまさに革命の舞台となった冬宮で演じられたが、著者はシクロフスキーの言葉を参照しながら、これらの事象を生活の演劇化、つまり日常への芸術の侵入と、それによる生活の刷新として捉えている。だが異化効果は長くは続かない。一九二〇年代に入って革命の熱狂が冷めると、アヴァンギャルドたちは雑誌『レフ』で生産主義と構成主義を標榜することで芸術と社会との具体的な結びつきを図り、生活における異化効果の存続を図った。だが前衛は飽きられ、新しいものは陳腐化する。一九二〇年代末にはアヴァンギャルドはエリート主義として批判され、もはや自動化の作用に抗えなくなる。

あらためて読み返してみると、本書はロシア・アヴァンギャルドの失速と終焉に関しても、政治の動向と関連付けながら注意深い考察がなされていることがわかる。本書でも記述されているように、一九三二年に党中央委員会が、文学芸術団体を再編成して全ての作家をソヴィエト作家同盟に統一する方針を示し、三四年には作家同盟が設立されて社会主義リアリズムがソヴィエトの基本的な創作方法とされることになった。これによりソヴィエトにおける自由な芸術活動は終焉した。さらに一九三六年にショスタコーヴィチのオペラ『ムツェンスク郡のマクベス夫人』が『プラウダ』紙上で形式主義として批判されたのを皮切りに、党の方針に合致しない芸術家たちに対しても粛清の嵐が吹き荒れる。だが実際には、未来派を中心とするアヴァンギャルドに対する批判は、トロツキーの『文学と革命』に見られるように、すでに一九二〇年代からなされていた。著者はこのトロツキーによる批判は未来派を深く理解した上での批判であったとし、演劇の革命者メイエルホリドと革命の指導者トロツキーが舞台上で邂逅する様から、両者が互いを理解しあっていた可能性を示唆する。一九二〇年代のアヴァンギャルド批判が芸術論争を前提とした正当な批判であったのに対し、一九三〇年代の形式主義批判はアヴァンギャルドを排除するための批判であったという差異が本書で明らかになる。

もっとも本書が出版された後、芸術性や美学上の観点からではなく政治的な事情から抑圧されたというアヴァンギャルドの終焉の筋書きに対して、別の見方が提示されている。二〇〇〇年に日本語訳が出版されたボリス・グロイスの『全体芸術様式スターリン』は、ロシア・アヴァンギャルドの世界の創造者になろうとする意志は、究極的にはスターリン体制によって実現されたとする見解を提示し、物議をかもした。ただしグロイスのこの見解はひとつの見方にすぎず、実際にはスターリン時代に公式化された社会主義リアリズムの担い手と、未来派から『レフ』そして構成主義へと至る前衛芸術の担い手は、メンバーもその芸術上の志向も全く異なっていたという、単純だが重要な事実は無視されている。本書をたどれば、アヴァンギャルドか社会主義リアリズムかという二項対立が実際に存在していたわけではなく、一九二〇年代の論争的な雰囲気の中で、批判されることにより実践を転換し、理論を先鋭化させていったアヴァンギャルドの後期の動向が読み取れる。

本書の初版はまだソヴィエト連邦が存在していた一九八五年であり、特に最後の章の「結び」に関しては、その後の動向を補足しておく必要があるだろう。本章で語られているとおり、当時のソ連においてアヴァンギャルドは危険視され、絵画作品は公開されずに収蔵庫に眠ったままであり、詩集や文学作品の多くは半ば発禁扱いとなっていた。もっとも、ソ連の研究者や芸術家たちの多くはその存在と価値を知っており、国外で開催される展覧会にはアヴァンギャルドの作品が貸し出されることもあった。いわばロシア・アヴァンギャルドは、国内では公然の秘密、国外ではアクセス不可能な神秘のベールに包まれた芸術運動として知られていたのである。

そのような状況が変化したのが、一九八〇年代後半のペレストロイカから一九九一年のソヴィエト連邦崩壊にかけての時期である。それまで美術館や図書館に死蔵されていた作品や資料が解禁となり、一九九〇年代から二〇〇〇年代にかけてはロシア・アヴァンギャルドの再発見ブームが起こる。マレーヴィチ、未来派、フォルマリズムに関する論集が刊行され、サラビヤノフ、ナコフ、シャツキフ、コトーヴィチ、ハン＝マゴメードフ、クルサノフ、ボブリンスカヤ、シドリナといった研究者によるアヴァンギャルド関連の書籍の出版が相次いだ。日本でも一九八八年から九四年にかけて、重要な宣言や論文を網羅した全八巻に及ぶ記念碑的なシリーズ「ロシア・アヴァンギャルド」が国書刊行会から出版されており、大石雅彦『ロシア・アヴァンギャルド遊泳』（水声社、一九九二年）、亀山郁夫『ロシア・アヴァンギャルド』（岩波書店、一九九六年）、桑野隆『夢見る権利　ロシア・アヴァンギャルド再考』（東大出版会、一九九六年）、岩本憲児『ロシア・アヴァンギャルドの映画と演劇』（水声社、一九九八年）等の書籍が出版されている。

また、本書では一九八二年に東京の西武美術館で開催された「芸術と革命」展を、ロシア・アヴァンギャルドに対して関心が高まった重要な契機としているが、その後、「ポスター芸術の革命　ロシア・アヴァンギャルド展：ステンベルク兄弟を中心に」（二〇〇一年、東京都庭園美術館他）、「極東ロシアのモダニズム 1918–1928：ロシア・アヴァンギャルドと出会った日本」（神奈川県立近代美術館他、二〇〇二年）、「ロシア・アヴァンギャルドの陶芸展：モダン・デザインの実験」（二〇〇三年、岐阜県現代陶芸美術館他）、「青春のロシア・アヴァンギャルド」（二〇〇八年、Bunkamura ザ・ミュージアム他）、「ロシアの夢 1917–1937」（埼玉県立近代美術館他、二〇〇九年）、「ユートピアを求めて　松本瑠樹コレクション：ポスターに見るロシア・アヴァンギャルドとソヴィエト・モダニズム」（神奈川県立近代美術館他、二〇一三年）等の展覧会が日本で開催されている。

本書で取り上げられているジャンルは、主に詩、文学理論、演劇、美術であり、モンタージュの実験を繰り広げた映画や写真、ユートピア的な理念と合理性を両立させようとした建築といった重要なジャンルが抜け落ちているのに気づくだろう。だが、本書はむしろ日本のロシア・アヴァンギャルド研究に土台を提供し、筆者を含めた後続の研究者たちは本書を補完する形で今日の研究を成立させているのである。

二〇二二年二月ロシアによるウクライナへの侵攻が始まり、一年以上経った今でも終息のめどは立っていない。このような状況がロシア・アヴァンギャルドの捉え方にも変更を迫る可能性は否定できない。「ロシア・アヴァンギャルド」という用語の「ロシア」が表す場所とは、帝政期のロシアとそれを引き継いだソヴィエト連邦であり、ウクライナ出身のマレーヴィチを筆頭に、ロシア・アヴァンギャルドの芸術家の中には、ウクライナやベラルーシ、バルト三国、コーカサス諸国、中央アジアといった国々出身の者も含まれていることに留意しておく必要があるだろう。周辺諸国の芸術運動をも「ロシア・アヴァンギャルド」に包含することは、ともすれば、プーチン大統領が主導する現在のロシアの帝国主義的な動向に、意図せずとも加担することになりかねないということは、研究者として自戒を込めて記しておきたい。だが、アヴァンギャルドたちの多くは、民族固有のナショナリズムよりも社会主義という一種の普遍主義を志向し、新生ソヴィエトの市民という認識のもとに制作活動をおこなったことは強調されるべきである。さらには、ユダヤ人や女性といったマイノリティが多く活躍し、非エリート家庭出身の貧しい若き芸術家たちも名声を得る機会に恵まれたという点で、ロシア・アヴァンギャルドは極めて現代的な運動だったとすら言えるだろう。

二〇〇〇年代初頭私が大学でロシア語を学び始めた頃には、水野忠夫先生はアヴァンギャルドよりも少し前の時代の「銀の時代」の講義をされていた。バレエ・リュスや雑誌『芸術世界』で展開された華麗な芸術を紹介すると同時に、深遠な象徴主義の詩や、神秘的で観念的な世紀末の哲学を解説されていた。おそらく当時の水野先生は、時代を遡って、「未完の芸術革命」を成し遂げたロシア文化の不可解な深淵に、さらに深く潜ろうとしていたのだと思う。芸術文化を通してロシアという国の途方もなさを熟知していた水野先生は、天国で今の状況をどのように見ているのだろうか。

（かわむら　あや　ロシア・ソヴィエト美術　東京工業大学准教授）

●ジョイス『フィネガンズ・ウェーク』、スタインベック『怒りの葡萄』、ジロドゥー『オンディーヌ』。 ●高見順『如何なる星の下に』、中野重治『歌のわかれ』。	◆八月、独ソ不可侵条約締結。九月、ドイツ軍のポーランド侵入。第二次世界大戦はじまる（～四五）。
●グリーン『権力と栄光』、ケストラー『真昼の暗黒』、ヘミングウェイ『誰がために鐘は鳴る』。 ●チャプリン『独裁者』。 ●会津八一歌集『鹿鳴集』。	◆八月、トロツキイ、亡命先のメキシコで暗殺。九月、日独伊三国軍事同盟。

1939 ●コルネイチューク『ボグダン・フメリニツキイ』。
●メイエルホリド逮捕、妻ライフ虐殺。
●女流詩人ツヴェーターエワ帰国。

1940 ●メイエルホリド処刑。
●ブルガーコフ死（『巨匠とマルガリータ』、『劇場』、『モリエールの生涯』など多数の作品を未発表のまま遺す）。

この年譜は、水野忠夫『マヤコフスキイ・ノート』およびヴォルコフ編『ショスタコーヴィチの証言』（共に中央公論社）に付した年譜をもとに、バロン、タックマン編五十殿利治訳『ロシア・アヴァンギャルド』（リブロポート）その他を参照して作成した。

●トインビー『歴史の研究』H・ミラー『北回帰線』。 ●「パーティザン・レヴュー」創刊。 ●中原中也詩集『山羊の歌』、萩原朔太郎詩集室生犀星『あにいもうと』。	◆一月、第十七回党大会。七月、合同国家保安部が内務人民委員部と改称。十二月、キーロフ暗殺される。暗殺容疑でニコラーエフら十四名死刑。
●ジロドゥー『トロイ戦争は起らない』、マルロー『侮蔑の時代』、オーデン『見よ、旅人よ』、スペンダー『破壊的要素』、『創造的要素』。 ●川端康成『雪国』、中野重治『村の家』。北園克衛『VOU』、草野心平ら『歴程』創刊。芥川賞、直木賞設定。	◆一月、ジノヴィエフ、カーメネフ逮捕、キーロフ暗殺事件をトロツキイを首謀とするテロ陰謀と称するモスクワ裁判。党内粛清はじまる。七月、コミンテルン第七回世界大会（モスクワ）、反ファッショ統一戦線、人民戦線の方針を決定。八月、ドンバス炭坑労働者スタハーノフの採炭業績発表され、スタハーノフ運動はじまる。
●フォークナー『アブサロム、アブサロム』、エリュアール『豊かな眼』、ベルナノス『田舎司祭の日記』、モンテルラン『若き娘たち』、チャペック『山椒魚戦争』、ミッチェル『風と共に去りぬ』、老舎『駱駝祥子』。 ●石川淳『普賢』、太宰治『晩年』、坪田譲治『風の中の子供』、阿部知二『冬の宿』。 ●魯迅死。	◆八月、ジノヴィエフ、カーメネフら十六名の合同本部事件、全被告死刑判決を受け、処刑。十二月、スターリン憲法採択。党員の逮捕。 ◇スペイン、人民戦線内閣成立。 ◇日本、二・二六事件。
●マルロー『希望』、ドス・パソス『U・S・A』、ブレヒト『第三帝国の恐怖と悲惨』、毛沢東『実践論』『矛盾論』。 ●立原道造詩集『萱草に寄す』、永井荷風『濹東綺譚』、久保栄『火山灰地』、横光利一『旅愁』。	◆一月、ピャタコフら十六名の並行本部事件公判、全員死刑。六月、トゥハチェフスキイ元帥ら赤軍最高幹部八名の将軍、国家反逆罪のかどで秘密裁判、処刑。 ◇スペイン市民戦争。
●デュ・モーリエ『レベッカ』、ワイルダー『わが町』、アルトー『演劇とその影』、サルトル『嘔吐』、オーウェル『カタロニア讃歌』。 ●石川達三『生きてゐる兵隊』、中原中也詩集『在りし日の歌』、火野葦平『麦と兵隊』。	◆一月。ブハーリン、ルイコフ、ヤーゴダなど二十一名、「右翼トロツキスト陰謀事件」摘発。三月、ブハーリンら十八名銃殺。獄中のスターリン反対派の党員数万人、秘密裏に虐殺。「人民の敵」数百万に達する。 ◇ドイツ、オーストリアを併合。ミュンヘン会談。 ◇日本、国家総動員法施行。

1934	●第一回全ソ作家大会、ソ連作家同盟結成、社会主義リアリズムが唯一の創作方法として採択される。 ●ショスタコーヴィチのオペラ『ムツェンスク郡のマクベス夫人』(レスコフ原作)(～三二)、三四年、サモスード指揮、レニングラード・マールイ劇場で初演。 ●プロコフィエフ、組曲『キージェ中尉』、アサーフィエフ『バフチサライの泉』(バレエ)、ヒンデミット『画家マティス』。
1935	●ゼルジンスキイ、オペラ『静かなドン』(ショーロホフ原作)。
1936	●カターエフ『孤帆は白む』、プラトーノフ『ジャン』。 ●プロコフィエフ『ピーターと狼』『ロメオとジュリエット』(バレエ)、フレンニコフのオペラ『嵐のなかに』(ヴィルタ原作)。 ●「プラウダ」論文『音楽における荒唐無稽』によってショスタコーヴィチ『ムツェンスク郡のマクベス夫人』批判される。 ●文学・芸術界で形式主義批判キャンペーン。 ●大粛清がはじまる。三六～三九年、ピリニャーク、マンデリシュタム、ヴェショールイ、ワシーリエフ、バーベリら六百名以上の作家、詩人、芸術家、収容所に送られる。 ●ゴーリキイ死。
1937	●ショスタコーヴィチ、交響曲第五番『革命』ムラヴィンスキイ指揮、レニングラード・フィルにより初演。
1938	●コリツォフ『スペイン日記』。 ●エイゼンシュテイン『アレクサンドル・ネフスキイ』。 ●メイエルホリド劇場閉鎖。 ●スタニスラフスキイ死。

●エリオット『聖灰水曜日』、H・クレイン『橋』、フォークナー『死の床に横たわりて』、ドス・パソス『U・S・A』（〜三六）、マルロー『王道』、チボーデ『批評の生理』、ブルトン『シュルレアリスム第二宣言』、ブルトン、エリュアール『神聖受胎』、アラゴン『赤色戦線』、ムシール『特性のない男』（〜三三）。

●「革命に奉仕するシュルレアリズム」誌創刊。

●マレーヴィチ、ベルリンのソヴェト美術展に参加。

●中国、〈左翼作家連盟〉結成。

●横光利一『機械』、勝本清一郎『前衛の芸術』、蔵原惟人『ナップ芸術家の新しき任務』。

●D・H・ロレンス死。

◆「産業党」事件、裁判。

◇一月、ロンドン軍縮会議、四月、調印。

◇五月、中国上海に第一回ソヴェト地区代表者大会、六月、中国共産党中央委員会、李立三コースを採択（のちにコミンテルンにより批判される）、七月、長沙ソヴェト政府樹立、国民党軍の攻撃で壊滅。

◇六月、フランス、ライン地帯から撤兵。

◇八月、ハンガリー、ブダペストで失業労働者の大デモ。

◇九月、ドイツ総選挙でナチス大量進出、第二党となる。

◇十二月、スペイン共和主義者、全国で蜂起、アフリカ部隊を動員した政府軍により鎮圧。

●バック『大地』、フォークナー『サンクチュアリ』、ケストナー『ファビアン』、サン＝テグジュペリ『夜間飛行』、ニザン『アデン・アラビア』、カネッティ『眩暈』、巴金『家』。

●金田一京助『アイヌ叙事詩ユーカラの研究I・II』、横光利一『機械』。

◆スターリンの独裁強化。

◇失業者、ワシントンで飢餓行進。満洲事変勃発。

●ブルトン『通底器』、ハックスリー『すばらしい新世界』、コールドウェル『タバコ・ロード』、フォークナー『八月の光』、セリーヌ『夜の果ての旅』、モーロア『シェリー伝』、シェーンベルク『モーゼとアロン』（オペラ）。

●飯田蛇笏句集『山廬集』、蔵原惟人『芸術論』。

◆大飢饉、死者四百万から一千万人といわれる。

◇満洲建国宣言。日本に五・一五事件起こる。

◇ドイツ国会選挙でナチ、第一党となる。

●イエイツ『螺旋階段』、N・ウェスト『ミス・ロンリーハーツ』、マルロー『人間の条件』、ガルシア・ロルカ『血の婚礼』、ゴンブロビッチ『成熟期の日記』。

●小林多喜二『党生活者』（この年、虐殺される）。

◆白海運河建設完成。

◇一月、ヒトラー内閣成立。

◇ニューディール諸立法を制定。

◇日本、ドイツ、国際連盟脱退。

1930 ●ヴィシネフスキイ『第一騎兵隊』。ドブジェンコ『大地』。
●プロフィンテルン第五回大会（プロレタリア文化教育組織）。ハリコフ第二回革命作家会議。国際革命作家同盟〈モルプ〉成立。
●メイエルホリド劇場でマヤコフスキイ『風呂』初演（演出メイエルホリド、演出助手マヤコフスキイ、美術ワフタンゴフ、デイネカ、音楽シェバリーン）。レニングラード・ドラマ劇場で『風呂』初演（演出ヴェイスブスブレム、美術クリムメル、音楽ヴォロシーノフ）。
●〈ソヴェト美術団体連盟〉創設。マレーヴィチ他一六三名の作品がモスクワで展示される。
●マヤコフスキイ自殺。

1931 ●イリフ＝ペトロフ『黄金の仔牛』、バーベリ『オデッサ物語』。
●「ソヴェト宮殿」の競技設計公示に〈アスノヴァ〉のグループ〈アルウ〉のグループをはじめ、イォファン、ラドフスキイ、クリーンスキイ等が応募。
●ザミャーチン亡命。

1932 ●ショーロホフ『開かれた処女地』（〜六〇）、N・オストロフスキイ『鋼鉄はいかに鍛えられたか』。
●四月、党中央委員会決議「文学芸術団体の改組について」、〈ラップ〉〈プロレタリア音楽家協会〉など解散。
●アサーフィエフ『パリの炎』（バレエ）。

1933 ●亡命作家ブーニンにノーベル文学賞。
●マカレンコ『教育叙事詩』。
●タイーロフ『楽天的悲劇』（ヴィシネフスキイ作）を演出。
●プロコフィエフ、ソ連に帰国。

「〈レフ〉とソヴェト美術」を発表。
●ヴェネツィア・ビエンナーレでソヴェト美術部門が設けられる。リシツキイがケルンの〈プレッサ〉国際展のソ連邦館のディスプレイを担当。
●黒島伝治『渦巻ける鳥の群』、小林多喜二『一九二八年三月十五日』、野上弥生子『真知子』、林芙美子『放浪記』、蔵原惟人『プロレタリア・レアリズムへの道』、中野重治『いわゆる芸術大衆化論の誤りについて』、萩原朔太郎『詩の原理』。
●形式主義論争、芸術大衆化論争起こる。〈ナップ(全日本無産者芸術連盟)〉結成、『戦旗』創刊。

第二次共産党検挙(三・一五事件)、六月、緊急勅令で治安維持法改悪(死刑、無期刑を追加)、七月、特別高等警察を設置、憲兵隊に思想係を設置。

●コクトー『恐るべき子供たち』、クローデル『繻子の靴』、ヘミングウェイ『武器よさらば』、フォークナー『響きと怒り』、T・ウルフ『天使よ故郷を見よ』、レマルク『西部戦線異状なし』、デーブリーン『ベルリン・アレクサンダー広場』、ライヒ『弁証法的唯物論と精神分析』、マンハイム『イデオロギーとユートピア』、モラヴィア『無関心な人々』。
●ウィーンでリシツキイ『世界再興の建築』、ベルリンで、ヤン・チホールト『新しいタイポグラフィー』出版。
●ル・コルビジェ、二度目のロシア旅行。
●アルフレッド・バー、ニューヨーク近代美術館で「キュビスムと抽象美術」講演。
●ホーフマンスタール死。
●小林多喜二『蟹工船』、徳永直『太陽のない街』、中野重治『芸術に政治的価値なんてものはない』、平林初之輔『政治的価値と芸術的価値』、宮本顕治『敗北の文学』、小林秀雄『様々な意匠』、中河与一『形式主義文学理論の発展』、西脇順三郎『超現実主義詩論』。
●日本プロレタリア作家同盟結成。

◆一月、ソ連共産党、トロツキイを国外追放。四月、共産党第十六回全国協議会。第一次五ヵ年計画を承認。社会主義競争の布告。十一月、共産党中央委員会総会、ブハーリン、ルイコフらを政治局から追放(スターリンの支配権確立)。十二月、農村の集団農業化推進。「階級としての富農の絶滅」をスローガンとして採用。多数の農民の流刑。暴動を起こしたブリヤーク人、モンゴル人、大量流刑。辺境民族の強制移住、流刑の組織化。
◇三月、ベルリンで反ファシズム国際大会開催。
◇四月、第三次日本共産党検挙(四・一六事件)。
◇十月、ニューヨーク、ウォール街の株価大暴落、世界恐慌はじまる。
◇十二月、インド国民会議、ガンジーの独立決議案を可決。大衆的不服従運動を決定。

の応募作をモスクワで提出。ヴェスニン、エイゼンシュテイン、メイエルホリド等と会見。
●ラドフスキイ等が〈アルウ（都市建築家連盟）〉設立宣言。
●メイエルホリド劇場『堂々たるコキュ』（第二版）。
●ボグダーノフ死。

1929 ●フリーチェ『一九世紀のロシア絵画』出版。
●マレーヴィチ、最後の論文「建築、画架絵画、彫刻」を発表。
●〈レフ= REF（革命芸術戦線）〉グループ結成（マヤコフスキイ、アセーエフ、ブリーク、カタニャン、ネズナーモフ）。
●〈ラップ〉総会、プロレタリア文学運動のボリシェヴィキ化決議。
●トレチヤコフ美術館でマレーヴィチの回顧展。
●タトリン、『レタトリン』の制作に着手（一九三二年公開）。
●「革命ロシア美術家協会」第一一回展を「大衆の美術」と銘打って開催。『大衆の美術』誌創刊。
●「プロレタリア建築家連盟」結成。
●ジガ・ヴェルトフ『カメラを持った男』。プドフキン『アジアの嵐』。
●マヤコフスキイの戯曲『南京虫』、メイエルホリド劇場で上演。
●ブーブノフがルナチャルスキイに代って教育人民委員となる。

出版。
●フィラデルフィア美術館でロシア美術部門開設。ブルックリン美術館の現代美術展でロシア絵画展示。
●リルケ死。
●川端康成『伊豆の踊子』、葉山嘉樹『海に生きる人々』、青野秀吉『自然生長と目的意識』、平林初之輔『プロレタリアの文学運動』。

●ウルフ『燈台へ』、フォースター『小説の様相』、モーリヤック『テレーズ・デケールー』、ブレヒト『家庭用説教集』、カフカ『アメリカ』、ハイデッガー『存在と時間』。
●バウハウスからマレーヴィチの『非対象の世界』ドイツ語版出版。
●マレーヴィチ、ワルシャワ、ベルリン、デッサウで回顧展。
●横光利一『春は馬車に乗って』、芥川龍之介『河童』、『歯車』、『文芸的な余りに文芸的な』、蔵原惟人『マルクス主義文学批評の基準』、中野重治『芸術に関する走り書的覚書』、林房雄『全無産階級的政治闘争と芸術家の組織』。
●〈日本プロレタリア芸術連盟〉分裂。〈労農芸術家連盟〉結成、〈労芸〉分裂、〈前衛芸術家同盟〉成立。芥川龍之介自殺。
●東京でソヴェト美術の大展覧会開催。

◆十二月、共産党第十五回大会。コルホーズ、ソフホーズの建設、第一次五ヵ年計画を決定。トロツキイ、ジノヴィエフら反対派九十八名の除名を決定。
◇二月、朝鮮共産党結成。
◇三月、ハンガリー、ホルティ政府、共産主義者を弾圧、四月、ファシスト・イタリアと友好条約。
◇四～八月、アメリカ、「サッコ＝ヴァンゼッティ事件」に関して、各地で死刑反対のデモ。
◇七月、ウィーンで社会主義者蜂起。
◇八月、日本共産党代表、モスクワで「二七年テーゼ」作成。
◇十月、毛沢東、井岡山で革命根拠地建設に着手。十二月、広東コミューン樹立、国民党軍の攻撃により壊滅。

●アラゴン『文体論』、ブルトン『ナージャ』、マルロー『征服者』、ロレンス『チャタレー夫人の恋人』、ベンヤミン『一方通行路』、『ドイツ悲劇の根源』、ブレヒト『三文オペラ』、ゼーガース『聖バルバラの漁民蜂起』。
●ドイツ・プロレタリア的・革命的作家同盟結成。
●パリでA・サルモンの『現代ロシア美術』出版。
●アルフレッド・バー、雑誌「トランジション」に

◆一月、トロツキイ、アルマ・アタに追放。ブハーリン苦境に立つ。
◇四月、毛沢東、朱徳ら井岡山に赤軍第四軍を組織。六月、張作霖爆死事件。
◇八月、パリ条約（ケロッグ不戦条約）調印。
◇八月、コミンテルン第六回世界大会（モスクワ）。社会民主主義＝社会ファシズムの規定。コミンテルン綱領を決定。トロツキスト・グループをソ連共産党から除名する決議。
◇三月、日本共産党機関紙「赤旗」創刊、

トゥ（文学の哨所に立ちて）」誌を創刊。
●モソロフ管弦楽曲『鉄工場』、ショスタコーヴィチ『ピアノ・ソナタ第一番』。
●フールマノフ死。ベヌア、パリに亡命。

1927 ●オレーシャ『羨望』、ファジェーエフ『壊滅』、アヴェルバッハ『われわれの対立』、マーツア『現代ヨーロッパ文学とプロレタリアート』、パステルナーク『一九〇五年』。
●「新レフ」誌創刊（編集長マヤコフスキイ、アセーエフ、トレチヤコフ、ブリーク、シクロフスキイら参加）。
●ヴォロンスキイ、「赤い処女地」編集長解任。
●シテレンベルク、モスクワの絵画文化博物館で個展開催。
●〈インフク〉閉鎖。
●モスクワにG・バルヒンとM・バルヒン設計のイズヴェスチヤ・ビル建設。
●レニングラードで回顧的内容の「新傾向美術展」開催。
●グリエール『赤い罌粟』（バレエ）初演。
●エスフィリ・シュープの十月革命一〇周年記念作品『偉大なる道』公開。
●クストージエフ死。ヤクーロフ、パリに亡命。

1928 ●イリフ・ペトロフ『十二の椅子』、ショーロホフ『静かなドン』（〜四〇）、プラトーノフ『秘められた人間』。
●「新レフ」誌終刊号。
●モスクワで「革命ロシア美術家協会」第十回展。
●レニングラードで「四芸術家協会」展。
●第一次五ヵ年計画の実施により「革命ロシア美術家協会」が苦境に陥る。
●第一回全ソ連邦プロレタリア作家大会。〈ワップ〉解消、共和国ごとに作家協会を置き、各作家協会の統一機関〈ヴォアップ〉（全ソ連邦プロレタリア作家協会連盟）を結成。
●ル・コルビジェ、〈ツェントロソューズ（全ソ連邦消費組合中央連合）〉の競技設計大規模な展観。
●宮沢賢治『春と修羅』、谷崎潤一郎『痴人の愛』、宮本百合子『伸子』、広津和郎『散文芸術の位置』、千葉亀雄『新感覚派の誕生』。
●「文芸戦線」、「文芸時代」創刊、新感覚派文学運動起る。

◇十一月、イタリア、ファシスト、選挙で議席の六五パーセント獲得。

●ウルフ『ダロウェイ夫人』、フィッツジェラルド『偉大なギャツビー』、ドライサー『アメリカの悲劇』、ヘミングウェイ『われらの時代に』、ドス・パソス『マンハッタン乗換駅』、カフカ『審判』。
●〈日本プロレタリア文芸連盟〉結成。
●梶井基次郎『檸檬』、葉山嘉樹『淫売婦』、横光利一『感覚活動』、堀口大学訳『月下の一群』。
●バウハウス、デッサウに移転。
●ニューヨークで、ルイス・ロゾウィックの『現代ロシア美術』、ハントリー・カーターの『ソヴェト・ロシアの新しい演劇と映画』出版。
●メーリニコフ、パリ国際現代装飾工業美術展のソヴェト館を設計。ロドチェンコがデザインを手掛けた労働者クラブの家具調度を展示。

◆一月、党中央委員会、トロツキイを批判、トロツキイ、軍事人民委員を辞任。カーメネフ、政治局員から解任。十二月、第十四回共産党大会。社会主義工業化を提起、スターリンの一国社会主義理論を採択、新反対派を排除。
◇一月、イタリア・ファシスタ党、独裁宣言。
◇三月、コミンテルン執行委員会第五回プレナム（相対的安定、党のボリシェヴィキ化、トロツキズムなどを討議）。
◇五月、上海の大デモ、反帝闘争に発展（五・三〇事件）。イギリス炭坑労働者の大ストライキはじまる（二六年十一月まで）。
◇十二月、ロカルノ条約調印。
◇一月、日ソ国交回復。上海で日本共産党再建決議。四月、治安維持法公布。五月、普通選挙法公布。日本労働組合評議会結成。
◇福本和夫『欧州における無産階級政党組織問題の歴史的発展』、福本イズム台頭。

●Ｄ・Ｈ・ロレンス『翼ある蛇』、フォークナー『兵士の給与』、ヘミングウェイ『日はまた昇る』、エリュアール『苦しみの首都』、アラゴン『パリの農夫』、ジッド『贋金づくり』、カフカ『城』、魯迅『野草』。
●ハノーファーの抽象美術のための展示室のデザインをリシツキイが手掛ける。
●ヤコブソン、プラハ言語学サークルの一員となる。
●カンディンスキイの『点と線から平面へ』

◆トロツキイ、ジノヴィエフおよびカーメネフと合同反対派を組織し、スターリン・ブハーリン連合派と決定的抗争を開始。十月、トロツキイとジノヴィエフ、政治局員から解任。
◇五月、ジュネーヴで軍縮会議準備会開催。
◇七月、蔣介石、北伐開始。十一月、中国国民党左派と共産党連立の武漢政府樹立。
◇十二月、日本共産党再組織協議会。

レニングラード・フィルでストラヴィンスキイ、ヒンデミット、クルシェーネク、シェーンベルク、ミヨーの作品を演奏。

●ブリューソフ死。エクステル、アンネンコフ、セレブリャコーワ、プーニ、パリへ。ドブジンスキイ、リトアニア、西欧を経て、アメリカへ。

1925 ●グラトコフ『セメント』、シクロフスキイ『散文の理論』、ショーロホフ『るり色の曠野』。

●「レフ」誌終刊号。

●フィローノフ、レニングラードで「分析芸術家協会」を結成。

●モスクワで「画架芸術家協会」結成。

●モスクワで「四芸術協会」結成。

●〈ワップ〉第一回全ソ・プロレタリア作家大会開催。レレーヴィチとワールジンの報告にもとづき、トロツキイ、ヴォロンスキイを批判。〈ワップ〉の下部組織として〈ラップ(ロシア・プロレタリア作家協会)〉結成。同伴者作家、〈レフ〉にたいする〈ラップ〉の攻撃激化。

●党中央委員会、文芸政策をめぐる討論会を開催。「文学芸術の領域における党の政策について」の共産党中央委員会の決議発表。

●〈アスノヴァ(新建築家協会)〉結成。ラドフスキイ、ドクチャーエフ、クリーンスキイ等が参加。

●エイゼンシュテイン映画『ストライキ』『戦艦ポチョムキン』。

●タトリン、キエフの教育人民委員会の演劇・映画部会の責任者となる。

●ショスタコーヴィチ『交響曲第一番』

●エセーニン、ロープシン(サヴィンコフ)自殺。エヴレイノフ、パリに亡命。

1926 ●バグリツキイ『オパナスについての物語詩』、パステルナーク『スペクトルスキイ』、バーベリ『騎兵隊』、レオーノフ『泥棒』、トレチヤコフ『吠えろ、中国』、トレニョーフ『リュボーフィ・ヤロワーヤ』、スタニスラフスキイ『芸術におけるわが生涯』、フリーチェ『芸術社会学』、リベジンスキイ『コミッサール』。

●リシツキイとラドーフスキイ編集の「アスノヴァ通信」刊行。

●ワフタンゴフ劇場創設。ヴェルトフ『世界の六分の一』(映画)、プドフキン『母』(ゴーリキイ作)。

●雑誌『現代建築』創刊。

●〈ワップ〉総会、党の決議を受け入れ、レレーヴィチ、ワールジンの極左的誤謬を批判、アヴェルバッハ、リベジンスキイが主導権を握る。「ナ・リテラトゥルノム・ポス

●コクトー『山師トマ』、ラディゲ『肉体の悪魔』、ムジール『三人の女』、リルケ『オルフォイスに捧げるソネット』、『ドゥイノの悲歌』、ショー『聖女ジョウン』、ルカーチ『歴史と階級意識』、魯迅『吶喊』。

●高橋新吉『ダダイスト新吉の詩』、金子洋文『地獄』、横光利一『日輪』、青野季吉『文芸運動と労働階級』、『芸術の革命と革命の芸術』。有島武郎自殺。

●「文芸春秋」創刊。

●ベルリンでロシア美術展。リシツキイの「プロウン空間」を展示。

◆スターリン、ジノヴィエフ、カーメネフと「トロイカ」を作り、トロツキイに対抗。トロツキイ書簡、党指導部を攻撃、反対派四十六名の声明。七月、ソ連邦憲法制定。十二月、トロツキイ『新しい路線』を「プラウダ」紙に発表。党内闘争激化。レーニン、遺書作成、スターリンと絶交宣言、スターリン追放に関してトロツキイに同意を求める。

◆五月、第二インターと第二半インター合同し、社会主義労働者インターナショナル成立。

◇ドイツ革命敗北、ベルリンのゼネスト、ザクセン蜂起、ハンブルグ蜂起、軍隊により鎮圧。ヒトラーのミュンヘン暴動。共産党非合法化。

◇ブルガリア農民党政府、ファシストに敗北。

◇中国、孫文、国民党を改組し、共産党員の入党を容認。

◇日本、「赤旗」創刊、第一次共産党検挙、堺利彦ら二十九名起訴。関東大震災、多数の朝鮮人、社会主義者とともに大杉栄、伊藤野枝、平沢計七ら虐殺。

●ヴァレリー『ヴァリエテ』(〜四四)、ブルトン『シュルレアリスム第一宣言』、ラディゲ『ドルジェル伯の舞踏会』、フォースター『インドへの道』、トーマス・マン『魔の山』、リチャーズ『文芸批評の原理』。

●ブルトン、アラゴン、エリュアールら「シュルレアリスム革命」誌創刊。

●カフカ、コンラッド、アナトール・フランス死。

●〈ブルー・フォー〉グループ(カンディンスキイ、クレー、ヤウレンスキイ、ファイニンガー)結成。

●ニューヨークの〈ソシエテ・アノニム〉でエクステル、マレーヴィチ、メドゥネツキイ、ステンベルク、タトリン等の作品が展示。

●ニューヨークのグランド・セントラル・パレスで、ロシア美術展開催される。

●ヴェネツィアの国際美術展でソヴェト美術の

◆一月、レーニン死。ペトログラードをレニングラードと改称。ソ連邦憲法公布。四月、スターリン『レーニン主義の基礎』を講演。五月、共産党第十三回大会、反対派四十六名の偏向非難決議。レーニンの遺書発表されず。六月、トロツキイ『レーニンについて』、九月、トロツキイ『十月の教訓』を発表。「トロイカ」とトロツキイの対立激化。

◇一月、イギリス労働党政府成立。

◇三月、日本共産党、解党を決議。

◇六月、コミンテルン第五回大会(モスクワ)。多数者獲得戦術、党のボリシェヴィキ化などを決議。

◇九月、国際連盟第五回総会、軍縮決議案を可決。

◇十月、中国国民党第一回全国代表者会議、国共合作。

1923 ●「レフ（芸術左翼戦線）」誌創刊（マヤコフスキイ、アセーエフ、ブリーク、トレチヤコフ）。

●〈十月〉グループ機関誌「ナ・ポストゥ（哨所に立ちて）」創刊。

●〈ラプム（ロシア・プロレタリア音楽家協会）〉結成。

●メイエルホリド劇場開設。

●メイエルホリド演出のトレチヤコフの『逆立つ大地』の舞台装置と衣裳をポポーワが担当。フレーブニコフの『ザンゲジ』がペトログラードの〈インフク〉によって上演、舞台装置タトリン。

●ヴェスニン兄弟、「労働宮殿」を設計。

●チャーシニク、スエチン、シュプレマティズムの磁器を制作。

●シャガール、コロヴィン、ペヴスネル、ソーモフはパリへ亡命。

1924 ●レオーノフ『穴熊』、エセーニン『酔いどれのモスクワ』、ザミャーチン『われら』、ブルガーコフ『白衛軍』『悪魔物語』、セラフィモーヴィチ『鉄の流れ』、セイフーリナ『ヴィリネーヤ』、トゥイニャーノフ『詩の言葉の問題』、トロツキイ『文学と革命』、ルナチャルスキイ『演劇と革命』。

●「十月」誌創刊。

●〈マップ〉総会、〈ワップ〉（全ロシア・プロレタリア作家協会）結成を決議。同伴者作家にたいする攻撃激化。トロツキイ、ヴォロンスキイ、同伴者を擁護。

●共産党中央委員会出版部主催、「党の文芸政策をめぐる討論会」開催。ヴォロンスキイとワールジンの報告に基づき、トロツキイ、ブハーリン、ルナチャルスキイら討論。

●モスクワの〈ヴフテマス〉で「第一回行動的革命美術協会問題提起展」。

●モスクワで〈マコヴェッ〉第二回展。

●赤の広場のレーニン廟がシチューセフによって設計される。

●〈美術家——建設者〉ポポーワの遺作展。

●カンディンスキイの原案で国立芸術学アカデミー内に心理学研究所設置。

●エクステル、SF映画『アエリータ』のセットと衣裳をデザイン。

●「現代音楽協会」、モスクワとレニングラードで結成、西欧音楽の夕べを開催。

●カンディンスキイ、ドイツへ戻る。アムステルダムの雑誌「ヴェンディン」第四号、表紙にリシツキイのデザインを採用。

●ベルク『ヴォツェック』、ミヨー『ブラジルへの郷愁』。

●志賀直哉『暗夜行路』（〜三七）、小牧近江『第二インターナショナルか第三インターナショナルか』、平林初之輔『唯物史観と文学』。「種蒔く人」誌創刊。

ロシア共産党第十回大会、ネップ（新経済政策）、分派活動禁止決議を採択（〜二七）、労働者反対派は党内にとどまる。メニシェヴィキ指導者国外へ亡命。党員の粛清はじまる。

◇二月、ウィーン、インターナショナル（第二半インターナショナル）創立大会。六月、コミンテルン第三回世界大会（モスクワ）、七月、赤色労働組合インターナショナル（プロフィンテルン）創立大会。

◇イタリア、イギリス、スペイン、中国、アイルランドで共産党創設。

◇ムッソリーニ、正式にイタリア・ファシスタ党を結成。

◇十一月、ワシントン軍縮会議はじまる。

◇日本、「暁民共産党事件」。社会主義同盟、アナーキスト、ボリシェヴィキ派の対立。社会主義同盟結社禁止。水平社創立。

●エリオット『荒地』、ジョイス『ユリシーズ』、カミングス『巨大な部屋』、ロマン・ロラン『魅せられたる魂』（〜三四）、モーラン『夜開く』、トラー『機械破壊者』、ブレヒト『夜打つ太鼓』。

●エリオットら「クライティーリオン」誌創刊（〜三九）。

●ニューヨークのキンゴア画廊でゴンチャローワとラリオーノフの展覧会。

●ベルリンのガレリー・ファン・ディーメンでロシアとソヴェト美術の大規模な展覧会。

●ワイマールで開催された構成主義者大会にリシツキイが参加。

●プルースト死。

●有島武郎『宣言一つ』、平林初之輔『第四階級の芸術』。森鷗外死。

◆レーニン発病、共産党第十一回大会でスターリン、書記長となる。社会革命党指導者二十二名にたいする裁判。レーニンとトロツキイ、秘密会談で反スターリン・ブロックの密約成立。十二月、ソヴェト社会主義共和国連邦成立。

◇十月、ムッソリーニ、ローマ進軍、ファシスト内閣成立。

◇十一月、コミンテルン第四回大会（モスクワ）、プロフィンテルン第二回大会。十二月、アナルコ・サンディカリスト・インターナショナル結成大会。

◇日本農民組合結成。片山潜、徳田球一ら極東民族大会に出席。第一次日本共産党創立。山川均、堺利彦、荒畑寒村ら「前衛」創刊。大杉栄ら「労働運動」復刊。

ャルスキイ)、国立出版所より創刊。

●ゴーリキイ、ザミャーチン、シクロフスキイを指導者とする〈セラピオン兄弟〉グループ結成(ルンツ、ゾーシチェンコ、スロニムスキイ、ニキーチン、ポロンスカヤ、グルーズジェフ、カヴェーリン、チーホノフ、フェージン、フセヴォロド・イワノフ)。

●モスクワで〈オブモフ〉第三回展。

●モスクワで〈5×5=25〉展。

●メイエルホリド、「ビオメハニカ論」確立。

●検閲制度確立。詩人グミリーョフ、反革命の容疑で銃殺。

●イサドラ・ダンカン、モスクワのボリショイ劇場で公演。

●〈インフク〉、ロシア芸術学アカデミー付属機関となる。

●ブローク死。

1922 ●マヤコフスキイ『ぼくは愛する』第二版『マヤコフスキイは嘲笑する』第二版、パステルナーク『わが妹、人生』、ゾーシチェンコ『シネブリューホフの物語』、ピリニャーク『裸の年』、フェージン『都市と歳月』(～二四)、エレンブルク『それでも地球は廻っている』、リシツキイ『二つの正方形の物語』、ガン『構成主義』。

●ステパーノワ装置、スホヴォ=コブイリン原作の『タレールキンの死』、ポポーワ装置衣裳、クロムランク原作の『堂々たるコキュ』、メイエルホリドの演出で上演。

●プロレタリア作家グループ〈若き親衛隊〉〈労働者の春〉結成、のちに〈十月〉グループに統一。

●再結成された「芸術世界」展覧会。「移動派」第四回展。

●モスクワで「リアリズム的傾向展」開催。モスクワで〈マコヴェツ〉グループの最初の展覧会。

●ペトログラードでマレーヴィチとタトリンの作品を展示した「新傾向美術展」開催。モスクワでロシア美術家協会による展覧会。

●「労働宮殿」の競技設計公示(翌年五月締切)。ヴェスニン兄弟の応募作が構成主義建築の展開に著しい影響を与えることになる。

●「新画家協会」第一回展。

●ベルジャーエフ、ブーニン、バリモント、レーミゾフ、メレジコフスキイら数百人の詩人、作家亡命。

●フレーブニコフ、ワフタンゴフ死。

『影のない女』、トラー『変転』、ヘッセ『デミアン』、ウェーバー『職業としての学問』。

●グロピウス、ワイマールにバウハウスを創設。

●ニューヨークで最初の現代美術館〈ソシエテ・アノニム〉設立。

●ニューヨークで、マックス・イーストマン『公式の布告ならびに文書を通してみたソヴィエト・ロシアの教育と美術』出版。

●有島武郎『或る女』、武者小路実篤『友情』、室生犀星『性に目覚める頃』。

●「改造」、「解放」創刊。

が勇名をはせる。三月、コミンテルン（第三インターナショナル）第一回大会。

◇ドイツ革命鎮圧、ローザ・ルクセンブルグ、リープクネヒト虐殺される。ワイマール憲法制定。ヴェルサイユ条約。

◇三月、ムッソリーニ、ミラノでファシスタ党を組織。

◇三月、朝鮮、三一運動はじまる。

◇五月、中国、「五・四」運動。

◇六月、ヴェルサイユ条約。

◇ブルガリア、アメリカに共産党創立。

●マルタン・デュ・ガール『チボー家の人々』（〜四〇）、ヴァレリー『海辺の墓地』、フィッツジェラルド『楽園のこちら側』、ハシェク『勇敢な兵士シュヴェイク』（〜二三）、ピスカートア『プロレタリア劇場の基盤と任務』。

●中国に「文学研究会」発足。

●平林初之輔『文学革命の意義』、大杉栄・伊藤野枝『乞食の名誉』、中野秀人『第四階級の文学』。

◆三月、ロシア共産党第九回大会。四月、ポーランドと開戦。十一月、赤軍、ウランゲリ軍を撃破。ロシア革命への武力干渉終結。

◇一月、国際連盟成立。

◇五月、アメリカ、「サッコ＝ヴァンゼッティ事件」。

◇七月、コミンテルン第二回大会（ペトログラード、モスクワ）、「二一カ条加入条件」など決定。第二インターナショナル再建大会（ジュネーヴ）。

◇八月、陳独秀、中国社会主義青年団を組織。

◇十月、ドイツ独立社会民主党ハレ大会、コミンテルン加入をめぐって分裂。十二月、共産党（スパルタクス・ブント）と独立社会民主党左派、統一ドイツ共産党を結成。

◇ベルギー、フランスに共産党結成。

◇日本、最初のメーデー、普選大会デモ。経済恐慌頂点に達す。大杉栄、堺利彦、山川均ら「日本社会主義同盟」創立。

●ブルトン、スーポー『磁場』、ピランデッロ『作者を探す六人の登場人物』、魯迅『阿Q正伝』、チャペック『ロボット』。

◆一月、アントーノフの反乱、二月、クロンシュタットの水兵、ソヴェト政権に反乱、トロツキイら、これを弾圧。飢饉頂点に達する。三月、

●ベールイ、ブロークら文集「夢想家の手記」刊行（～二一）。
●「イマジニスト宣言」（エセーニン、シェルシエネーヴィチら）。
●タトリン『第三インターナショナル・モニュメント』。
●マレーヴィチ、シュプレマティズムの建築作品に取り組む。
●シャガール、ヴィテプスク応用美術学校の校長を辞し、マレーヴィチがこれを継ぐ。タトリン、モスクワで〈スヴォマス〉の絵画科主任、次いでペトログラードの〈スヴォマス〉へ赴任。
●最後の大規模な前衛美術展「第一〇回国営展――非対象的創造とシュプレマティズム」開催。
●プロコフィエフ『三つのオレンジへの恋』。
●スデイキン、ヤーコヴレフ亡命。

1920 ●A・トルストイ『苦悩のなかを行く』（～四〇）、ザミャーチン『洞窟』、マヤコフスキイ『一五〇〇〇〇〇〇〇』、プーニン『第一講義録』（マレーヴィチ表紙）、リシツキイの石版によるマレーヴィチ『シュプレマティズム―三四の素描』。
●ゲラーシモフ、キリーロフら〈プロレトクリト〉を脱退、新グループ〈鍛冶屋〉を作る。「鍛冶屋」誌創刊。
●ペトログラード国立芸術史研究所文学史部会創設（議長ジルムンスキイ、〈オポヤズ〉のシクロフスキイ、エイヘンバウム、トゥイニャーノフら参加）。
●ゴーリキイ、ザミャーチン、シクロフスキイら芸術会館で講義、若手作家を育成。
●〈文学戦線〉結成（フリーチェ、ルナチャルスキイ、ブハーリン、メイエルホリド、セラフィモーヴィチ参加）。
●全ロシア・プロレタリア作家会議開催。
●モスクワで「構成主義宣言」。
●党中央委員会の書簡、〈プロレトクリト〉、未来派、メイエルホリドを攻撃。
●モスクワで〈オブモフ〉の第二回展開催〈構成主義者の第一研究グループ〉結成。
●〈インフク〉、初代所長カンディンスキイのもとでモスクワに創設される。タトリンとプーニンを責任者としてペトログラードに、マレーヴィチを責任者としてヴィテプスクにそれぞれ支部を設置。
●モスクワで「第一九回教育人民委員会全ロシア中央展覧会局展」開催。
●メイエルホリド、教育人民委員会演劇部長となり、ロシア共和国第一劇場（のちにメイエルホリド劇場と改称）の指揮をとり、「演劇の十月」を提唱。
●ブルリューク、アメリカへ亡命の途上、東京で展覧会を開催。ヤコブソン、プラハへ赴く。プーニ、ベルリンへ亡命。

1921 ●フセヴォロド・イワノフ『パルチザン』、グミリョーフ『火の柱』、ヤコブソン『もっとも新しいロシア詩』、トゥイニャーノフ『ドストエフスキイとゴーゴリ』。
●「赤い処女地」誌（編集長ヴォロンスキイ）、「出版と革命」誌（編集長ルナチ

	軍とカレージン将軍に率られたドン・コサックの反乱によって、内戦の火ぶたが切られる。 ◆レーニン『国家と革命』。 ◇ドイツ、四月、社会民主党反対派諸組織の全国協議会（ゴータ）、独立社会民主党を結成。七月、キール軍港で水兵暴動。 ◇中国、第三革命、孫文を大元帥とする軍政府、広東に樹立。 ◇ストックホルムで第三回国際社会主義者会議。ツィンメリヴァルト左派、多数を制す。
●アポリネール『カリグラム』、ブロッホ『ユートピアの精神』、シュペングラー『西欧の没落』、魯迅『狂人日記』。 ●バルトーク『青ひげ公の城』。 ●ジンメル、アポリネール死。 ●芥川龍之介『地獄変』、武者小路実篤ら「新しい村」建設。島村抱月死。	◆一月、憲法制定会議開かれる、「土地社会化法」公布。三月、講和調印（ブレスト・リトフスク条約）。国内戦はじまる。日本、アメリカ、イギリスの陸戦隊、ウラジヴォストークに上陸、ロシア革命への武力干渉はじまる。ソヴェト政府、モスクワへ移る。ロシア社会民主労働党、ロシア共産党と改称。軍事革命会議創設（議長トロツキイ）、七月、ソヴェト共和国憲法を可決。 ◇一月、ドイツ各地で政治ストライキ。十一月、キールの水兵反乱、各地に暴動。ベルリン武装蜂起、皇帝退位。共和国宣言。十二月、第一回全ドイツ労兵評議会大会（ベルリン）、普選による制憲議会の召集を決議。スパルタクス・ブント全国大会、ドイツ共産党結成。 ◇十月、オーストリア革命、皇帝退位し、社会民主党臨時政府成立。十一月、オーストリア共産党結成。 ◇十〜十一月、チェコスロヴァキア、ポーランド、ブルガリア、共和国宣言、ポーランド共産党結成。 ◇日本、シベリア出兵、米騒動。黎明会、新人会生まれる。
●ダダ機関誌「文学」創刊、バルビュス〈クラルテ〉運動を起こす。 ●ジッド『田園交響楽』、ホーフマンスタール	◆ソヴェト政権（赤軍）、ユーデニチ、ウランゲリ将軍の指導する反革命軍を撃破。都市・農村ともに極度に荒廃、ブジョンヌイ騎兵隊

1918 ●ブローク『十二』、『スキフ人』、ベールイ『コチク・レターエフ』、ザミャーチン『島の人々』、ボグダーノフ『プロレタリアートと芸術』、エイヘンバウム「ゴーゴリの『外套』はいかに作られたか」、マヤコフスキイ長詩『人間』と『ズボンをはいた雲』第二版（無削除版）、『ミステリヤ・ブッフ』。

●マレーヴィチの装置、メイエルホリドの演出で『ミステリヤ・ブッフ』の初演。

●〈イゾ〉の機関紙「コミューンの芸術」創刊（マヤコフスキイ、プーニン、ブリーク、マレーヴィチ、シクロフスキイ参加）。

●モスクワ・プロレトクリト代表者会議。ボグダーノフを中心に、理論機関誌「プロレタリア文化」創刊。

●文集「ライ麦の言葉（未来主義者の革命的アンソロジー）」刊行（マヤコフスキイ、アセーエフ、ブルリューク、カメンスキイ、フレーブニコフ、クシネル参加）。

●マヤコフスキイ、ブルリューク、カメンスキイ編集「未来主義者の新聞」第一号を発行。

●レーニン、モニュメンタルなプロパガンダに関する決定を布告。

●ニコライ・レーリヒ亡命。タトリン、モスクワの教育人民委員会造形部会〈イゾ〉の責任者となる。

●第一回全ロシア・プロレタリア文化教育団体大会。

●アリトマン、ペトログラードの革命一周年祭の美術を担当。

●ソルジェニーツィン生、プレハーノフ死。プロコフィエフ、アメリカに亡命。

1919 ●マルコフ『黒人芸術』、マレーヴィチ『新しい芸術のシステム』（二〇年、「セザンヌからシュプレマティズムへ」と改題）、マヤコフスキイ『全作品集』。

●〈プロレトクリト（プロレタリア文化）〉の運動拡大。

●芥川龍之介『羅生門』、有島武郎『宣言』。	司令官に就任。 ◆一月、トロツキイ、マルトフらパリで「われらの言葉」誌創刊、祖国防衛派メニシェヴィキ「われらの事業」誌創刊。二月、ボリシェヴィキ在外支部会議（ベルン）。六月、カデット党協議会、七月、ケレンスキイを中心にナロードニキ系諸組織代表会議。 ◇一月、日本、中国に二一カ条要求提出、五月、二一カ条条約調印。 ◇九月、ツィンメルヴァルトで国際社会主義者第一回会議、国際社会主義委員会設置を決定。 ◇十一月、チェコでマサリクら革命を起こし、スロヴァキアと合同でチェコ独立を宣言。
●ジョイス『若い芸術家の肖像』、サンドバーク『シカゴ詩集』、バルビュス『砲火』、カフカ『変身』、カイザー『朝から夜中まで』、ルカーチ『小説の理論』、ツァラ『アンチピリン氏の最初の天上の冒険』。 ●ツァラ、スイス・チューリッヒでダダイズムの運動を起こす。 ●夏目漱石『明暗』、森鷗外『澀江抽斎』。夏目漱石死。	◆一月、首都労働者スト、ゴレムイキン首相解任、後任シチュルメル。四月、ドンバス炭坑夫、鉄鋼労働者のスト。十一月、シチュルメル首相解任、後任トレーポフ。十二月、ラスプーチン暗殺、トレーポフ首相解任、後任ゴリーツィン。 ◇一月、ドイツ社会民主党の「インターナツィオナーレ」派、スパルタクス・ブントを結成。 ◇四月、第二回国際派社会主義者国際会議（キンタール）。 ◇オーストリア首相シュテュルク暗殺。
●ヴァレリー『若きパルク』、T・S・エリオット『プルーフロックその他』、アポリネール『チレジアスの乳房』、ジャコブ『骰子筒』、ピランデッロ『考えろ、ジャコミーノ』、胡適『文学改良芻議』、陳独秀『文学革命論』、中国で文学革命起こる。 ●パリでロシア・バレエ団が『ロシアの物語』（ラリオーノフ、マーシン）と最初の「キュビスト」のバレエ『パラード』（コクトー、サティ、ピカソ、マーシン）を上演。 ●ドガ、ロダン死。 ●萩原朔太郎『月に吠える』、志賀直哉『和解』。	◆二月革命。三月二日、ニコライ二世退位。四月、レーニン帰国、『四月テーゼ』を発表。五月、新政府成立。六月、労兵ソヴェト第一回全国大会。七月、武装デモ、ケレンスキイ臨時政府成立。八月、コルニーロフの反革命反乱。九月、ボリシェヴィキ、ソヴェトの多数派となる。トロツキイ、ソヴェト議長となる。十月、軍事革命委員会を設置、二十五日、蜂起はじまる、第二回全ロシア・ソヴェト大会開会、二十六日、冬宮降服、十月革命。十一月、ブレスト・リトフスクで対ドイツ講和交渉開始。十二月、コルニーロフ将

ニコフ、カメンスキイ、ブルリューク、クルチョーヌイフ、ブローク、ソログープ、クズミン、レーミゾフ参加)。

●未来派文集「奪取した」刊行。

●ゴーリキイ編集「年代記」誌創刊。

●〈オポヤズ(詩的言語研究会)〉、ペトログラードで結成(シクロフスキイ、エイヘンバウム、トゥイニャーノフ、ヤクビンスキイ、ポリワーノフら参加)。

●〈モスクワ言語学サークル〉結成(ヤコブソン、ボガトゥイリョフ、ヴィノクール参加)。

●ペトログラードで「左翼的潮流展」開催。

●ペトログラードで〈市街電車V線〉展。マレーヴィチ「非論理的絵画」、タトリン「絵画的レリーフ」を出品。

●ペトログラードで「最後の未来派絵画展―0―10」開催。

●ラフマニノフ『晩禱』。

●スクリャービン死。

1916 ●シクロフスキイ『意味を越えた言語と詩』、マヤコフスキイ長詩『背骨のフルート』、マレーヴィチ『キュビズムと未来主義からシュプレマティズムへ――新しい絵画のリアリズム』。

●〈オポヤズ〉、文集「詩的言語理論叢書」刊行。

●「現代ロシア絵画展」、カンディンスキイ、マレーヴィチ、ポポーワ等が出品。

●モスクワで〈ダイヤのジャック〉第五回展。

●プロコフィエフ『賭博者』(オペラ)。

1917 ●マヤコフスキイ『戦争と世界』、シクロフスキイ『方法としての芸術』、ブリーク『音反復』、アフマートワ『白鳥の群れ』、ツヴェターエワ『白鳥の陣営』。

●モスクワでカフェ・ピトレスクの内装をヤクーロフ、タトリン、ロドチェンコが手掛ける。

●ゴーリキイを中心とする「芸術文化財保存委員会」結成。

●「新生活」紙創刊。

●スモーリヌイで開かれた共産党中央委員会招集の芸術家会議にマヤコフスキイ、ブローク、メイエルホリドら出席。

●ペトログラードでニコライ・プーニンがロシア美術館人民委員となり、旧ブルジョワ芸術の打破に関する思想を体系化する。モスクワで民間の美術コレクションの政府による接収はじまる。

●プロコフィエフ交響曲第一番『古典交響曲』。

●ラフマニノフ、アメリカに亡命。

●タトリン、ドイツそしてパリを訪れる。
●ミュンヘンで、カンディンスキイの詩集『響き』出版。数篇が、「社会の趣味への平手打ち」に収められた。
●ニューヨークで、アーモリー・ショー開催。
●ヴェネツィア博覧会でA・V・シチューセフ(後にレーニン廟を設計)のデザインによるロシア館が建てられる。
●パリでロシアの民衆芸術が展観される。

●ジョイス『ダブリンの人々』、パウンド編『イマジスト』、ジッド『法王庁の抜穴』。
●「エゴイスト」誌(イギリス)、「リトル・レヴュー」誌(アメリカ)、「ラチェルバ」誌(イタリア)創刊。
●クレー、〈ミュンヘン新分離派〉の創設メンバーとなる。第三回〈青騎士〉展。シャガール展(ベルリン)。デュシャン、最初の「レディ・メード」の作品制作。
●マリネッティがロシアを訪れる。
●ローマでロシア・アヴァンギャルドの展覧会。
●パリでロシア・バレエ団がリムスキイ＝コルサコフの『金鶏』(ゴンチャローワ、フォーキン)上演。
●ポール・ギヨーム画廊でラリオーノフとゴンチャローワの展覧会。
●『青騎士』第二版、ミュンヘンで出版。
●アラン＝フルニエ、ペギー、マッケ、マルク戦死。

◆一月、ココーフツォフ首相退陣、後任ゴレムイキン。五～八月、バクー石油労働者ゼネスト。七月、プチロフ労働者集会への発砲に首都労働者抗議してスト、バリケードをつくる。十九日、ドイツ、ロシアに宣戦布告、開戦、首都の労働者反戦スト、二十日、開戦の詔勅。二十四日、オーストリア、ロシアに宣戦布告。レーニンとトロツキイ、スイスに亡命。八月、サンクト＝ペテルブルグをペトログラードと改称。大戦の勃発により、在外ロシア人帰国。
◇六月十五(二十八)日、サライェヴォでオーストリア皇太子暗殺、七月十五(二十八)日、オーストリア、セルビアに宣戦布告、第一次大戦始まる。ジョーレス暗殺。
◇八月、各国の社会主義政党「祖国防衛」を声明、第二インターナショナル崩壊。

●D・H・ロレンス『虹』、モーム『人間の絆』、マスターズ『スプーン・リヴァー詞華集』、ロラン『戦いを越えて』。
●陳独秀「新青年」誌創刊。

◆一月、国会再開、二月、ボリシェヴィキ議員団裁判。八月、イワノヴォ・ヴォズネセンスクで労働者の虐殺、首都労働者の虐殺抗議スト。ニコライ大公に代わり、皇帝、最高総分離器〉グループ（ボブロフ、パステルナーク、アセーエフ）結成。

●『ろばの尻尾と標的』出版。

●モスクワでラリオーノフ主催のイコンと民衆版画の展覧会。

●モスクワでゴンチャローワの回顧展。〈ダイヤのジャック〉第三回展。

●ル・フォーコニエ、アポリネール、イワン・アクショーノフの文章を収めた『ダイヤのジャック』。

●ペテルブルグで「青年同盟」第三号の発行に際して、〈青年同盟〉と〈ギレヤ〉グループが合体。ペテルブルグで〈青年同盟〉展開催。

●メイエルホリド『演劇論』。

●マチューシンのフィンランドの別荘で「未来の吟遊詩人の第一回汎ロシア会議」開催。マチューシン、マレーヴィチ、クルチョーヌイフが、オペラ『太陽の征服』の構想を練る。

●クルチョーヌイフのオペラ『太陽の征服』、マヤコフスキイの『悲劇ウラジーミル・マヤコフスキイ』、ペテルブルグで上演。

1914 ●パステルナーク詩集『雲のなかの双生児』、シクロフスキイ『言葉の復活』。マヤコフスキイ『悲劇ウラジーミル・マヤコフスキイ』、「ロシア未来派の最初の雑誌」「牡馬の乳」、ローザノワとマレーヴィチ挿画『地獄の戯れ』第二版。

●モスクワで〈ダイヤのジャック〉第四回展。

●マヤコフスキイ、ボリシャコフ、シェルシェネーヴィチの署名入りの公開状発表。マリネッティにたいするロシア未来派の否定的評価を表明。

●マヤコフスキイ、ダヴィド・ブルリュークとともに、モスクワ絵画・彫刻・建築学校から退学処分を受ける。

●カンディンスキイをはじめ、多数の在外ロシア人芸術家、作家の帰国。

1915 ●ゴーリキイ『ロシア未来派について』、エセーニン詩集『招魂祭』。マレーヴィチ『キュビズムからシュプレマティズムへ――新しい絵画のリアリズム』、マヤコフスキイ『ズボンをはいた雲』。

●シンボリストと未来主義者の合同文集「射手座」刊行（マヤコフスキイ、フレーブ状』。「白樺」、「三田文学」創刊。

●ホーフマンスタール『薔薇の騎士』、ヴェルフェル『世界の友』、コンラッド『西欧の目の下で』。
●ミュンヘンで〈青騎士〉の第一回展覧会。「青騎士」誌創刊。
●「マセズ」誌創刊（アメリカ）。
●ロシア・バレエ団、パリで『ペトルーシカ』（ストラヴィンスキイ、ベヌワ、フォーキン）上演。
●マチス、ロシアを旅行。

◆九月、ストルイピン、キエフの劇場で暗殺。
◇一月、「大逆事件」判決、幸徳秋水ら死刑。
◇七月、第二次モロッコ事件。
◇十月、辛亥革命起こる。十二月、中華民国成立。

●フランス『神々は渇く』、クローデル『マリアへのお告げ』、パピーニ『行き詰まった男』。
●「ソワレ・ド・パリ」誌創刊（アポリネール、ジャコブ、ピカソ、ブラック、バラン）。
●第二回〈青騎士〉展、クレー、ピカソ、キルヒナー、ラリオーノフ、マレーヴィチも参加。
●〈シュトゥルム展〉（ベルリン）。
●ピカソ、ブラック、グリスらによる〈綜合的キュビズム〉はじまる。
●ラヴェル『ダフニスとクロエ』、ドビッシー『牧神の午後』、ロシア・バレエ団による上演。シェーンベルク『月に憑かれたピエロ』。
●ミュンヘンで、カンディンスキイ『芸術における精神的なもの』出版。
●石川啄木死。

◆四月、レナ金鉱労働者虐殺事件、以降全国に抗議スト起こる。
◆一月、レーニン派、メニシェヴィキ党維持派の支持を得てプラハ協議会開催、ボリシェヴィキ党結成。四月、「プラウダ」紙創刊。
◇十月、第一次バルカン戦争勃発。
◇十一月、第二インターナショナル臨時大会（バーゼル）で戦争反対の宣言採択。

●D・H・ロレンス『息子と恋人』、アポリネール『キュビズムの画家たち』、プルースト『失われた時を求めて』（〜二七）、トーマス・マン『ヴェニスに死す』、アラン＝フルニエ『モーヌの大将』、リヴィエール『冒険小説論』。
●ドイツ秋季展（ベルリン）、キュビズム、未来派、表現派なども結集。〈橋〉グループ解散。
●コポー、「ヴィュー・コロンビエ座」を起こす。

◆二月、ロマノフ朝三百年記念祭、大赦。
◇二月、メキシコで反革命クーデター。六月、第二次バルカン戦争。七月、中国第二革命失敗、孫文ら日本に亡命。

●トルストイ死。

1911 ●V・イワノフ詩集『燃える心』、ベルジャーエフ『自由の哲学』、ベールイ『アラベスキ』。

●セヴェリャーニン詩集『自我未来主義のプロローグ』、〈自我未来派連合〉(セヴェリャーニン、オリムポフ、イグナーチエフ参加)成立。

●タトリン、『皇帝マクシミリアンと不肖の息子アドルフ』の舞台装置と衣裳をデザイン。

1912 ●フレーブニコフ『処女の神』、『石器時代の物語』、アフマートワ詩集『夕べ』、マンデリシュターム詩集『石』、アルツイバーシェフ『最後の一線』、ローザノフ『隠遁者』、プレハーノフ『芸術と社会生活』。

●「ギペルボーレイ」誌創刊、グミリョーフ、アフマートワ、ゴロデツキイ、マンデリシュターム、ナルブトらが参加、アクメイズムの発生。

●ウォルター・ペイター著『ルネッサンス』露訳。

●「青年同盟」誌創刊・〈青年同盟〉第四回展。

●クルチョーヌイフとフレーブニコフの『終りからの世界』、ラリオーノフ、ゴンチャローワ、タトリン、トゴーヴィンの挿画入りで出版。

●未来派文集「社会の趣味への平手打ち」を発行。共同宣言(署名ブルリューク、クルチョーヌイフ、マヤコフスキイ、フレーブニコフ)。

●〈ダイヤのジャック〉分裂。ラリオーノフ、ゴンチャローワ、〈ろばの尻尾〉グループを結成。

●〈ダイヤのジャック〉第二回展。

1913 ●ベールイ『ペテルブルグ』(~一六)、アフマートワ詩集『数珠』、グミリョフ『ロシア・シンボリズムの遺産とアクメイズム』、ゴロデツキイ『現代ロシア詩のいくつかの潮流』、クルチョーヌイフ『言葉そのものの宣言』、マヤコフスキイ処女詩集『ぼく』、マレーヴィチとローザノワの挿画が付されたクルチョーヌイフとフレーブニコフの『言葉そのもの』、シェフチェンコ『ネオ=プリミティヴィズム』、ゴンチャローワ挿画のクルチョーヌイフ詩集『隠遁者』、ラリオーノフ挿画のクルチョーヌイフ詩集『半死半生』、『ポマード』。

●文集「裁判官の飼育場」第二号、「三人」、「艶死した月」、「三人の儀礼書」刊行。

●〈詩の中二階〉グループ(シェルシェネーヴィチ、フリサンフ、イヴネフ)と〈遠心

●オーデン、C・コードウェル生。 ●二葉亭四迷『平凡』。	◇五月、社会民主党第五回大会（ロンドン）。 ◇世界恐慌。 ◇五月、東ベンガル農民運動。七月、第三次日韓条約調印、第一次日露協商締結。八月、第二インターナショナル第七回大会（シュトゥットガルト）で世界戦争反対宣言を採択。英露協商締結。モロッコ反乱、フランス軍侵入。
●バルビュス『地獄』、メーテルランク『青い鳥』、ヴォリンガー『抽象と感情移入』。 ●「イングリッシュ・レヴュー」、「ラ・ヴォーチェ」創刊。	◆年末、社会革命党最高幹部アゼーフ、保安部の手先として暴露。 ◇五月、トルコに反乱。七月、青年トルコ党の革命。 ◇十月、オーストリア、ボスニア・ヘルツェゴヴィナ併合。ギリシャ、キプロスを併合。 ◇十二月、ロンドンで十カ国海軍会議。
●ジッド『狭き門』、ジャコブ『聖マトレル』。 ●「新フランス評論（NRF）」誌創刊。マリネッティ『未来主義宣言』を発表、イタリアに未来派文学誕生。 ●カンディンスキイ、ヤウレンスキイを中心に〈新芸術家協会〉創立される（ミュンヘン）。 ●坪内逍遙訳「シェイクスピア全集」（〜二八）、「スバル（昴）」創刊。小山内薫ら「自由劇場」創設。二葉亭四迷死。	◆四月、ツァーリ、ストルイピン宛てに詔勅、海軍軍令部定員法の裁可を拒否。 ◆社会革命党第五回評議会、〈前進〉グループ結成。 ◇伊藤博文、ハルビン駅頭で暗殺される。
●リルケ『マルテの手紙』、アポリネール『異端教祖株式会社』、ルカーチ『魂の形式』。 ●アメリカに、パウンド、ドゥーリトル、ローウェルらによるイマジズム運動起こる。 ●「シュトゥルム」誌創刊（アポリネール、フロイト、ヴォリンガーらも寄稿）。 ●アリトマン、シャガール、コンチャロフスキイ、パリに在住。リシツキイ、イタリアとフランスを旅行。 ●ロシア・バレエ団、第二回パリ公演、ストラヴィンスキイ『火の鳥』、スクリャービン交響曲『火の詩（プロメテウス）』。 ●石川啄木『一握の砂』、『時代閉塞の現	◆十一月、トルストイの死を悼み、ペテルブルグの学生、労働者、モスクワ大学学生、死刑廃止要求の大規模なデモ。 ◇五月、大逆事件。八月、日韓併合。 ◇八月、第二インターナショナル第八回大会（コペンハーゲン）。

1908 ●ベールイ詩集『吹雪の杯』、『灰』、『骨壺』、ブローク『運命の歌』、詩集『雪の仮面』、『雪のなかの大地』、ギッピウス『文学的日記』。

●第一回フランス・ロシア美術展。「サチリコン」誌創刊。

1909 ●ブローク『イタリアの詩』、ロープシン『蒼ざめた馬』。

●「天秤座」誌廃刊により、シンボリズム運動分裂。「アポロン」誌創刊。ストルーヴェら論集『道標』刊行。

●第二回フランス・ロシア美術展。

●『絵画・彫刻、版画、線画国際展(サロン)』、オデッサ、キエフ、ペテルブルグ、リガで開催。

●ディヤーギレフ、ロシア・バレエ団結成、パリ、ロンドン公演・リムスキイ=コルサコフ『金鶏』(オペラ)初演。

1910 ●ブーニン『村』、レーミゾフ『十字架の姉妹』、ベールイ『銀の鳩』、『シンボリズム』、ツヴェターエワ詩集『別離』、『夕べのアルバム』、クズミン『美しい明晰について』。

●文集「裁判官の飼育場」刊行(フレーブニコフ、ブルリューク、カメンスキイ、グロー参加)。

●「金羊毛」終刊号発行。

●〈ダイヤのジャック〉第一回グループ展開催(ラリオーノフ、ゴンチャローワ、ブルリューク兄弟、カンディンスキイ、コンチャロフスキイ、タトリン参加)。

●イズデブスキイの第一回〈サロン〉がオデッサ、キエフ、ペテルブルグ、リガを巡回。

●〈青年同盟〉結成。ペテルブルグで〈青年同盟〉第一回展。

●クリビンによって結成されたグループ〈三角形〉の展覧会。クリビン編「印象主義者のスタジオ」出版。

『時禱詩集』、ディルタイ『体験と詩作』、マリネッティ『バルドリア王』。

●ドレスデンに〈橋〉グループ（キルヒナー、ヘッケル、シュミット＝ロットルフ、ブライル）結成。〈フォーヴィズム〉、サロン・ドートンヌに生まれる（マチス、ヴラマンク、ドラン、マルケ、ヴァン・ドンゲン、ルオー参加）。

●サルトル生。

●夏目漱石『吾輩は猫である』（〜〇六）、上田敏訳『海潮音』。

◆一月、プチロフ工場スト開始、ペテルブルグ全市のゼネスト、「血の日曜日」、モスクワの工場でスト。二月、モスクワ総督セルゲイ大公暗殺される。農民暴動各地で起こる。自由主義者の「組合連合」発足。五月、日本海海戦にてバルチック艦隊全滅。六月、戦艦ポチョムキンの反乱。八月、国会選挙法に関する勅令発表、大学の自治確立。十月、ロシア全土にゼネスト起こる。ペテルブルグに労働者ソヴェト生まれる。ツァーリの「十月宣言」。クロンシュタットとウラジヴォストークの軍隊の反乱起こる。十一月、トロツキイ、ペテルブルグ・ソヴェト議長となる。十二月、ペテルブルグ・ソヴェトのメンバー二六七名逮捕。モスクワ・ソヴェト、ゼネストのアピールを発す。モスクワの労働者武装蜂起、軍隊によって鎮圧。

◆九月、日露講和条約（ポーツマス条約）調印。

◇十月、カデット党創立大会。

●クローデル『真昼の分割』、リルケ『旗手リルケの愛と死との歌』、ムジール『士官候補生テルレスの惑い』、エルンスト『形式への道』。

●デュアメル、ヴィルドラックら〈僧院派（アベイ）〉運動を起こす。

●〈橋〉展、第一回、第二回開催（ドレスデン）。

●セザンヌ、イプセン死。

●島崎藤村『破戒』、夏目漱石『坊っちゃん』。

◆二月、オクチャブリスト党創立大会。カデット党機関紙「レーチ」創刊。三月、社会革命党第一回評議会。四月、社会民主党第四回大会（ストックホルム）。ヴィッテ首相退陣、後任ゴレムイキン、第一国会開会。七月、ストルイピン、首相となる。十一月、ストルイピンの農業改革はじまる。

◆トロツキイ『総括と展望』。

◇二月、日本社会党、イギリス労働党成立。

●コンラッド『密偵』、クローデル『詩法』、ベルグソン『創造的進化』、ストリンドベルイ『幽霊曲』。

●ストリンドベルイ、ストックホルムに実験小劇場〈親和劇場〉を開く。

●ブラック、ピカソによりキュビズム誕生（パリ）。

◆二月、第二国会開会。六月、第二国会社会民主党議員団逮捕、第二国会解散、選挙法改正。十一月、第三国会開会、第二国会社会民主党議員にたいする裁判に抗議して、ペテルブルグの労働者約十万人がスト。

『決闘』。
●ショーロホフ生。

1906 ●ブローク『見知らぬ女』、『見世物小屋』、ブリューソフ『ステファノス』、アンドレーエフ『人間の一生』。
●「金羊毛」誌創刊（～〇九）。
●メイエルホリド『ヘッダー・ガブラー』などを演出。
●ショスタコーヴィチ生。

1907 ●V・イワノフ『エロス』、ブリューソフ『火の天使』、ソログープ『小悪魔』、『死の勝利』、アルツイバーシェフ『サーニン』、ゴーリキイ『母』、レーミゾフ『池』。
●〈青い薔薇〉グループ（クズネツォフ、ラリオーノフ、ゴンチャローワ、サリヤン、ブルリューク兄弟）結成、「花冠」展開催。

	禁止。 ◇七月、アメリカ社会党、十一月、フランス社会党結成。
●ジッド『背徳者』、コンラッド『颱風』、リルケ『形象詩集』、ホーフマンスタール『チャンドス卿の手紙』。 ●「タイムズ文芸付録」誌創刊、梁啓超「新小説」創刊。 ●〈印集派〉展（ドレスデン）。〈ベルリン分離派〉展にムンク出品。ルオーのフォーヴィズムはじまる。 ●ゾラ死。 ●永井荷風『地獄の花』、森鷗外訳『即興詩人』。	◆三月、ポルタワ、ハリコフ県に農民闘争発生、バトゥーム石油労働者スト。四月、内相シピャーギン暗殺される、後任プレーヴェ。十一月、ロストフ・ナ・ドヌーでゼネスト。 ◆二月、シベリア鉄道完成。 ◆レーニン『何をなすべきか』。 ◇一月、日英同盟締結。 ◇三月、露清満州撤兵協約調印。
●ショー『人と超人』、H・ジェイムズ『使者たち』、ロンドン『荒野の呼び声』。 ●〈アイルランド国民劇協会〉創立。 ●「レオナルド」誌創刊（イタリア）。 ●〈ベルリン分離派〉展にゴッホ、ゴーギャンの作品展示。	◆四月、キシニョーフでポグロム起こる。七月、バクーでストライキ、南ロシア一帯にストライキ頻発。八月、ヴィッテ蔵相解任。 ◆ブリュッセル、ロンドンで社会民主労働者党第二回大会、綱領採択、ボリシェヴィキとメニシェヴィキの対立発生。十一月、両派に分裂。 ◇十一月、幸徳秋水、堺利彦ら平民社を起こし、週刊「平民新聞」を創刊。
●R・ロラン『ジャン・クリストフ』（〜一二）、ピランデルロ『故マッティア・パスカル』。 ●〈アベイ座〉創設（ダブリン）。 ●〈新印象派〉展（ミュンヘン）、〈ドイツ美術家連盟〉結成。セザンヌ展（ベルリン）。 ●与謝野晶子『君死に給ふこと勿れ』。	◆一月（新暦二月）日露戦争始まる。四月、ガポン組合「ペテルブルグ市工場労働者のつどい」結成。七月、内相プレーヴェ暗殺される。十二月、バクー石油労働者スト。バクーでロシア初の団体協約（九時間労働）締結。プチロフ工場ガポン組合員の集会。 ◇八月、第二インターナショナル第六回大会（アムステルダム）、片山潜、プレハーノフら日露社会主義者交歓。 ◇「平民新聞」に『共産党宣言』訳載、発禁処分。 ◇ジョーレス「ユマニテ」紙創刊。
●ハインリヒ・マン『ウンラート教授』、リルケ	◆第一次ロシア革命。

1902　●メレジコフスキイ『トルストイとドストエフスキイ』、ゴーリキイ『どん底』。

1903　●ブリューソフ詩集『都市および世界に』、バリモント詩集『太陽のようになろう』、V・イワノフ詩集『導きの星』。
●「新しい道」誌創刊（～〇四）。

1904　●ブリューソフ評論『神秘の鍵』、バリモント評論『山項』、ブローク詩集『美しい婦人についての詩』、ベールイ詩集『瑠璃色のなかの黄金』、アンドレーエフ『血笑記』、メレジコフスキイ『ピョートルとアレクセイ・反キリスト』、チェーホフ『桜の園』。
●「天秤座（ヴェスイ）」誌創刊（～〇九）。

1905　●シェストフ『虚無よりの創造』、グミリョーフ詩集『征服者の道』、クプリーン

●アラゴン、フォークナー生。	◆トロツキイ、オデッサに「南ロシア労働者同盟」組織。 ◇ドレフュス事件深刻化。
●ワイルド『レディング監獄のバラード』、ユイスマンス『大伽藍』、ストリンドベルイ『ダマスクスへ』。 ●〈新印象派〉展（ベルリン）。 ●ゾラ、「オーロール」紙に「われ弾劾す」を発表、起訴され、ロンドンに亡命。 ●ブレヒト生、マラルメ死。	◆三月、ミンスクでロシア社会民主労働党第一回大会、『宣言』を発表。 ◇四月、米西戦争。米はフィリッピン、グァム島を獲得。キューバ独立、ハワイ、米国に併合。 ◇十月、幸徳秋水、片山潜ら社会主義研究会を組織。
●シモンズ『文学における象徴派の運動』、ワイルド『理想の夫』。 ●〈ベルリン分離派〉の創設。 ●〈アイルランド文芸劇場〉創立（ダブリン）。 ●右翼紙「アクシオン・フランセーズ」創刊（～四四）。	◆二月、フィンランドの自治権停止。 ◆二月、全国学生ゼネスト、学生運動参加者の退学徴兵を定めた臨時条例。 ◆レーニン『ロシアにおける資本主義の発達』。 ◇十月、ドイツ社会民主党ハノーファー大会、ベルンシュタインの修正主義を否決。 ◇五月、ハーグ国際平和会議。 ◇九月、ボーア戦争開始。
●パリ、アール・ヌーヴォーの動き、〈ウィーン分離派〉の動き活発。 ●ドライサー『シスター・キャリー』、シュニッツラー『輪舞』、フロイト『夢判断』、ベルグソン『笑いについて』。 ●ワイルド、ニーチェ死。 ●「明星」創刊（～〇八）。	◆五月、ハリコフで労働者デモ。八月、チフリスの鉄道工場労働者スト、この年より恐慌本格化（～〇二）。 ◆十二月、社会民主労働者党機関紙「イスクラ」創刊。 ◇三月、日本、治安警察法公布。 ◇五月、義和団反乱、北清事変。 ◇九月、第二インターナショナル第五回大会（パリ）。
●トーマス・マン『ブデンブローク家の人々』、ジャム『アルマイード・デートルモン』、ストリンドベルイ『死の舞踏』。 ●ヴァン・ゴッホ展（パリ）。 ●ロートレック死。 ●島崎藤村『落梅集』、土井晩翠『暁鐘』、与謝野晶子『みだれ髪』。	◆一月、政府、キエフ大学生一八三名を兵籍に編入。二月、文相ボゴレーボフ狙撃される。モスクワで学生・労働者の反政府デモ。五月、ペテルブルグのオブホフ工場のスト、軍隊・警察と衝突。 ◆八月、「人民の意志」派解散、十二月、社会革命党結成。 ◇五月、片山潜、安部磯雄ら社会民主党結成。六月、日本平民党結成、いずれも即日

1898 ●トルストイ『芸術とは何か』、ソロヴィヨフ詩集『三つの邂逅』、ギッピウス詩集『鏡』。

●「北方通報」誌廃刊、ズナーニエ出版社創立。

●スタニスラフスキイ、ネミローヴィチ＝ダンチェンコ、モスクワ芸術座を創設。

1899 ●トルストイ『復活』、クロポトキン『一革命家の思い出』。

●ディヤーギレフ、「芸術の世界」創刊（〜〇四）。

●レオーノフ、ヴェショールイ、プラトーノフ、ジガ・ヴェルトフ生。

1900 ●ブリューソフ『芸術について』、ヴォルインスキイ『観念論のための闘争』、バリモント詩集『燃える建物』。

●ポリャコフ、スコルピオン出版社設立。

●ソロヴィヨフ死。

1901 ●ブリューソフ詩集『第三の番人』、ベルジャーエフ『社会哲学における主観主義と個人主義』、シェストフ『ドストエフスキイとニーチェ――悲劇の哲学』、ヴォルインスキイ『カラマーゾフの王国』、チェーホフ『三人姉妹』、ゴーリキイ『海燕の歌』。

●文集「北方の花」創刊。

■国外　芸術	■社会・政治 ◆ロシア・ソヴェト　◇国外
●ホーフマンスタール『痴人と死』、ワイルド『サロメ』、マラルメ『詩と散文』。 ●〈分離派〉第一回展（ミュンヘン）。 ●トラー、ピスカートア生、モーパッサン、テーヌ死。 ●内田不知庵訳『罪と罰』。「文学界」創刊。	◆十二月、ナターソンら「人民の権利」党組織。 ◇一月、ハワイに革命、サンドゥイッチ共和国成立。 ◇八月、第二インターナショナル第三回大会（チューリッヒ）。
●メーテルランク『タンタジールの死』、ダヌンツィオ『死の勝利』、ヴェルレーヌ『エピグラム』。 ●「イエロー・ブック」創刊（イギリス）、「パリ評論」再刊（フランス）。 ●北村透谷自殺。	◆十月、アレクサンドル三世死、ニコライ二世の治世始まる。 ◆レーニン『「人民の友」とは何か』。 ◇四月、東学党の乱。 ◇七月、日清戦争始まる。 ◇十月、ドレフュス事件。
●P・ルイス『ビリチスの歌』、ヴァレリー『レオナルド・ダ・ヴィンチの方法序説』。	◆五月、レーニン、マルトフ等、ペテルブルグ労働者階級解放闘争同盟を結成。 ◇一月、韓国独立宣言。 ◇四月、日清講和条約調印。 ◇五月、台湾反乱、独立共和国宣言、日本軍により鎮圧。 ◇エンゲルス死。
●ヴァレリー『テスト氏との一夜』、ジャリ『ユビュ王』、ベルグソン『物質と記憶』、ハウプトマン『沈鐘』。 ●ブルトン、アントナン・アルトー生、ヴェルレーヌ死。	◆五月、ホドゥインカ原の戴冠祝賀式典での大惨事。ペテルブルグ綿工業労働者ゼネスト。 ◆社会革命（エス・エル）同盟結成。 ◇二月、韓国で親露派のクーデター、親日派政権を倒す。朝鮮をめぐる日露の対立激化。 ◇七月、第二インターナショナル第四回大会（ロンドン）、アナーキスト排除を決議。ドイツ社会民主党の主導権確立。
●マラルメ『骰子一擲』、ゲオルゲ『魂の一年』。	◆六月、十一時間半労働時間法。 ◆十月、新聞「ラボーチャヤ・ムイスリ」発刊。

ロシア・アヴァンギャルド年譜 1893—1940

	■ロシア・ソヴェト　芸術
1893	●メレジコフスキイ『現代ロシア文学の頽廃の原因と新しい潮流について』、チェーホフ『サハリン島』。 ●マヤコフスキイ、シクロフスキイ、プドフキン生。
1894	●ブリューソフ、文集「ロシア象徴派」刊行。ローザノフ『ドストエフスキイの大審問官伝説』、バリモント詩集『北方の空の下で』、メレジコフスキイ『背教者ジュリアン・神々の死』。 ●バーベリ、ピリニャーク、トゥイニャーノフ、ツヴェターエワ生。
1895	●ブリューソフ詩集『傑作』、バリモント詩集『無限のなかで』、ソログープ詩集『影』、『悪の華』ロシア語訳。 ●エセーニン、ゾーシチェンコ生、レスコフ死。
1896	●チェーホフ『かもめ』初演。メレジコフスキイ詩集『新しい詩』、『レオナルド・ダ・ヴィンチ・神々の復活』、ヴォルインスキイ『ロシアの批評家』。
1897	●ブリューソフ詩集『それはわたしだ』、バリモント詩集『静寂』。 ●ソロヴィヨフ『善の基礎づけ』。

ii-①⑩
iii-3 ①
iv-3 ⑦⑫—(上)
『芸術と革命』中原佑介監修　西武美術館　1982
i-3 ③⑤　4 ㉑㉓
ii-②③⑫⑭⑯
iii-4 ②⑦
iv-2 ②⑤⑪⑫
巻頭カラー口絵③⑤
目次④
『アールヴィヴァン 7・8 号』西武美術館　1982
i-4 ②⑤⑲⑳
ii-⑱
『ロシア，ソヴィエトの前衛絵画』アントニオ・デル・グェルチョ著　木村浩訳　平凡社　1973
i-2 ⑩　3 ①②⑥
『朝日百科・世界の美術 73』朝日新聞社　1979
i-2 ⑧
巻頭カラー口絵①
『美術手帖』1976 年 7 月号
i-4 ⑳
『フィルムによるロシア・アヴァンギャルド』スタジオ 200　1982
ii-⑬
iii-4 ⑨⑩
『20 世紀の美術』カーリン・トーマス著 野村太郎訳 美術出版社　1977
目次②
美術出版社提供
巻頭カラー口絵④

[図版出典一覧]

В. Э. Мейерхольд, Статьи, Письма, Речи, Беседы, II, Издательство [Искусство] Москва, 1968.
ii-⑪
iii-4 ⑧
iv-1 ①　2 ①⑦⑩　3 ①②③④⑤⑧⑨—(右)⑪⑫—(下)

Очерки Истории Русской Советской Журналистики 1917-1932, Издательство «Наука», Москва, 1966.
ii-④⑥
iii-1 ①②　3 ②③　4 ⑪⑫⑬
iv-3 ⑥

В. Перцов, *Маяковский*, Государственное Издательство Художественной Литературы, Москва, 1957.
i-2 ①

Paris-Moscou 1900-1930, Centre Georg es Pompidou, Paris, 1979.
i-2 ④⑥⑦　3 ④⑦　4 ⑪⑬㉒
ii-⑦⑧㉑㉓
iii-4 ①⑥
iv-2 ③
目次①

Russian Literature Triquarterly, Ardis, Michigan, 1976.
i-1 ②③　2 ⑤　4 ①③④⑥⑦⑫⑮　5 ①
ii-⑮⑰
iii-4 ⑤
iv-2 ④⑥⑧　3 ⑩

Edward Braun, *The Theatre of Meyerhold*, Eyre Methen, London, 1979.
iv-2 ⑨　3 ⑨—(左)⑬⑭

John Milner, *Russian Revolutionary Art*, Oresko Books Ltd, London, 1979.
ii-⑨㉒
iii-4 ③④
iv-1 ②
目次③

Malevich, Stedelük Museum Amsterdam, 1970.
i-4 ⑧⑨⑩⑭⑰⑱
ii-⑤⑲⑳
巻頭カラー口絵②

『マヤコフスキイ・ノート』　水野忠夫著　中央公論社　1973
i-2 ③⑨　6 ①

『マヤコフスキーとロシア・アヴァンギャルド演劇』A・リペッリーノ著　小平武訳　河出書房新社　1971
i-1 ①④　2 ②

1959.（『マヤコフスキーとロシヤ・アヴァンギャルド演劇』小平武訳　河出書房新社）
Symons J. M. *Meyerhold's Theatre of the Grotesque*（Coral Gables, Fla.）1971.
Volkov S. *Testimony, The Memoirs of Dmitri Shostakovich*（New York）（『ショスタコーヴィチの証言』水野忠夫訳　中央公論社）

●その他

『週刊朝日百科・世界の美術73』　朝日新聞社　1979
『アールヴィヴァン7・8号』　西武美術館　1982
『芸術と革命』　中原佑介監修　西武美術館、ソ連文化省編　1982
「芸術倶楽部」・1974年1・2月号　特集「ロシア・アヴァンギャルド芸術」
『美術手帖』　1974年9月号「マレーヴィッチ」
1976年7月号「ロシア構成主義」
1979年12月号「パリ・モスクワ」
『フィルムによるロシア・アヴァンギャルド』　スタジオ200　1982
『ロシア、ソヴィエトの前衛絵画』　アントニオ・デル・グェルチョ著　木村浩訳　平凡社　1973

Constructivism, Galerie Jean Chauvelin (Paris) 1975.
『レーニンの言語』シクロフスキー他　桑野隆訳　三一書房
『ロシア言語学小史』桑野隆著　三一書房

● iv

Алперс Б. *Театральные очерки т.* 1–2 (Москва) 1977.
Волков, Н. *Мейерхольд* (Москва-Ленинград) 1925.
Горчаков Н. *История советского театра* (Нью-Йорк) 1956.
Гарин Э. С *Мейерхольдом* (Москва) 1974.
Гвоздев А. *Театр им. Вс. Мейерхольда* (1920–1926) (Ленинград) 1927.
Гоголь и Мейерхольд (Москва) 1927.
Евреинов Н. *История русского театра, с древнейших времен до 1917 года* (Нью-Йорк) 1955.
Елагин Ю. *Темный гений* (Всеволод Мейерхольд) (New York) 1955.
Золотницкий Д., *Зори театрального Октября*, (Ленинград) 1976.
Золотницкий Д., *Будни и праздники театрального Октябля*, (Ленинград) 1978.
Марков П. и др. (ред) *Встречи с Мейерхольдом в 2 том.* (Москва) 1967.
Мейерхольд В. *Статьи, письма, речи, беседы в 2 том.* (Москва) 1968.
Мейерхольд В., *Переписка* (Москва) 1976
Рудницкий К. *Режиссер Мейерхольд* (Москва) 1969.
Творческое наследие В. Э. Мейерхольда, (Москва) 1978.
Февральский А. *Пути к синтезу.* (Москва) 1978.
Braun E., ed. *Meyerhold on Theatre* (New York) 1969.
Braun E. *The Theatre of Meyerhold* (London) 1979. (『メイエルホリドの全体像』浦雅春訳　晶文社)
Ripellino A. M. *Majakovskij e il teatro russo d'avanguardia* (Torino)

Тынянов Ю. *Проблема стихотворного языка* (Ленинград) 1924.（『詩的言語とはなにか――ロシア・フォルマリズムの詩的理論』水野忠夫・大西祥子訳　せりか書房）

Тынянов Ю. *Архаисты и новаторы* (Ленинград) 1929.

Усиевич Е. *Владимир Маяковский, очерк жизни и творчества* (Москва) 1950.

Шкловский В. *Ход коня, сборник статей* (Москва) 1923.

Школовский В. *Сентиментальное путешествие: воспоминания, 1917-1922* (Москва) 1923.

Шкловский В. *О теории прозы* (Москва) 1925.（『散文の理論』水野忠夫訳　せりか書房）

Эйхенбаум Б. *Анна Ахматова, опыт анализа* (Петроград) 1923.

Эйхенбаум Б. *Сквозь литературу, сборник статей* (Ленинград) 1924.

Эренбург И. *Люди, годы, жизны, "Новый мир"* 1960-1965.（『人間・歳月・生活』木村浩訳　朝日新聞社）

Якобсон Р. *Новейшая русская поэзия* (Прага) 1921.（『最も新しいロシアの詩』北岡誠司訳『ロシア・フォルマリズム文学論集1』所収　せりか書房）

Якобсон Р. *О чешском стихе, преимущественно в сопоставлении с русским* (Москва) 1923.

Bann S. Bowlt J. E. (edited) *Russian Formalism* (Edinburgh) 1973.

Maïakovski 20 ans de travail, Centre national d'art et de culture Georges Pompidou (Paris) 1975-76.

Malevich Suetin Chashnik Lissitzky, Annely Juda Fine Art (London) 1977.

Stage Designs and the Russian Avant-Garde (1911-1929); *A Loan Exhibition of Stage and Costume Designs from the Collection of Mr. and Mrs. Nikita D. Lobanov-Rostovsky*, circulated by the International Exhibitions Foundation (Washington, D.C.) 1976-78.

2 Stenberg 2. The "Laboratory" Period (1919-1921) of Russian

● iii

Винокур Г. *Маяковский—новатор языка* (Москва) 1943.

Горбачев Г. *Современная русская литература 3 изд.* (Москва) 1931.

Горлов Н. *Футуризм и революция* (Москва) 1924.

Дементьев А. (ред.) *Очерки истории русской советской журналистики 1917-1932* (Москва) 1966.

Коган П. *Литература этих лет, 1917-1923 гг.* (Иваново-Вознесенск) 1924.

Коган П. *Пролетарская литература* (Иваново-Вознесенск) 1926.

Леф, 1-7, (Москва) 1923-1925.

Никитина Е. *Русская литература от символизма до наших дней* (Москва) 1926.

Новый Леф, 1-24, (Москва) 1927-1928.

Пастернак Б. *Собрание сочинений в 4 том.* (Мишиган) 1961.

Перцов В. Поэты и *прозаики Великих лет* (*Москва*) 1969.

Полонский В. *Очерки литературного движения революционной эпохи 2 изд.* (Москва) 1929.

Поэтика, сборники по теории поэтического языка (Петроград) 1919.

Правдухин В. *Литературная современность, 1920-1924* (Москва) 1924.

Пунин Н. *Татлин, против кубизма* (Петроград) 1921.

Радлов Н. *О футуризме* (Петроград) 1923.

Редько А. *Литературно-художественные искания, в конце XIX-начале XX вв.* (Ленинград) 1924.

Синявский А. Меньшутин А. *Поэзия первых лет революции* (Москва) 1964.

Троцкий Л. *Литература и революция, 2 изд.* (Москва) 1924.（『文学と革命』内村剛介訳　現代思潮社）

the Avant-garde 1900–1930. (*New York*) *1976.*
Gray C. *The Russian Experiment in Art, 1863–1922.* (New York) 1972.
Khardzhiev N. *K istorii russkogo avangarda/The Russian Avant-Garde* (Stockholm) 1976.
Malevich, Kazimir, *Essays on Art 1915–1933.* Edited by Troels Andersen. 2 vols. (New York) 1971.
______ *The Non-Objective World.* (1927) (Chicago) 1959.
Markov V. *Russian Futurism* (London) 1969.
Marshall H. *Mayakovsky and his poetry* (Bombay) 1955.
Paris-Moscou, Centre Georges Pompidou (Paris) 1979.
Poggioli R. *The poets of Russian 1890–1930* (Harvard) 1960.
Poggioli R. *The Theory of the Avant-garde.* (*Cambridge, Mass*) *1968.*
Pomorska K. *Russian Formalist Theory and its Poetic Ambiance* (The Hague) 1968.
Stahlberger L. S. *The symbolic system of Majakovskij* (The Hague) 1964.
Triolet E. *Maïakovski, poète russe* (Paris) 1945. (『マヤコーフスキイ』神西清訳　創元社)
Williams R. *Artists in Revolution* (*Bloomington, Indiana*) 1977.
Woroszylski W. *The Life of Mayakovsky* (New York) 1970.

●ii

Ган А. *Конструктивизм* (Тверь) 1922.
Февральский А. *Встречи с Маяковским* (Москва) 1971.
Февральский А. *Первая советская пьеса, "Мистерия—Буфф" В. В. Маяковского* (Москва) 1971.
Carter H. *The new spirit in the Russian theatre, 1917–1928* (London, New York, Paris) 1929.
Carter H. *The new theatre and cinema of Soviet Russia, 1917–1923* (London) 1924.

Паперный З. О мастерстве Маяковского (Москва) 1957.
Паперный З. *Поэтический образ у Маяковского* (Москва) 1961.
Перцов В. *Маяковский, жизнь и творчество в 2 том.* (Москва) 1958.
Перцов В. *Маяковский в последние годы, жизнь и творчество* 1925–1930 (Москва) 1965.
Степанов Н. *Велимир Хлебников* (Москва) 1975.
Харджиев Н. Тренин В. *Поэтическая культура Маяковского* (Москва) 1970.
Хлебников В. *Собрание произведений в 5 том.* (Москва) 1928–1933.
Хлебников В. *Неизданные произведения* (Москва) 1940.
Футуристы, первый журнал русских футуристов № 1–2 (Москва) 1914.
Чуковский К. *Футуристы* (Петроград) 1922.
Шкловский В. *О Маяковском* (Москва) 1940.
Шкловский В. *Жили-были* (Москва) 1966.(『革命のペテルブルグ』水野忠夫訳　晶文社)
Andersen, Troels, *Malevich* (Amsterdam) 1970.
Barooshian, V. D. *Russian cubo-futurism* (The Hague, Paris) 1974.
Barron S., Tuchman M., *The Avant-garde in Russia* (Cambridge, Mass.) 1980.(『ロシア・アヴァンギャルド』五十殿利治訳　リブロポート)
Bowlt John E., ed. *Russian Art of the Avant-garde: Theory and Criticism* 1902–1934. (New York) 1976.
Brown E. J. *Mayakovsky: A Poet in the Revolution* (Princeton) 1973.
Donchin G. *The influence of French symbolism on Russian Poetry* (The Hague) 1958.
Dreier K. S. *Burliuk* (New York) 1944.
Erlih V. *Russian Formalism, History-Doctrine* (The Hague) 1955.
Frioux C. *Maïakovski par lui-même* (Paris) 1961.
Gibian G. and Tjalsma, H. W., eds. *Russian Modernism: Culture and*

[参考文献]

● i

Белый А. *Луг зеленый, книга статей* (Москва) 1910.

Белый А. *Символизм* (Москва) 1910.

Белый А. *Поэзия слова* (Петербург) 1922.

Белый А. *Стихотворения* (Петербург) 1923.

Блок А. *Собрание сочинений в 8 том.* (Москва-Ленинград) 1960–1963.

Блок А. *Записные книжки* (Москва) 1965.

Бродский Н. Сидоров Н. (пед) *От символизма до "Октября", Литературные манифесты* (Москва) 1924.

Брюсов В. *Проблемы поэтики, сборник статей* (Москва) 1925.

Катанян В. *Маяковский, литературная хроника* (Москва) 1956.

Крученых А. *Сдвигология русского стиха* (Москва) 1922.

Крученых А. *Апокалипсис в русской литературе* (Москва) 1923.

Лившиц Б. *Полутораглазый стрелец* (Москва) 1933.

Марков В. (ред.) *Манифесты и программы русских футуристов* (Мюнхен) 1967.

Маяковский В. *Полное собрание сочинений в 13 том.* (Москва) 1955–1961.

Маяковский В. *Театр и кино в 2 том.* (Москва) 1954.

В. Маяковский в воспоминаниях современников (Москва) 1963.

Маяковский и советская литература (Москва) 1964.

Маяковский и проблемы новаторства (Москва) 1965.

Маяковский в воспоминаниях родных и друзей (Москва) 1968.

Новое о Маяковском, Литературное наследство 65 том. (Москва) 1958.

[グループ・文集・雑誌・新聞索引]

〈　〉＝グループ,「　」＝文集・雑誌・新聞

[人名索引]

本書は、一九八五年一二月二〇日PARCO出版局より刊行された。
文庫化にあたっては、注・年譜などのレイアウトに変更を施した。
また、時代状況を鑑み、地名・差別的表現はそのままにしてある。

イコノロジー研究(上)　エルヴィン・パノフスキー　浅野徹ほか訳

芸術作品を読み解き、その背後の意味と歴史的意識を探求する図像解釈学。人文諸学に汎用されるこの方法論の出発点となった記念碑的名著。

イコノロジー研究(下)　エルヴィン・パノフスキー　浅野徹ほか訳

上巻の、図像解釈学の基礎論的「序論」と「盲目のクピド」等各論に続き、下巻は新プラトン主義と芸術作品の相関に係る論考に詳細な索引を収録。

〈象徴形式《シンボル》〉としての遠近法　エルヴィン・パノフスキー　木田元監訳　川戸れい子／上村清雄訳

透視図法は視覚とは必ずしも一致しない。それはいわばシンボル的な形式なのだ——。世界表象のシステムから解き明かされる、人間の精神史。

見るということ　ジョン・バージャー　飯沢耕太郎監修　笠原美智子訳

写真の登場で、人間は膨大なイメージに取り囲まれ、歴史や経験との対峙を余儀なくされた。見るという行為そのものに肉迫した革新的美術論集。

イメージ　ジョン・バージャー　伊藤俊治訳

イメージが氾濫する現代、「ものを見る」とはどういう意味をもつか。美術史上の名画と広告とを等価に扱い、見ること自体の再検討を迫る名著。

バルトーク音楽論選　ベーラ・バルトーク　伊東信宏／太田峰夫訳

中・東欧やトルコの民俗音楽研究、同時代の作曲家についての批評など計15篇を収録。作曲家バルトークの多様な音楽活動に迫る文庫オリジナル選集。

古伊万里図鑑　秦秀雄

魯山人に星岡茶寮を任され柳宗悦の蒐集に一役買った稀代の目利き秦秀雄による究極の古伊万里鑑賞案内。限定五百部の稀覯本を文庫化。（勝見充男）

新編 脳の中の美術館　布施英利

「見る」に徹する視覚と共感覚に訴える視覚。ヒトの二つの視知覚形式から美術作品を考察する、芸術論へのまったく新しい視座。（中村桂子）

秘密の動物誌　フォンクベルタ／フォルミゲーラ　荒俣宏監修　管啓次郎訳

光る象、多足蛇、水面直立魚——謎の失踪を遂げた動物学者によって発見された「新種の動物」とは。世界を騒然とさせた驚愕の書。（茂木健一郎）

ブーレーズ作曲家論選
ピエール・ブーレーズ 笠羽映子編訳
現代音楽の巨匠ブーレーズ。彼がバッハ、マーラー、ケージなど古今の名作曲家を個別に考察した音楽論14篇を集めたオリジナル編集。

図説 写真小史
ヴァルター・ベンヤミン 久保哲司編訳
写真の可能性と限界を考察し初期写真から同時代の作品まで通観した傑作エッセイ「写真小史」と、関連の写真図版・評論を編集。（金子隆一）

フランシス・ベイコン・インタヴュー
デイヴィッド・シルヴェスター 小林等訳
二十世紀を代表する画家ベイコンが自身について語った貴重な対談録。制作過程や生い立ちのことなど。『肉への慈悲』の文庫化。（保坂健二朗）

花鳥・山水画を読み解く
宮崎法子
中国絵画の二大分野、山水画と花鳥画。そこに託された人々の思いや夢とは何だったのか。豊饒な作品世界を第一人者が案内する。サントリー学芸賞受賞。

理想の書物
ウィリアム・モリス W・S・ピーターソン編 川端康雄訳
近代デザインの祖・モリスは晩年に、私家版印刷所を設立し、徹底した理想の本作りを追究する。書物芸術を論じた情熱溢れるエッセイ講演集。

紋章学入門
森護
紋章の見分け方と歴史がわかれば、ヨーロッパの文化がわかる！　基礎から学べて謎解きのように面白い紋章学入門書。カラー含む図版約三百点を収録。

河鍋暁斎 暁斎百鬼画談
安村敏信監修・解説
幕末明治の天才画家・河鍋暁斎の遺作から、奇にして怪なる妖怪満載の全頁をカラーで収録、暁斎研究の第一人者の解説を付す。巻頭言＝小松和彦

リヒテルは語る
ユーリー・ボリソフ 宮澤淳一訳
20世紀最大の天才ピアニストの遺した芸術的創造力の横溢。音楽の心象風景、文学や美術、映画への連想がいきいきと語られる。「八月を想う貴人」を増補。

イタリア絵画史
ロベルト・ロンギ 和田忠彦／丹生谷貴志／柱本元彦訳
現代イタリアを代表する美術史家ロンギ。本書は絵画史の流れを大胆に論じ、若き日の文化人達に大きな影響を与えた伝説的講義録である。（岡田温司）

民藝の歴史　志賀直邦

モノだけでなく社会制度や経済活動にも美しさを求めた柳宗悦の民藝運動。「本当の世界」を求める若者達のよりどころとなった思想を、いま振り返る。

シェーンベルク音楽論選　アーノルト・シェーンベルク　上田昭訳

十二音技法を通して無調音楽へ――現代音楽への扉を開いた作曲家・理論家が、自らの技法・信念・つきあげる表現衝動に向きあう。（岡田暁生）

20世紀美術　高階秀爾

混乱した二〇世紀の美術を鳥瞰し、近代以降、現代すなわち同時代の感覚が生み出した芸術が、われわれにとって持つ意味を探る。増補版、図版多数。

世紀末芸術　高階秀爾

伝統芸術から現代芸術へ。19世紀末の芸術運動には既に抽象芸術や幻想世界の探求が萌芽していた。新時代への美の冒険を捉える。（鶴岡真弓）

鏡と皮膚　谷川渥

「神話」という西洋美術のモチーフをめぐり、芸術の認識論的隠喩として二つの表層を論じる新しい身体論・美学。鷲田清一氏との対談収録。

肉体の迷宮　谷川渥

あらゆる芸術表現を横断しながら、捩れ、歪み、時には傷つき、さらけ出される身体と格闘した美術作品を論じる著者渾身の肉体表象論。（安藤礼二）

武満徹　エッセイ選　小沼純一編

稀代の作曲家が遺した珠玉の言葉。作曲秘話、評論、文化論など幅広いジャンルを網羅したオリジナル編集。武満の創造の深遠を窺える一冊。

高橋悠治　対談選　高橋悠治　小沼純一編

現代音楽の世界的ピアニストである高橋悠治。その演奏のような研ぎ澄まされた言葉と、しなやかな姿が味わえる一冊。学芸文庫オリジナル編集。

モーツァルト　礒山雅

彼は単なる天才なのか？　最新資料をもとに知られざる真実を掘り起こし、人物像と作品に新たな光をあてる。これからのモーツァルト入門決定版。

増補 現代美術逸脱史 千葉成夫

具体、もの派、美共闘……。西欧の模倣でも伝統への回帰でもない、日本現代美術の固有性とは。鮮烈な批評にして画期的通史、増補決定版！（光田由里）

限界芸術論 鶴見俊輔

盆栽、民謡、言葉遊び……芸術と暮らしの境界に広がる「限界芸術」。その理念と経験を論じる表題作ほか、芸術に関する業績をまとめる。（四方田犬彦）

ダダ・シュルレアリスムの時代 塚原史

人間存在が変化してしまった時代の〈意識〉を先導する芸術家たち。二十世紀思想史として捉えなおす、衝撃的なダダ・シュルレアリスム論。（巖谷國士）

奇想の系譜 辻惟雄

若冲、蕭白、国芳……奇矯で幻想的な画家たちの大胆な再評価で絵画史を書き換えた名著。度肝を抜かれる奇想の世界へようこそ！（服部幸雄）

奇想の図譜 辻惟雄

北斎、若冲、写楽、白隠、そして日本美術を貫く奔放な「あそび」の精神と「かざり」への情熱。奇想から花開く鮮烈で不思議な美の世界。（池内紀）

幽霊名画集 辻惟雄監修

怪談噺で有名な幕末明治の噺家・三遊亭円朝が遺した鬼気迫る幽霊画コレクション50幅をカラー掲載。美術史、文化史からの充実した解説を付す。

あそぶ神仏 辻惟雄

白隠、円空、若冲、北斎……。彼らの生んだ異形でかわいい神仏とは。「奇想」で美術の常識を塗り替えた大家がもう一つの宗教美術史に迫る。（矢島新）

デュシャンは語る マルセル・デュシャン 聞き手ピエール・カバンヌ 岩佐鉄男／小林康夫訳

現代芸術において最も魅惑的な発明家デュシャン。謎に満ちたこの稀代の芸術家の生涯と思考・創造活動に向かって深く、広く開かれた異色の対話。

音楽理論入門 東川清一

リクツがわかれば音楽はもっと楽しくなる！ 楽譜で用いられる種々の記号、音階、リズムなど、鑑賞や演奏に必要な基礎知識を丁寧に解説。

シュルレアリスムとは何か　巖谷國士

20世紀初頭に現れたシュルレアリスム――美術・文学を縦横にへめぐりつつ「自動筆記」「メルヘン」「ユートピア」をテーマに自在に語る入門書。

マタイ受難曲　礒山雅

罪・死・救済を巡る人間ドラマを圧倒的なスケールで描いたバッハの傑作。テキストと音楽の両面から、秘められたメッセージを読み解く記念碑的名著。

バロック音楽　礒山雅

バロック音楽作品の多様性と作曲家達の試行錯誤。バッハ研究の第一人者が、当時の文化思想的背景も踏まえ、その豊かな意味に光を当てる。（寺西肇）

茶の本　日本の目覚め　東洋の理想　岡倉天心　櫻庭信之／斎藤美洲／富原芳彰／岡倉古志郎訳

茶の哲学を語り（茶の本）、東洋精神文明の発揚を説き（日本の目覚め）、アジアは一つの理想を掲げた（東洋の理想）天心の主著を収録。（佐藤正英）

日本の建築　太田博太郎

日本において建築はどう発展してきたか。伊勢神宮・法隆寺・桂離宮など、この国独自の伝統の形を通覧する日本文化論。（五十嵐太郎）

シーボルト　日本植物誌　大場秀章監修・解説

シーボルトが遺した民俗学的にも貴重な『日本植物誌』よりカラー図版150点を全点収録。オリジナル解説を付した、読みやすく美しい日本の植物図鑑。

点と線から面へ　ヴァシリー・カンディンスキー　宮島久雄訳

抽象絵画の旗手カンディンスキーによる理論的主著。絵画の構成要素を徹底的に分析し、「生きた作品」の構築を試みる。造形芸術の本質を突く一冊。

眼の神殿　北澤憲昭

高橋由一の「螺旋展画閣」構想とは何か――。制度論によって近代日本の「美術」を捉え直し、美術史研究を一変させた衝撃の書。（足立元／佐藤道信）

名画とは何か　ケネス・クラーク　富士川義之訳

西洋美術の碩学が厳選した約40点を紹介。なぜそれらは時代を超えて感動を呼ぶのか。アートの本当の読み方がわかる極上の手引。（岡田温司）

新・建築入門 隈研吾
「建築とは何か」という困難な問いに立ち向かい、建築様式の変遷と背景にある思想の流れをたどりつつ、思考を積み重ねる。書下ろし自著解説を付す。

錯乱のニューヨーク レム・コールハース 鈴木圭介訳
過剰な建築的欲望が作り出したニューヨーク／マンハッタンを総合的・批判的にとらえる伝説の名著。本書を読まずして建築を語るなかれ！（磯崎新）

S, M, L, XL+ レム・コールハース 太田佳代子／渡辺佐智江訳
世界的建築家の代表作がついに！ 伝説の書のコア・エッセイにその後の主要作を加えた日本版オリジナル編集。彼の思索のエッセンスが詰まった一冊。

東京都市計画物語 越澤明
関東大震災の復興事業から東京オリンピックに向けての都市改造まで、四〇年にわたる都市計画の展開と挫折をたどりつつ新たな問題を提起する。

新版大東京案内（上） 今和次郎編纂
昭和初年の東京の姿を、都市フィールドワークの先駆者が活写した名著。上巻には交通機関や官庁、デパート、盛り場、遊興、味覚などを収録。

グローバル・シティ サスキア・サッセン 伊豫谷登士翁監訳 大井由紀／髙橋華生子訳
世界の経済活動は分散したのではない、特権的な大都市に集中したのだ。国民国家の枠組みを超えて発生する世界の新秩序と格差拡大を暴く衝撃の必読書。

東京の空間人類学 陣内秀信
東京、このふしぎな都市空間を深層から探り、明快に解読した定番本。基層の地形、江戸の記憶、近代の都市造形が、ここに甦る。図版多数。（川本三郎）

大名庭園 白幡洋三郎
小石川後楽園、浜離宮等の名園では、多種多様な社交が繰り広げられていた。競って造られた庭園の姿に迫りヨーロッパの宮殿とも比較。（尼崎博正）

東京の地霊《ゲニウス・ロキ》 鈴木博之
日本橋室町、紀尾井町、上野の森……。その土地に堆積した数奇な歴史・固有の記憶を軸に、都内13カ所の土地を考察する「東京物語」。（藤森照信／石山修武）

空間の経験　イーフー・トゥアン　山本浩訳

人間にとって空間と場所とは何か？　それはどんな経験なのか？　基本的なモチーフを提示する空間論の必読図書。（A・ベルク／小松和彦）

個人空間の誕生　イーフー・トゥアン　阿部一訳

広間での雑居から個室住まいへ。回し食いから個々人用食器の成立へ。多様なかたちで起こった「空間の分節化」を通覧し、近代人の意識の発生をみる。

自然の家　フランク・ロイド・ライト　富岡義人訳

いかにして人間の住まいと自然は調和をとりうるか。建築家F・L・ライトの思想と美学が凝縮された名著を新訳。最新知見をもりこんだ解説付。

マルセイユのユニテ・ダビタシオン　ル・コルビュジエ　山名善之／戸田穣訳

近代建築の巨匠による集合住宅ユニテ・ダビタシオン。そこには住宅から都市まで、ル・コルビュジエの思想が集約されていた。充実の解説付。

都市への権利　アンリ・ルフェーヴル　森本和夫訳

都市現実は我々利用者のためにある！——産業化社会に抗するシチュアシオニスム運動の中、人間の主体性に基づく都市を提唱する。（南後由和）

場所の現象学　エドワード・レルフ　高野岳彦／阿部隆／石山美也子訳

〈没場所性〉が支配する現代において〈場所のセンス再生の可能性〉はあるのか。空間創出行為を実践的に理解しようとする社会的場所論の決定版。

装飾と犯罪　アドルフ・ロース　伊藤哲夫訳

近代建築の先駆的な提唱者ロース。有名な「装飾は犯罪である」をはじめとする痛烈な文章の数々に、モダニズムの強い息吹を感じさせる代表的論考集。

朝鮮の膳／朝鮮陶磁名考　浅川巧

李朝工芸に関する比類なき名著として名高い二冊を合本し、初文庫化。読めば朝鮮半島の人々の豊かな暮らしぶりが浮かび上がってくる。（杉山享司）

増補　20世紀写真史　伊藤俊治

写真の歴史を通じて、20世紀の感受性と人間という概念の運命を浮かび上がらせた名著が、21世紀以降までの新しい道筋を書下し大幅増補して刊行。

官能美術史　池上英洋

西洋美術に溢れるエロティックな裸体たち。そこにはどんな謎が秘められているのか？　カラー多数！200点以上の魅惑的な図版から読む珠玉の美術案内。

残酷美術史　池上英洋

魔女狩り、子殺し、拷問、処刑——美術作品に描かれた身の毛もよだつ事件の数々。カラー多数。200点以上の図版が人間の裏面を抉り出す！

美少年美術史　池上英洋／川口清香

神々や英雄たちを狂わせためくるめく同性愛の世界。芸術家を虜にしたその裸体。カラー含む200点以上の美しい図版から学ぶ、もう一つの西洋史。

美少女美術史　池上英洋／荒井咲紀

幼く儚げな少女たち。この世の美を結晶化させたその姿に人類のどのような理想と欲望の歴史が刻まれているのか。カラー多数、200点の名画から読む。

グレン・グールドは語る　グレン・グールド／ジョナサン・コット　宮澤淳一訳

独創的な曲解釈やレパートリー、数々のこだわりにより神話化された天才ピアニストが、最高の聞き手を相手に自らの音楽や思想を語る。新訳。

造形思考（上）　パウル・クレー　土方定一／菊盛英夫／坂崎乙郎訳

クレーの遺した膨大なスケッチ、草稿のなかからバウハウス時代のものを集成。独創的な作品はいかにして生まれたのか、その全容を明らかにする。

造形思考（下）　パウル・クレー　土方定一／菊盛英夫／坂崎乙郎訳

運動・有機体・秩序。見えないものに形を与え、目に見えるようにするのが芸術の本質だ。ベンヤミンをも虜にした彼の思想とは。（岡田温司）

ジョン・ケージ 著作選　ジョン・ケージ　小沼純一編

卓越した聴感を駆使し、音楽に革命を起こしたケージ。本書は彼の音楽論、自作品の解説、実験的な文章作品を収録したオリジナル編集。

監督 小津安二郎〔増補決定版〕　蓮實重彦

小津映画の魅力は何に因るのか。人々を小津的なものの神話から解放し、現在に小津を甦らせた画期的著作。一九八三年版に三章を増補した決定版。

プラド美術館の三時間
エウヘーニオ・ドールス
神吉敬三 訳
20世紀スペインの碩学が特に愛したプラド美術館を借りて披瀝した絵画論。「展覧会を訪れる人々への忠告」併収の美の案内書。（大高保二郎）

土門拳 写真論集
土門拳
田沼武能 編
戦後を代表する写真家、土門拳の書いた写真選評やエッセイを精選。巨匠のテクニックや思想を余すところなく盛り込んだ文庫オリジナル新編集。

なぜ、植物図鑑か
中平卓馬
映像に情緒性・人間性は不要だ。図鑑のような客観的視線を獲得せよ！　日本写真の'60～'70年代を牽引した著者の幻の評論集。（八角聡仁）

絵画の政治学
リンダ・ノックリン
坂上桂子 訳
ジェンダー、反ユダヤ主義、地方性……。19世紀絵画を、形式のみならず作品を取り巻く政治的関係から読み解く。美術史のあり方をも問うた名著。

人を賢くする道具
D・A・ノーマン
佐伯胖 監訳
岡本明ほか 訳
機械中心ではなく、人間中心のデザインへ。数値のグラフ化や商品陳列棚、航空機コックピットの設計等を例に、認知とデザインの関係をとく先駆的名著。

ゴダール革命〔増補決定版〕
蓮實重彥
「失敗の成功」を反復する映画作家が置かれ続けた孤独。それは何を意味するのか。ゴダールへのインタヴューなどを再録増補した決定版。（堀潤之）

美術で読み解く　新約聖書の真実
秦剛平
西洋名画からキリスト教を読む楽しい3冊シリーズ。新約聖書篇は、受胎告知や最後の晩餐などのエピソードが満載。カラー口絵付オリジナル。

美術で読み解く 聖母マリアとキリスト教伝説
秦剛平
キリスト教美術の多くは捏造された物語に基づいていた！　マリア信仰の成立、反ユダヤ主義の台頭など、西洋名画に隠された衝撃の歴史を読む。

美術で読み解く　聖人伝説
秦剛平
聖人100人以上の逸話を収録する『黄金伝説』は、中世以降のキリスト教美術の典拠になった。絵画・彫刻と対照させつつ聖人伝説を読み解く。

戦争の技術
ニッコロ・マキァヴェッリ
服部文彦訳
出版されるや否や各国語に翻訳された最強にして安全な軍隊の作り方。この理念により創設された新生フィレンツェ軍は一五〇九年、ピサを奪回する。

マクニール世界史講義
ウィリアム・H・マクニール
北川知子訳
ベストセラー『世界史』の著者が人類の歴史を読み解くための三つの視点を易しく語る白熱の入門講義。本物の歴史感覚を学べます。文庫オリジナル。

古代ローマ旅行ガイド
フィリップ・マティザック
安原和見訳
タイムスリップして古代ローマを訪れるなら？ そんな想定で作られた前代未聞のトラベル・ガイド。必見の名所・娯楽ほか情報満載。カラー頁多数。

古代アテネ旅行ガイド
フィリップ・マティザック
安原和見訳
古代ギリシャに旅行できるなら何を観て何を食べる？ そうだソクラテスにも会ってみよう！ 神殿等の名所・娯楽ほか現地情報満載。カラー図版多数。

古代ローマ帝国軍非公式マニュアル
フィリップ・マティザック
安原和見訳
帝国は諸君を必要としている！ ローマ軍兵士として必要な武器、戦闘訓練、敵の攻略法等々、超実践的な詳細ガイド。血沸き肉躍るカラー図版多数。

世界市場の形成
松井透
世界システム論のウォーラーステイン、グローバルヒストリーのポメランツに先んじて、各世界が接続される過程を描いた歴史的名著を文庫化。（秋田茂）

甘さと権力
シドニー・W・ミンツ
川北稔／和田光弘訳
砂糖は産業革命の原動力となり、その甘さは人々のアイデンティティや社会構造をも変えていった。モノから見る世界史の名著をついに文庫化。（川北稔）

スパイス戦争
ジャイルズ・ミルトン
松浦伶訳
大航海時代のインドネシア、バンダ諸島。欧州では黄金より高価な香辛料ナツメグを巡り、英・蘭の男たちが血みどろの戦いを繰り広げる。（松園伸）

メディアの生成
水越伸
無線コミュニケーションから、ラジオが登場する二〇世紀前半。その地殻変動はいかなるもので何を生みだしたかを捉え直す、メディア史の古典。

叙任権闘争
オーギュスタン・フリシュ
野口洋二訳
十一世紀から十二世紀にかけ、西欧では聖職者の任命をめぐり教俗両権の間に巨大な争いが起きた。この出来事を広い視野から捉えた中世史の基本文献。

ナチズムの美学
ソール・フリードレンダー
田中正人訳
ナチズムに民衆を魅惑させた、意外なものの正体は何か。ホロコースト史研究の権威が第二次世界大戦後の映画・小説等を分析しつつ迫る。（竹峰義和）

大航海時代
ボイス・ペンローズ
荒尾克己訳
人類がはじめて世界の全体像を識っていく大航海時代。その二百年の膨大な史料を、一般読者むけに俯瞰図としてまとめ上げた決定版通史。（伊高浩昭）

衣服のアルケオロジー
フィリップ・ペロー
大矢タカヤス訳
下着から外套、帽子から靴まで。19世紀ブルジョワジーを中心に、あらゆる衣類が記号として機能してきた実態を、体系的に描くモードの歴史社会学。

20世紀の歴史（上）
エリック・ホブズボーム
大井由紀訳
第一次世界大戦の勃発が20世紀の始まりとなった。この「短い世紀」の諸相を英国を代表する歴史家が渾身の力で描く。全二巻、文庫オリジナル新訳。

20世紀の歴史（下）
エリック・ホブズボーム
大井由紀訳
一九七〇年代を過ぎ、世界に再び危機が訪れる。不確実性がいやますなか、ソ連崩壊が20世紀の終焉を印した。歴史家の考察は我々に何を伝えるのか。

アラブが見た十字軍
アミン・マアルーフ
牟田口義郎／新川雅子訳
十字軍とはアラブにとって何だったのか？ 豊富な史料を渉猟し、激動の12、13世紀をあざやかに、しかも手際よくまとめた反十字軍史。

バクトリア王国の興亡
前田耕作
ゾロアスター教が生まれ、のちにヘレニズムが開花したバクトリア。様々な民族・宗教が交わるこの地に栄えた王国の歴史を描く唯一無二の概説書。

ディスコルシ
ニッコロ・マキァヴェッリ
永井三明訳
ローマ帝国はなぜあれほどまでに繁栄しえたのか。その鍵は〝ヴィルトゥ〟。パワー・ポリティクスの教祖が、したたかに歴史を解読する。

ちくま学芸文庫

ロシア・アヴァンギャルド
未完《みかん》の芸術革命《げいじゅつかくめい》

二〇二三年六月十日　第一刷発行

著　者　水野忠夫（みずの・ただお）
発行者　喜入冬子
発行所　株式会社　筑摩書房
東京都台東区蔵前二―五―三　〒一一一―八七五五
電話番号　〇三―五六八七―二六〇一（代表）
装幀者　安野光雅
印刷所　株式会社精興社
製本所　株式会社積信堂

ISBN978-4-480-51189-8 C0170